Formule 1 voor Dummies

Races voor het 2004 Formule 1-wereldkampioenschap

Een Formule 1-weekend kun je nooit te vroeg in je agend... ...n 2004.

Datum	Grand prix		
7 maart	Australië, Melbourne		
21 maart	Maleisië, Sepang		...ilverstone
4 april	Bahrein, Solihir	25 juni	Duitsland, Hockenheim
25 april	San Marino, Imola	15 augustus	Hongarije, Boedapest
9 mei	Spanje, Barcelona	29 augustus	België, Spa-Francorchamps
23 mei	Monaco, Monte Carlo	12 september	Italië, Monza
30 mei	Europa, Nürburgring	26 september	China, Shanghai
13 juni	Canada, Montreal	10 oktober	Japan, Suzuka
20 juni	USA, Indianapolis	24 oktober	Brazilië, Interlagos

Formule 1-teams en coureurs in 2004

Dit zijn de teams en de coureurs die om het Formule 1-kampioenschap strijden.

Team	Coureurs	Team	Coureurs
Ferrari	Michael Schumacher, Rubens Barrichello	Sauber	Giancarlo Fisichella, Felipe Massa
Williams	Juan Pablo Montoya, Ralf Schumacher	Jaguar	Mark Webber, Christian Klien
McLaren	David Coulthard, Kimi Räikkönen	Toyota	Cristiano da Matta, Olivier Panis
Renault	Jarno Trulli, Fernando Alonso	Jordan	Nick Heidfeld, Giorgio Pantano
BAR	Jenson Button, Takumo Sato	Minardi	Gianmaria Bruni, Zsolt Baumgartner

Betekenis van de vlaggen

De marshals zie je tijdens een race met verschillende vlaggen zwaaien. Elke vlag heeft een unieke betekenis.

Vlag	Betekenis
Groene vlag	De baan is weer volledig vrijgegeven. Wordt gebruikt na een safety car of direct na een incident dat met de gele vlag is gemarkeerd.
Gele vlag	Waarschuwt voor een gevaarlijke situatie. De coureurs moeten hun snelheid matigen en mogen niemand inhalen.
Gele vlag met een bord met de letters SC	Geeft aan dat de safety car (bijvoorbeeld vanwege een ongeval) op de baan is. Coureurs moeten hun positie handhaven en de leider volgen. De snelheid wordt door de safety car aangegeven.
Geel-rood gestreepte vlag	Waarschuwt coureurs voor olie, water of wrakstukken op de baan.

vervolg op volgende pagina

Formule 1 voor Dummies

Spiek Brief

vervolg van vorige pagina

Vlag	Betekenis
Blauwe vlag	Laat een coureur weten dat hij op een ronde achterstand gezet zal worden. De coureur moet de snellere wagen laten passeren.
Witte vlag	Waarschuwt voor een zeer langzame wagen op de baan, mogelijk zelfs een reddingswagen.
Zwart-wit diagonale vlag	Waarschuwt een coureur voor een mogelijke diskwalificatie wegens onsportief of gevaarlijk gedrag.
Zwarte vlag met oranje cirkel	Wijst de coureur op een mechanisch probleem van de wagen waarvoor hij de pit moet opzoeken.
Zwarte vlag	Wordt samen met het wagennummer getoond en geeft aan dat de desbetreffende coureur gediskwalificeerd is en direct naar de pit moet terugkeren.
Rode vlag	Geeft aan dat de race vanwege een ongeval of een andere onverwachte gebeurtenis is gestopt.
Zwart-wit geblokte vlag	Geeft het einde van de race aan.

Enkele Formule 1-records

Ware Formule 1-fans kunnen alle belangrijke records direct opsommen. Hier vind je enkele belangrijke records. Bijlage B bevat meer cijfers en records.

De meeste races gewonnen

Positie	Coureur	Gewonnen races
1	Michael Schumacher	70
2	Alain Prost	51
3	Ayrton Senna	41
4	Nigel Mansell	31
5	Jackie Stewart	27

De meeste pole positions

Positie	Coureur	Aantal pole positions
1	Ayrton Senna	65
2	Michael Schumacher	55
3	Jim Clark	33
4	Alain Prost	33
5	Nigel Mansell	32

De meeste kampioenschappen

Coureurs	Aantal kampioenschappen
Michael Schumacher	6
Juan-Manuel Fangio	5
Alain Prost	4
Jack Brabham, Jackie Stewart, Niki Lauda, Nelson Piquet, Ayrton Senna	3
Alberto Ascari, Graham Hill, Jim Clark, Emerson Fittipaldi, Mika Häkkinen	2

Formule 1 voor Dummies

Wees slim, lees ook andere titels uit de serie Voor Dummies!

Deze Voor Dummies zijn verkrijgbaar in de boekhandel.
Meer over Voor Dummies vind je op www.dummies.nl

Formule 1 voor Dummies

Jonathan Noble
en Mark Hughes

**ADDISON
WESLEY**

Een imprint van Pearson Education

Vertaling van: *Formula One Racing For Dummies*
Chichester, West Sussex: John Wiley & Sons, Ltd., 2004
ISBN 90-430-0917-2
NUR 480, 462
Trefw.: formule 1, autosport

Vertaling: Brian Gramberg voor Fontline
Redactie, zetwerk & omslag: Fontline, Nijmegen
Inhoudelijke beoordeling: Arjan van Vliet, *Formule 1*
Hans van der Klis, *Race report*

2004| 255 6| 6-18.61

*Dit boek is gedrukt op een papiersoort die niet met chloorhoudende chemicaliën is
gebleekt. Hierdoor is de productie van dit boek minder belastend voor het milieu.*

De inhoud in vogelvlucht

Inhoudsopgave

Over de auteurs

Jonathan Noble is Formule 1-redacteur voor *Autosport*, het leidende Britse autosportweekblad. Zijn journalistieke carrière begon op de universiteit met het winnen van de prestigieuze Sir Williams Lyons Award voor jonge journalisten, na zijn interview met de toen nog vrij onbekende David Coulthard. Na zijn afstuderen aan de universiteit van Sussex ging hij voor het sportnieuwsbureau Collings Sport werken, waar hij voor kranten en bureaus als de *Daily Telegraph*, *Reuters* en *The European* onder meer over Formule 1, voetbal en rugby berichten schreef. De volgende stap in zijn carrière kwam in 1999, toen hij voor het tijdschrift *Autosport* als redacteur voor de beroemde *Grand Prix Review* aan de slag ging. Sinds hij in 2000 met zijn huidige functie als redacteur begon, heeft hij geen enkele Grand Prix gemist. Dit is zijn eerste boek.

Mark Hughes zat zelf achter het stuur van verschillende racewagens voordat hij er ook over ging schrijven. Hij begon zijn journalistieke loopbaan in 1988 voor het motorsportweekblad *Motoring News*. Hij bleef er vijf jaar werken en werkte zich langzaam op tot Formule 1-verslaggever. Na een korte uitstap naar de autojournalistiek, ging hij in 1996 als zelfstandig verslaggever verder. Zijn talent werd opgemerkt door het toonaangevende autosportblad *Autosport* dat hem als algemeen Formule 1-redacteur aantrok. Hij reist van Formule 1-evenement naar Formule 1-evenement de hele wereld over, en is verantwoordelijk voor de raceverslagen in het magazine.

Dankwoord

Van Jonathan: Ik wil iedereen bij Wiley Publishing bedanken, speciaal Jason Dunne, Daniel Mersey en Samantha Clapp, voor de kans die zij mij hebben gegeven om mijn eerste boek te schrijven. Alleen dankzij hun hulp, toewijding, feedback en eindeloze ondersteuning kon dit boek ontstaan.

Dank gaat ook uit naar Mark Hughes, zowel voor je ondersteuning bij het schrijven van dit boek als voor de vele schuddebuikende lachaanvallen die we in de afgelopen jaren samen hebben mogen beleven.

Ook mijn ouders mag ik niet vergeten te bedanken. Zonder hun toewijding vele jaren geleden had ik nooit mijn droomberoep kunnen bereiken. Ik denk dat ik met een gerust hart kan zeggen dat al die tochtjes naar een koud en nat Silverstone, alleen maar om gebiologeerd naar een paar rondrijdende raceauto's te kijken, welbesteed waren.

Ten slotte wil ik als belangrijkste Sarah bedanken, voor je onbegrensde geduld en begrip, terwijl ik onze woonkamer volstopte met meer en meer boeken, tijdschriften, cd's, faxen en notities. Je was, en bent, geweldig.

Van Mark: Ik wil vooral Heather, Joseph en Mia bedanken dat zij me zelfs in de schaarse tijd tussen de races de tijd gunden om aan dit boek te werken.

Inleiding

· ·

Of je nu met vrienden of familie over Formule 1 praat, ze hebben er gegarandeerd een mening over. De een vindt het veel te saai om naar een paar auto's te kijken die twee uur rondjes rijden tot ze worden afgevlagd. De ander roept dat de sport tegenwoordig veel te gecompliceerd en technologisch is geworden; al die tankstrategieën en elektronica hebben de stoere romantiek om zeep geholpen.

Spreek je echter met iemand die zich wat meer heeft verdiept in de Formule 1 en de pieken en dalen van de sport kent, dan stuit je op honderden verschillende redenen waarom mensen verliefd worden op Formule 1-racen. Sommigen genieten ervan de coureurs te volgen, anderen worden gefascineerd door de technologisch wedloop of vinden het fantastisch om op een circuit de Formule 1-sfeer op te snuiven.

Hoe meer mensen de sport volgen, des te meer ze door de verschillende aspecten worden geraakt. Ook jij zult je eerste race waarschijnlijk uit nieuwsgierigheid hebben bekeken, gewoon om eens te zien waar al die ophef nou over gaat. Maar zodra die eerste stap is gezet, ben je verslaafd en wil je alleen nog maar meer en meer.

Over dit boek

Maar weinig Formule 1-fans zullen je exact kunnen vertellen hoe ze met de sport in aanraking zijn gekomen. Het is nou niet bepaald een spelletje dat je op het schoolplein hebt gespeeld, en niet veel ouders maken in hun vrije tijd een paar rondjes in een Formule 1-wagen. Toch trekt Formule 1 elk jaar miljoenen en miljoenen nieuwe fans die elk om hun eigen redenen door de sport worden gefascineerd. Dit boek helpt je uit te vinden wat er zo interessant is aan Formule 1 en vertelt je precies waarom je het niet zou willen missen. Heb je nog nooit een Formule 1-race bekeken, dan wijdt dit boek je in de grondbeginselen van Formule 1-racen in. We beantwoorden vragen als:

✔ Waarom hebben Formule 1-wagens vleugels en waarom zitten die onder de logo's?

✔ Hoe kan een race zonder groen startlicht toch beginnen?

✔ Hoe bereiden Formule 1-coureurs zich mentaal en fysiek op een race voor?

✔ Wat voor soort dingen kan ik als Formule 1-fan allemaal doen, en hoe bemachtig ik een handtekening van mijn favoriete coureur?

✔ Welke strategieën gebruiken coureurs en teams tijdens een race?

✔ Hoe verhoudt Formule 1 zich tot andere raceklassen?

✔ Waarom is een Formule 1-auto nog steeds een auto, ook al zit er geen dak, deur of motorkap op?

✔ Waarom is de financiële kant van de sport zo belangrijk en wat is de rol van de sponsors?

✔ Wie werken er, naast de coureur, verder in het team?

✔ Hoe voelt het om een race te winnen, en hoe krijg je dat voor elkaar?

Het mooie aan dit boek is dat jij beslist waar je begint en wat je leest. Beschouw het maar als een naslagwerk waar je naar wens in kunt duiken. Blader gewoon door naar de inhoudsopgave en zoek de informatie of het recept dat je nodig hebt.

Afspraken in dit boek

Om ervoor te zorgen dat je in dit boek makkelijker de weg vindt, houden we ons aan een paar afspraken:

✔ We gebruiken een *cursief* lettertype voor alle nieuwe woorden of termen die we definiëren.

✔ In opsommingen en instructies is het onderwerp of de actie **vet** gemaakt.

Wat je niet hoeft te lezen

Ben je een nieuweling in de Formule 1-wereld en wil je gewoon leren begrijpen wat er tijdens een race allemaal gebeurt, dan is het niet nodig elke alinea in elk hoofdstuk door te lezen. Kom je in de tekst een

pictogram voor technische informatie tegen, dan weet je dat de desbetreffende tekst detailinformatie bevat bestemd voor mensen die al enige
kennis van Formule 1 hebben en de sport nu in de diepte willen leren
kennen.

Het is evenmin verplicht alle gearceerde tekstkaders te lezen. Deze
tekstkaders bevatten nuttige kennis en achtergrondinformatie over onderwerpen die verder niet aan bod komen. Sla je ze over, dan zul je de
rest van dit boek nog steeds prima snappen.

Wat we aannemen

Voor het schrijven van dit boek hebben we enkele aannamen over jou,
de lezer, gemaakt. Allereerst bewijst alleen al het feit dat je dit boek
leest, dat je geen dummy bent. Bovendien wil je meer leren en ontdekken over Formule 1. Dit zijn nog een paar andere aannamen van ons:

- ✔ Je bent helemaal nieuw in de wereld van de Formule 1, of je volgt
  het al een tijdje maar wilt je kennis verdiepen.

- ✔ Je kent de basisbeginselen, maar je wilt meer weten, zodat je bij
  de eerstvolgende race die je ziet, beter snapt wat er allemaal gebeurt.

- ✔ Je wilt je kunnen mengen in gesprekken en discussies met door
  de wol geverfde fans die de sport al lange tijd volgen.

- ✔ En wie weet, misschien wordt je passie voor Formule 1 door dit
  boek zo aangewakkerd, dat je ooit zelf nog eens een belangrijke
  rol in de toekomst van de Formule 1 zult spelen.

Hoe dit boek is ingedeeld

Formule 1 voor Dummies is zeker geen opeenstapeling van technische
praat en willekeurige feitjes, afgewisseld met een paar fraaie plaatjes. In
plaats daarvan is dit boek zo opgezet dat je snel en zonder al te veel
moeite de informatie kunt vinden waar je naar op zoek bent. We hebben
dit boek in vijf delen opgesplitst. De hoofdstukken in elk deel nemen telkens een specifiek aspect van de sport onder de loep; of het daarbij nou
om de technische kant, de conditie van de deelnemers, de veiligheid of
's werelds beste coureurs gaat. Je hoeft dit boek niet van kaft tot kaft te
lezen, maar je kunt direct naar het deel bladeren dat je belangstelling
heeft.

Deel I: Met hoge snelheid door de basis

Sta er eens bij stil wat het eigenlijk betekent dat de omvang van het Formule 1-televisiepubliek alleen maar door de Olympische Spelen en door het wereldkampioenschap voetbal wordt benaderd. In dit deel lees je hoe Formule 1 van de eerste Grand Prix in 1906 en de miljonairshobby uit de jaren dertig en veertig van de vorige eeuw is geworden tot de big business die het tegenwoordig is. In dit deel gaan we naast de zakelijke kant van Formule 1 en de rol van de sponsors ook in op de regels die de sport in goede banen leiden; en wat de teams allemaal doen om deze re-
's te omzeilen.

Deel II: Teams, coureurs en hun wagens

Formule 1 bestaat slechts dankzij de inspanningen van alle betrokken teams en coureurs. Maar wie zijn die mannen die het op het asfalt uitvechten? En wie zijn de mensen die de wagens bouwen die ze besturen? Dit deel beantwoordt deze vragen en gaat diepgravend in op het ontwerp en de techniek van een Formule 1-wagen. In dit deel lees je ook onder welke druk en stress de coureurs staan, en waarom het besturen van een Formule 1-wagen heel wat inspannender is dan een zondagmiddagtochtje in je cabrio.

Deel III: Wat er op (en naast) de baan gebeurt

Er was een tijd waarin niemand van te voren precies kon zeggen welke teams aan een Grand Prix zouden deelnemen of zelfs maar hoe laat de race eigenlijk zou beginnen. Dankzij de strikte regels voor deelname, tijdschema en indeling van het raceweekend, ziet dit er tegenwoordig heel anders uit. In dit deel vertellen we je hoe coureurs zich voorbereiden op een raceweekend, waarom je beter snel in de race kunt zijn dan snel in de kwalificatie, je leest wat het geheim van die supersnelle pitstops is, welke veiligheidsmaatregelen de coureurs beschermen en hoe het voelt om na de finish op de hoogste trede te staan.

Deel IV: Formule 1-circuits begrijpen

Formule 1 draait om de allerbeste coureurs in de allerbeste wagens, maar zou zonder 's werelds allerbeste circuits lang niet zo invloedrijk zijn. Elk circuit op de kalender is uniek. In dit deel analyseren we de verschillende soorten circuits, hoe ze worden gekozen en hoe het voelt om erop te rijden. Bovendien vind je in dit deel veel tips en adviezen voor het geval je zelf een keer een race wilt bezoeken. We vertellen je hoe je toegangskaarten koopt, waar je een overnachtingsplek vindt en hoe je jezelf in de stemming krijgt voor de racezondag.

Deel V: Jij en Formule 1: een dag naar een Grand Prix

Formule 1 zonder fans is gewoon geen Formule 1. Ook al plannen veel raceliefhebbers hun trip op een vrije dinsdagavond, wil je het onderste uit de kan halen, dan zul je je bezoek maanden van te voren moeten uitstippelen. Dit deel helpt je bij de keuze voor een bezoek aan een Grand Prix, vertelt je hoe je eenmaal aangekomen moet gedragen en wat je met je mee moet nemen. Mocht het niet mogelijk zijn de race live bij te wonen, dan vind je hier ook advies hoe je Formule 1 op televisie, radio, via internet of met tijdschriften en kranten kunt volgen. In dit deel vind je ook een aantal tips voor fans die lid willen worden van een fanclub of die een handtekening van een coureur willen bemachtigen.

Deel VI: Het deel van de tientallen

Heb je behoefte aan een geconcentreerd shot informatie zonder eerst een compleet hoofdstuk door te hoeven lezen, dan is het deel van de tientallen perfect voor je. In dit deel vind je kort en bondig alles wat een Formule 1-fan moet weten. Wie zijn de grootste sterren, wat waren de beste races, wat kun je gedurende het seizoen allemaal doen en wie zijn de toekomstige Formule 1-sterren. Onze persoonlijke mening was het belangrijkste selectiecriterium, dus neem ze niet als absolute waarheid. Beschouw het maar als gespreksstof met je Formule 1-vrienden.

Deel VII: Bijlagen

Heb je nog nooit van Formule 1 gehoord, dan sta je waarschijnlijk aan de grond genageld bij het aanhoren van alle technische termen en speciale uitdrukkingen die bij deze sport horen. *Onderstuur, telemetrie, barge boards, slicks*; het klinkt allemaal nog als abracadabra? Dan is bijlage A verplichte kost.

Formule 1-fans kunnen eindeloos discussiëren over wie nou precies de beste coureur is, maar uiteindelijk kunnen alleen de statistieken deze vraag beantwoorden. Al deze statistieken hebben we in bijlage B voor je verzameld. Van de winnaar van de meeste races tot de coureur met de meeste poles.

Pictogrammen in dit boek

Om het lezen van *Formule 1 voor Dummies* nog aangenamer te maken, vind je in de linkermarge bij sommige alinea's een pictogram waarmee we belangrijke informatie benadrukken.

Deze pictogrammen markeren nuttige tips en adviezen waarmee je tijd, geld en moeite bespaart, en je nog meer geniet van het volgen of bezoeken van Formule 1.

Er zijn maar weinig dingen waarover je je als Formule 1-fan zorgen hoeft te maken. Mocht er toch iets zijn waarvoor je moet oppassen, dan vind je dit pictogram bij de tekst. Het waarschuwt je voor potentiële gevaren.

We gebruiken dit pictogram om belangrijke informatie te markeren die je kunt gebruiken om je kennis te verdiepen of om je vrienden en mede-fans mee te verbluffen.

Dit pictogram vind je bij informatie die dieper ingaat op de details van Formule 1-technologie. Misschien vind je deze informatie interessant, maar je hoeft het niet per se te weten. Voel je vrij deze informatie over te slaan.

Formule 1-teams en -coureurs houden zich dag en nacht, zowel op als naast de baan, met strategie bezig. Dit pictogram staat bij tekst met informatie over de tactieken en methoden waarmee teams anderen de loef proberen af te steken.

Bespreken we ware gebeurtenissen uit de rijke Formule 1-geschiedenis, dan zie je dit pictogram naast de tekst staan. Want wat is er nou effectiever om indruk mee te maken op collega's, vrienden en familie, dan een fraaie Formule 1-anekdote?

Hoe nu verder

Dit boek is anders dan alle andere Formule 1-boeken die je in de boekhandel kunt vinden. Zo is het helemaal niet verplicht dadelijk de bladzijde om te slaan en braaf pagina voor pagina verder te lezen. In plaats daarvan mag je direct naar elk gewenst hoofdstuk doorbladeren. De belangrijkste onderdelen van dit boek zijn de inhoudsopgave en de index achter in dit boek. Deze twee onderdelen zijn je gids bij het terugvinden van de gezochte informatie.

Elk hoofdstuk is een zelfstandig geheel, en de hoofdstukken hoeven niet in volgorde gelezen te worden. Dus, kies waar je je reis in de wereld van de Formule 1 wilt beginnen, en geniet van de trip!

Deel I

Met hoge snelheid door de basis

In dit deel...

Alleen als je de laatste decennia op een onbewoond eiland hebt doorgebracht, is er een kans dat je nog nooit van Formule 1 hebt gehoord. Formule 1 is tegenwoordig big business en behoort samen met het wereldkampioenschap voetbal en de Olympische Spelen tot 's werelds belangrijkste sportevenementen. Deze sport wordt door miljoenen toeschouwers over de hele wereld gevolgd, genereert een enorme media-aandacht en levert de beste deelnemers een heleboel kleingeld op.

In dit deel doen we uit de doeken hoe deze sport zich van een tijdverdrijf voor rijken, in minder dan een eeuw heeft kunnen ontwikkelen tot het mediacircus dat het tegenwoordig is. We vertellen je wat Formule 1 zo aantrekkelijk maakt en waarom grote bedrijven over elkaar struikelen om hun naam op de zijkant van een racewagen te krijgen.

Met succes gaan zulke enorme bedragen gepaard, dat strikte regels absoluut onmisbaar zijn. Teams proberen af en toe nog steeds op slinkse wijze deze regels te omzeilen, maar de straffen die ze krijgen opgelegd als ze worden betrapt, zijn allesbehalve mals.

Hoofdstuk 1

Formule 1: de feiten

*F*ormule 1 is, zoals de naam al aangeeft, de absolute top van de auto-sport. Kinderen dromen niet van lagere raceklassen, nee, ze willen in de Formule 1 uitkomen.

Formule 1 is inmiddels uitgegroeid tot een waar wereldwijd circus. Elke Grand Prix op de kalender wordt door tienduizenden fans bezocht, die een plaatsje op de tribunes proberen te bemachtigen en hopen een glimp van een van de supersterren op te vangen. Op hetzelfde moment zitten in 150 verschillende landen meer dan 300 miljoen mensen voor de buis om de titanenstrijd comfortabel vanuit hun woonkamer te volgen.

Dankzij deze wereldwijde aandacht zijn sponsors bereid miljoenen neer te tellen en struikelen televisiestations over elkaar om de uitzendrech-ten voor de races te bemachtigen. De enorme marketingcampagnes van deze sponsors hebben op hun beurt de aandacht voor Formule 1 nog verder opgezweept. Alleen de Olympische Spelen en het wereldkam-pioenschap voetbal kunnen tegenwoordig nog op dezelfde kijkcijfers en media-aandacht rekenen als Formule 1. En deze twee evenementen vin-den maar eens in de vier jaar plaats.

Formule 1: de moderne mondiale sport

Het wereldwijde karakter is een van de belangrijkste aantrekkingskrachten van Formule 1. Op het circuit vechten de beste coureurs uit alle mogelijke landen om de winst, waarbij ze de beste wagens en de beste motoren van de gehele wereld gebruiken. Een klein voorbeeld: de Spanjaard Fernando Alonso rijdt voor het Franse team Renault, dat onder leiding staat van de Italiaan Flavio Briatore, terwijl de wagens worden ontworpen en gebouwd in Groot-Brittannië. Wauw!

Het mondiale karakter van de sport wordt nog versterkt doordat het Formule 1-circus gedurende het seizoen alle uithoeken van de wereld bezoekt. De ene week zitten de wagens, teams en coureurs nog in Australië, twee weken later komen ze in Maleisië aan, om daarna direct door te vliegen naar Bahrein.

Ook de fans zijn uit de hele wereld afkomstig. Bij elke race tref je niet alleen de lokale fans aan, maar ook fans die uit andere delen van de wereld afkomstig zijn en speciaal voor dit evenement een vakantie hebben ingelast. Bij een Formule 1-race zijn op de tribunes de vlaggen van alle mogelijke landen te zien.

Al sinds het begin van het officiële wereldkampioenschap Formule 1 in 1950 mag de sport zich op deze wereldwijde belangstelling verheugen. Ook voor die tijd werden er Formule 1-races gehouden, maar er bestond nog geen officieel erkende strijd om de wereldtitel.

Coureurs en andere belangrijke personen

Net als bij andere enorm succesvolle sporten, struikel je in de Formule 1-wereld bijna over de supersterren. Net als de voetballer David Beckham of de golfer Tiger Woods, hebben de grote coureurs in de Formule 1 over de wereld miljoenen fans, die vol aandacht elke actie bestuderen en hopen dat hun idool deze keer wint.

Maar de coureurs zijn niet de enige grote namen in de Formule 1. Zo zijn veel van de teambazen zelf al een beroemdheid. Sommige bazen, zoals Renault-baas Flavio Briatore, zijn bijna even beroemd vanwege de koppen in de roddelbladen als door het werk dat ze voor hun teams hebben gedaan.

En naast de beroemde coureurs en teambazen mogen zelfs de bazen van de serie zich op hun eigen faam verheugen. Bernie Ecclestone, de man die de commerciële kant van de Formule 1 onder zijn hoede heeft, is een bekende naam in menig huishouden. Niet in de laatste plaats omdat hij een van Engelands rijkste mannen is. Ook Max Mosley, de president van de overkoepelende raceorganisatie FIA, is geen onbekende in de media.

Coureurs

De meeste aandacht gaat zonder twijfel uit naar de coureurs zelf. Zonder de coureurs zouden er geen races, geen strijd en geen psychologische oorlogsvoering zijn. Zelfs het feit dat sommige coureurs elkaar niet kunnen uitstaan maakt dat het voor fans nog interessanter wordt het verloop van het Formule 1-seizoen te volgen.

De bestbetaalde coureurs verdienen tegenwoordig bedragen waarover de meesten van ons alleen maar kunnen dromen. Maar ze werken er hard voor. Ze nemen niet alleen grote risico's door met meer dan driehonderd km/u over het circuit te razen, ze moeten ook nauw met het team samenwerken om ook de laatste tienden van seconden uit de wagen te persen, en nauw met de media samenwerken om de sponsors tevreden te houden. In hoofdstuk 7 vind je gedetailleerde informatie over het leven van een Formule 1-coureur.

Lang niet alle coureurs zijn bestand tegen de voortdurende stress die de sport met zich meebrengt. Ze stoppen en kiezen voor een wat rustigere carrière.

En ook al zijn het geld, de aandacht en de kick die bij het besturen van snelle wagens hoort, allemaal beloningen voor een goede Formule 1-coureur, uiteindelijk gaat er niets boven winnen. Oude rotten hoor je vaak zeggen dat het winnen van een Grand Prix het opwindendste was dat ze in hun leven hebben meegemaakt. Na het lezen van hoofdstuk 11 kun je je daar zelf een mening over vormen. Dat hoofdstuk vertelt je namelijk wat er na het winnen gebeurt en waarom het winnen van een race niet het einde van de dag betekent.

Teambazen

Er gaat een gezegde dat achter elke grote man een sterke vrouw staat. In de Formule 1 gaat dit gezegde nog steeds op, zij het met een kleine aanpassing. Achter elke grote coureur staat een waarlijk sterk team. Het team is ervoor verantwoordelijk dat de coureurs over het juiste materiaal beschikken en dat het op de juiste manier werkt. Elke coureur weet dat hij zonder dit materiaal helemaal niets voor elkaar zou krijgen. De Formule 1-coureur David Coulthard maakte ooit de beroemde opmerking dat het er behoorlijk suf uit zou zien als hij op de grid met zijn achterwerk op het asfalt zou zitten, zonder wagen om zich heen.

De leider van het team, de man die alle mensen en het materiaal bij elkaar brengt, is de teambaas. Er bestaat niet zoiets als een perfecte taak-
omschrijving voor de baan van een teambaas. Elke teambaas heeft zijn
eigen unieke manier om het team te leiden. Zo is BAR-baas David
Richards door de aandeelhouders van het team gehuurd om het team te
leiden, terwijl Minardi-baas Paul Stoddart volledig eigenaar is van het
team. Andere teambazen hebben weliswaar zelf geld in het team gestoken, maar bezitten slechts een minderheidsbelang.

Ook al kan een coureur met het nodige geluk en een goed team vrij snel
zijn eerste race winnen, wil een teambaas succesvol zijn, dan moet hij
jaren lang veel energie in het team steken. Zo kan hij zijn team naar de
top brengen:

- **Huur de beste mensen in.** Is een team eenmaal succesvol, dan
  ligt het voor de hand dat de beste mensen uit de Formule 1-
  wereld bij je willen komen werken. Elk topteam in de Formule 1
  beschikt over de beste ontwerpers, de beste mechaniciens en de
  beste monteurs. De strijd om succes is echter zo intens, dat personeel aangelokt door vette premies en salarissen vaak van team
  verhuist. Perioden van ongelofelijke successen worden vaak gevolgd door middelmatige fasen.

- **Koop het nieuwste van het nieuwste op computergebied.** Formule 1 draait om hightech. Het is dan ook geen wonder dat veel
  ruimtevaart- en computerspecialisten een baan binnen de Formule 1 hebben gevonden. Formule 1-wagens worden tegenwoordig
  volledig op computerschermen ontworpen. Veel technologie in
  de Formule 1 kom je verder alleen maar binnen de militaire industrie tegen. Teams kunnen bij het bouwen en verder ontwikkelen
  al lang niet meer op hun gevoel en intuïtie afgaan. Alles wordt tot
  in detail met de allerbeste technologie getest.

- **Bouw een wagen die het met de beste in het veld kan opnemen.**
  Hoe goed je personeel ook is en hoeveel geld je ook in je computers stopt, uiteindelijk wordt een Formule 1-team altijd beoordeeld op de snelheid van zijn wagens. De verschillen tussen de
  wagens zijn uiteindelijk zo klein en de strijd om de winst is zo he-
  vig, dat elk team zal proberen zelfs maar het kleinste voordeeltje
  uit elk onderdeel van hun wagens te wringen. De regels van de
  Formule 1 zijn continu in beweging, en zijn steeds weer voor andere teams van voordeel. Heeft een bepaald team een klein technologisch voordeel ontdekt, dan zullen ze dat zo lang mogelijk geheim willen houden.

- **Vind een manier om dit alles te betalen.** Dit is geen eenvoudige
  opgave. Sterker nog, een moderne teambaas moet op zijn minst
  even goed zijn in het aantrekken van sponsors en financiële middelen, als in het leiden van zijn team.

De enorme bedragen die met succes in de Formule 1 gepaard gaan, er
zijn miljoenen euro's aan sponsorgelden en de verkoop van uitzendrechten te verdienen, maken dat teambazen het grootste deel van hun
energie en tijd in de politiek binnen de sport moeten steken. Onenig-
heden over geld en regelwijzigen, en protesten tegen concurrerende
teams zijn aan de orde van de dag. Verschillende overeenkomsten moeten ervoor zorgen dat iedereen zich aan de regels houdt en dat het Formule 1-kampioenschap een eerlijke strijd is.

Wil je meer weten over de verantwoordelijkheden en taken van teambazen, blader dan door naar hoofdstuk 6. Ben je geïnteresseerd in de regels
waaraan teams zich moeten houden, dan is hoofdstuk 4 wat je zoekt.

De bazen de baas: Ecclestone en Mosley

Maar er lopen in de Formule 1 nog meer bazen rond dan alleen de bazen
van de verschillende teams. Zo is er allereerst Max Mosley, de president van de FIA, het overkoepelende orgaan dat verantwoordelijk is
voor de Formule 1-raceklasse. En dan is er ook nog Bernie Ecclestone,
de grote man achter de Formule 1, die de relatief onbekende raceklasse
uit de jaren zeventig van de vorige eeuw heeft gemaakt tot een evenement dat in vrijwel elke huiskamer op deze planeet kan worden gevolgd.
Ecclestones commerciële exploitatie van de Formule 1-rechten heeft
voor iedereen voordelen gehad. En het heeft hem tot een van Engelands
rijkste mannen gemaakt.

Straaljagers op wielen: de wagens die ze rijden

Vraag je mensen hoe een typische raceauto eruitziet, dan krijg je meestal een beschrijving van een opgepepte personenwagen met een vette
motor, brede banden en een paar spetterende kleuren. Misschien dat
sommigen zelfs met de suggestie komen dat de deuren dichtgelast moeten worden, zodat de wagens veiliger worden.

Een Formule 1-wagen heeft echter maar weinig te maken met al die andere auto's die je op straat tegenkomt. Het is de ultieme conceptcar, volgestopt met futuristische ideeën, technologie en materialen die de meeste
mensen eerder met straaljagers dan met auto's zullen associëren.

Aangezien Formule 1-wagens niet toegelaten hoeven te worden voor het
normale wegverkeer, hebben ze zich heel anders kunnen ontwikkelen.
Het ontwerp is bovenal op pure snelheid afgestemd, en zeker niet op
comfort. Het zijn bijna letterlijk straaljagers op wielen.

Hoofdelementen van het ontwerp

De volgende lijst somt de belangrijkste elementen en kenmerken van
een Formule 1-wagen voor je op. Stuk voor stuk zorgen ze ervoor dat
een Formule 1-wagen er compleet anders uitziet dan welke andere racewagen ook (zie figuur 1.1):

- ✔ **Open wielen.** Een van de opvallendste kenmerken van een Formule 1-wagen is dat de wielen niet afgedekt zijn, zoals de wielen
  van je eigen personenauto, maar open. Wat dit aangaat, zijn Formule 1-wagens vergelijkbaar met de Amerikaanse Champ Cars of
  de wagens uit de Indy Racing League (IRL).

- ✔ **Cockpit in het midden.** De ontwerpers van een Formule 1-wagen
  hoeven zich niet druk te maken over het comfort van de passa-
  giers. In een Formule 1-wagen is slechts ruimte voor één enkele
  bestuurder. De cockpit voor deze bestuurder bevindt zich voor
  de optimale plaatsing van het zwaartepunt exact midden in de
  wagen.

- ✔ **Wendbaar en licht.** Geloof het of niet, een Formule 1-wagen
  weegt minder dan de helft van wat een normale personenwagen

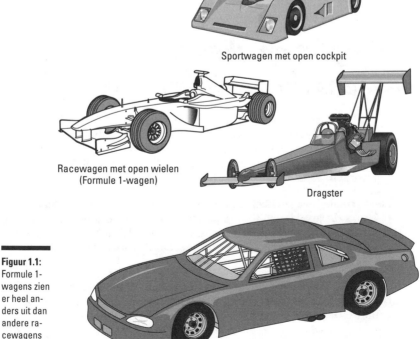

Sportwagen met open cockpit

Racewagen met open wielen
(Formule 1-wagen)

Dragster

Figuur 1.1:
Formule 1-
wagens zien
er heel an-
ders uit dan
andere ra-
cewagens

NASCAR-stockcar

weegt. Formule 1-wagens zijn dankzij het gebruik van moderne lichtgewichtmaterialen superlicht en daardoor supersnel.

✔ **Geen bumpers.** Formule 1 is een non-contactsport. Je zult dus ook geen bumpers voor- of achterop de wagen aantreffen waarmee de andere wagens op afstand moeten worden gehouden. Een Formule 1-wagen beschikt in plaats van bumpers over vleugels.

✔ **Aërodynamische vleugels.** De voor- en achtervleugels van een Formule 1-wagen hebben als hoofddoel de wagen vast tegen de grond te duwen. Voor voldoende effect zullen ze ook groot genoeg moeten zijn. (Wat tevens perfecte reclameruimte voor de sponsors oplevert.) De vorm van de vleugels is het resultaat van maandenlang werk en onderzoek in windtunnels.

Kort samengevat: een Formule 1-wagen is de ultieme eenpersoons, open-wiel racewagen. In raceklassen als de Champ Cars, de Indy Racing League, Formule 3000 en Formule 3 kom je wagens tegen die er enigszins vergelijkbaar uitzien. Maar ook al zien ze er hetzelfde uit, geen enkele andere wagen zal op een normaal circuit ooit zo snel zijn als een Formule 1-wagen. Ook al kunnen sommige sommige wagens, zoals dragsters, sneller optrekken en voor korte tijd een hogere snelheid bereiken.

Wil je meer weten over wat een Formule 1-wagen maakt tot wat hij is en wat er onder het bodywork is te vinden, lees dan hoofdstuk 5.

Het onderste uit de wagen halen

Op dit niveau van autosport moet elk team weten hoe ze het maximale uit de beschikbare techniek halen. Heeft een wagen een zwakke plek, dan zullen de concurrerende teams hun best doen om deze zwakte voor hun eigen voordeel te benutten. Er zijn drie manieren waarop een wagen voor een race kan worden voorbereid:

✔ **Testen buiten het seizoen.** De intense competitie tussen de verschillende teams is de belangrijkste reden waarom Formule 1-teams een winter lang testen om voor de dag te komen met de perfecte wagen. De teams en coureurs gebruiken deze tests om nieuwe banden, onderdelen en ontwerpideeën in een gecontroleerde omgeving uit te proberen, zonder verstoord te worden door de continue druk van rondetijden. Dergelijke teambijeenkomsten zijn zeer strak georganiseerd, zodat de wagen perfect voorbereid op de race kan starten.

✔ **Testen voor de race.** Teams gebruiken de week voor een race voor de evaluatie van nieuwe onderdelen en elektronische systemen. Een aantal teams heeft de gelegenheid op de vrijdagmorgen voor de race nog twee extra uur op het eigenlijke circuit te testen. Hoofdstuk 8 legt je uit wat er allemaal komt kijken bij de voorbereidingen van een team op de eigenlijke racezondag.

> ✔ **Aanpassingen tijdens de race.** Zelfs als de race is gestart, kunnen de teams niet achteruitleunen en kijken naar de voortgang van hun coureurs. Strategische beslissingen moeten worden genomen, de coureurs moeten over de boordradio informatie krijgen en de wagens moeten bij de pitstops van brandstof en nieuwe banden worden voorzien. Wil je meer weten over het effect van deze aspecten op het raceresultaat, lees dan de hoofdstukken 9 en 10.

Ronde na ronde na ronde: de circuits

Elke race biedt nieuwe uitdagingen en opgaven voor de teams en coureurs, want elk circuit op de kalender is uniek. Het ontwerp van de circuits heeft zich in de loop der jaren enorm ontwikkeld. Hoewel in de Formule 1 traditioneel niet op ovals wordt gereden, was zelfs het circuit van Indianapolis, waar ook de beroemde Indianapolis 500 wordt verreden, van 1950 tot 1960 vast onderdeel op de kalender.

Op sommige circuits, zoals Silverstone en Monza, worden al sinds de jaren vijftig van de vorige eeuw races verreden. De faciliteiten van deze circuits zijn telkens aan de nieuwste eisen aangepast, maar de laatste jaren hebben ook compleet nieuwe circuits als Maleisië en Melbourne het licht gezien. Elk circuit heeft zijn eigen unieke kenmerken, met verschillende topsnelheden, unieke bochten en verschillende indelingen.

Het hoofdingrediënt

Formule 1 is geen sport voor mensen zonder geld. Het is geen voetbal, waarbij je met je vrienden een bal kunt kopen, een doel kunt improviseren en vervolgens uren naar hartelust kunt spelen.

Voor Formule 1 heb je bakken geld nodig. De gigantische ontwikkelingskosten, de moderne technologie en de kennis die nodig is voor het bouwen van een wagen waarmee je races kunt winnen, komen neer op meer dan 4.500 euro per gereden ronde. En voordat je naar de bank rent om met je spaargeld een paar ronden te kopen: de benodigde verzekering kost waarschijnlijk nog eens een veelvoud van dat bedrag.

Met dergelijke kosten kunnen alleen de allerbeste teams ooit succesvol aan de Formule 1 deelnemen. Er was een tijd dat het voor een rijke teameigenaar nog wel op te brengen was om een seizoen te racen. De motoren gingen het hele seizoen mee en de coureurs vroegen ook niet zoveel. Motoren en wagens worden tegenwoordig speciaal op elke afzonderlijke race afgestemd en de salarissen van de coureurs lopen in de miljoenen euro's.

Een speeltuin voor rijke mannen

Formule 1 was aan het begin van de twintigste eeuw nog het tijdverdrijf van rijke heren die vonden dat ze hun geld het beste aan autoraces in het weekend konden uitgeven. Gedurende verschillende decennia was hierin weinig verandering te bekennen. Al begonnen sommige teams zich te realiseren dat je coureurs ook voor hun talent kon betalen, in plaats van de coureurs te laten betalen voor een plek in de wagen.

Formule 1 kon zich in de jaren zestig van de vorige eeuw dankzij de toenemende belangstelling van sponsors op steeds meer belangstelling verheugen, totdat de populaireit in de jaren tachtig dankzij de televisie explosief toenam. Nu zijn er nauwelijks nog grenzen.

Wil je meer weten over de ongelofelijke populariteit van deze sport en over de ontwikkeling van een tijdverdrijf voor rijke mannen tot de mediagebeurtenis die Formule 1 tegenwoordig is, lees dan hoofdstuk 2.

Gelukkig zijn de steeds maar toenemende kosten van de sport redelijk gelijk opgegaan met de wereldwijd groeiende belangstelling. Hierdoor zijn sponsors nog steeds bereid de bedragen te betalen die nodig zijn om hun logo's op de vleugels en zijkanten van een wagen te krijgen.

Formule 1 zoals wij die nu kennen, zou zonder de sponsors en het geld dat ze meebrengen eenvoudigweg niet bestaan. Het is zelfs zo dat het succes van een team op de baan grotendeels afhankelijk is van hoe goed ze sponsors weten aan te trekken. Het is geen wonder dat moderne Formule 1-teams aparte sponsor- en reclamespecialisten in dienst hebben die helpen bij de zoektocht naar het benodigde geld.

Natuurlijk doen sponsors meer dan in ruil voor wat stickers op de wagen een grote zak geld geven. Om alles uit de geïnvesteerde euro's te halen, besteden de sponsors veel aandacht aan enorme reclamecampagnes, promotietoers en televisiereclames. Deze zakelijke belangen zijn tegenwoordig zo groot en alom aanwezig, dat je soms de opmerking hoort dat Formule 1 op zondagmiddag van twee tot vier een sport is, en de rest van de week een bedrijfstak. Lees hoofdstuk 3 voor meer informatie over de zakelijke kant van Formule 1-racen.

Het meeste uit Formule 1 halen

Houd je ervan om naar Formule 1-races te kijken, dan kan de sport bijna magisch zijn. De races vinden altijd plaats in het weekend, wanneer de meeste mensen vrij hebben en rustig thuis het spektakel op televisie kunnen volgen, of de mogelijkheid hebben om naar de race te vliegen en hem in eigen persoon bij te wonen. Of je nu vanuit je woonkamer of vanaf een tribune kijkt, je zult ontdekken dat elke race voldoende verrassingen, spanning en intrige bevat om je tot de zwart-wit geblokte vlag aan je stoel gekluisterd te houden.

Het kan behoorlijk ingewikkeld zijn om voor een bezoek de benodigde informatie te verzamelen, zeker als je er stil bij staat dat het Formule 1-circus elk jaar zestien of zeventien circuits aandoet. Denk je erover om een race te bezoeken, lees dan de hoofdstukken 12 en 13. Deze hoofdstukken helpen je bij het regelen en voorbereiden van het bezoek. In deze hoofdstukken lees je hoe de Formule 1 elk jaar beslist waarheen te gaan, en vind je tips en adviezen voor het geval je zelf ook eens naar een circuit wilt gaan.

Onder de (finish)streep

Formule 1 is een van 's werelds opwindendste en interessantste sporten. Zolang je maar de moeite neemt om het te leren begrijpen, kun je er een leven lang door geboeid zijn.

Nog maar een paar decennia geleden was het vrijwel onmogelijk om het laatste nieuws over de races te achterhalen. Televisie besteedde er geen aandacht aan, kranten waren er niet in geïnteresseerd en internet was nog niet uitgevonden. Tegenwoordig zit je eerder met het omgekeerde probleem en moet je oppassen niet te bezwijken onder de enorme informatieberg. Er zijn letterlijk honderden websites met het laatste Formule 1-nieuws, er zijn televisieprogramma's die de races analyseren en de coureurs bespreken, en zelfs in de krant worden de laatste roddels over de Formule 1-wereld breed uitgemeten. Je weg vinden in al deze informatie is zonder de hulp van experts bijna onmogelijk. Hoofdstuk 17 helpt je bij het zoeken en vinden van de gewenste informatie.

Hoofdstuk 2

De populairste sport ter wereld

De tijd dat Formule 1 een sport voor slechts enkele geïnteresseerde liefhebbers was, ligt alweer ver achter ons. Tegenwoordig wordt de sport wereldwijd door miljoenen fans op televisie bekeken. De sport kan zich qua populariteit meten met het wereldkampioenschap voetbal en de Olympische Spelen. Alleen wanneer je in de Verenigde Staten woont, is het je vergeven als de hype rond deze sport aan je voorbij is gegaan. De Formule 1 heeft in de Verenigde Staten als enige deel van deze aardbol nog geen vaste voet aan de grond gekregen. Woon je in een ander deel van de wereld, dan is er geen excuus als je niet op de hoogte bent van de impact die deze sport tegenwoordig heeft.

Het is als een vicieuze cirkel. Een grote groep mensen wordt aangetrokken door de heldendaden van deze gladiatoren. De aandacht die de sport vervolgens op televisie krijgt, maakt dat grote ondernemingen er grof geld in willen investeren. Geld dat hard nodig is om de technologische honger te stillen die altijd centraal zal staan binnen de Formule 1. Kijk in hoofdstuk 3 voor meer informatie over de rol van sponsoring in de Formule 1.

Door de schaalvergroting gaat er meer en meer geld in de sport om en neemt tegelijkertijd ook de reikwijdte toe. Naast Europa als traditionele thuisbasis, wordt tegenwoordig ook in Amerika, Azië, het Midden Oosten en Australië om het Formule 1-wereldkampioenschap gestreden. Zelfs het communistische China zal vanaf 2004 jaarlijks gastheer zijn voor een Grand Prix. Er zijn veel meer landen die een Grand Prix willen organiseren, dan dat er datums beschikbaar zijn. In hoofdstuk 15 vertellen we je met welke racefestijnen je in de toekomst rekening moet gaan houden. Veel landen met een opkomende economie staan te trappelen om als gastland voor een Grand Prix op te treden, en zo hun nieuw verworven status aan de wereld tonen.

Mocht iemand die nauw betrokken is bij de Formule 1 een beetje zelf-ingenomen of arrogant gaan klinken, en dat doen sommigen, onthoud dan dat er statistieken te over zijn die bewijzen dat Formule 1 inder-daad de populairste sport ter wereld is.

Wat maakt de Formule 1 tot wat hij is?

Een 'formula', of 'formule' in het Nederlands, is een aanduiding voor een raceklasse, en wel een raceklasse waarin met pure racewagens wordt gereden die zich niets van de eisen aan personenwagens hoeven aan te trekken. In de praktijk komt dit neer op eenzitters met een open cockpit en open wielen. Formule 1 is de hoogste klasse van deze pure raceklassen.

Nummer 1 in de autosport

Formule 1 staat aan de top van alle autosporten. Het is het rijkste, het meest intense, het moeilijkste, het meest politieke en het meest interna-tionale autosportkampioenschap ter wereld. Alleen het beste van het beste is goed genoeg: 's werelds beste coureurs besturen wagens die door de beste ontwerpers, ingenieurs en motorbouwers zijn ontworpen.

'Formule' 1 en de formules die later kwamen

Om uit te leggen waarom de sport 'For-mule' 1 wordt genoemd, moeten we in de geschiedenis duiken. Bij de eerste autoraces werd geen beperking opge-legd aan de grootte of de kracht van de wagens. Met de komst van technologi-sche ontwikkelingen werd deze 'voor iedereen toegankelijke' sport al snel erg gevaarlijk, niet in de laatste plaats omdat de eerste races op de openbare weg werden uitgevochten. Het gevolg was dat de overkoepelende organisatie van de sport beperkingen begon op te leg-gen aan het ontwerp van de wagen. Er werden regels opgesteld omtrent de kracht, het gewicht en het formaat. Alleen wagens die aan deze 'formule' voldeden, mochten meeracen. De regels werden telkens aangepast aan de tech-nologie en behoeften van de tijd. De aanduiding 'Formule 1' werd gebruikt voor de eerste regels die na de tweede wereldoorlog werden opgesteld, en deze naam is blijven hangen. De Formule 2 is kort daarna bedacht voor een lichte-re categorie auto's met een kleinere mo-torcapaciteit. Niet veel later werd de Formule 3 in het leven geroepen, een naam voor nog lichtere eenzitters. De naam Formule 2 werd halverwege de jaren tachtig van de vorige eeuw ver-vangen door Formule 3000 (waarmee de inhoud van de motor in kubieke centi-meters wordt aangegeven). De Formule 3 is blijven bestaan. Je ziet het: wanneer onlogische en inconsistente indelingen je irriteren is de racesport echt niets voor je.

Deze sport is meedogenloos. Wie te slecht presteert wordt zonder pardon weggestuurd. Formule 1 neemt zijn plaats aan de top van de autosport behoorlijk serieus.

Formule 1 stamt in een rechte lijn af van de eerste autoraces die aan het eind van de negentiende eeuw op de openbare weg plaatsvonden. Alle andere soorten races zijn pas later als afgeleiden daarvan ontstaan.

In tegenstelling tot de meeste raceklassen, gaat het bij de Formule 1 niet alleen om de strijd tussen de coureurs. Het is ook een strijd tussen wagens. De technologische competitie tussen de teams is een van de belangrijkste gangmakers binnen de Formule 1.

Formule 1 en andere raceklassen

Een tijd lang ging de ontwikkeling van de autosport in de Verenigde Staten gelijk op met die in Europa. Totdat de races in de VS op ovals verreden gingen worden.

CART en IRL in de Verenigde Staten

De formule-raceklassen in de Verenigde Staten ontwikkelden zich tot de Indy Cars, wat op zijn beurt weer leidde tot de huidige CART- en IRL-series. Voor een leek zien deze wagens er hetzelfde uit als een Formule 1-wagen, maar een Formule 1-wagen is beduidend lichter, beweeglijker en krachtiger. Een ander verschil is dat met een Formule 1-wagen normaal gesproken nooit op een oval wordt gereden; de ovale, komvormige banen die voor de meeste races in de Verenigde Staten worden gebruikt. Bovendien koopt een Formule 1-team geen kant-en-klare wagens, maar worden deze wagens in eigen beheer ontworpen en gebouwd.

NASCAR- en sportwagenraces

Naast de formule-wagens wordt er natuurlijk ook met sportwagens geracet. In de Verenigde Staten is het NASCAR-kampioenschap de belangrijkste competitie van sportwagens. Maar ook in de rest van de wereld vind je sportwagenkampioenschappen, zoals het bekende DTM-kampioenschap in Duitsland. De sportwagens waarmee gereden wordt zien er van de buitenzijde uit als gewone wagens die rechtstreeks uit de showroom komen. Kijk je echter in de wagens en onder de motorkap, dan zie je dat letterlijk alles wat normaal in de wagen zit, verbouwd of verwijderd is. NASCAR-wagens hoeven bijna alleen maar op de in de VS gebruikelijke ovals te rijden. De sportwagens in Europa en in de rest van de wereld rijden net als de Formule 1 op stratencircuits of permanente circuits.

De andere formule-raceklassen

Direct onder de Formule 1, is er nog een hele reeks aan andere formule-raceklassen waar coureurs, teameigenaars, ontwerpers en technici hun kennis en ervaring kunnen opbouwen op de weg naar de Formule 1. Tegenwoordig gaat het daarbij om twee verschillende raceklassen: Formule 3000 en Formule 3. Door de jaren heen zijn namen en getallen veranderd, maar Formule 1 is gebleven wat het was: de referentie voor de rest. In de Formule 3 komen tegenwoordig eenzitters met motoren uit vrij verkrijgbare personenwagens, met een maximale motorinhoud van twee liter uit. De Formule 3000 (vanaf 2005 heet deze klasse weer Formule 2) is bedoeld voor eenzitters die met een door de FIA voorgeschreven drielitermotor rijden.

De structuur en hiërarchie in de autosport is erg complex en allesbehalve logisch. Wat je in ieder geval moet onthouden, is dat de Formule 1 aan de top van deze piramide staat.

De populariteit van de Formule 1 begrijpen

Autoracen is al stoer, maar Formule 1 is dankzij de wedstrijden op de meest exotische plaatsen ter wereld, de beroemde coureurs en de wagens met de allernieuwste technologische snufjes superstoer. Wiel-aan-wiel gevechten (en 'close racing'), intelligente racestrategieën, de hypermoderne technologie, het gevaar en de romantiek spelen elk hun rol in de aantrekkingskracht die deze sport op miljoenen toeschouwers heeft.

Wiel-aan-wiel gevecht

Eerlijk is eerlijk, er is niet genoeg strijd op de baan in de Formule 1. De wagens gaan daarvoor te hard en de ontwerpers zijn te slim. De enorme neerwaartse kracht in combinatie met de superefficiënte koolstofvezel-remmen zorgt voor een extreem korte remweg met beperkte inhaalmogelijkheden. Op de rechte stukken kunnen wagens elkaar natuurlijk inhalen, maar over het algemeen zijn er maar weinig inhaalacties te zien.

Al heb je natuurlijk ook een groep mensen die beweert dat inhalen juist zo spannend en spectaculair is omdat het bijna niet voorkomt.

In een inhaalmanoeuvre zit de hele kracht van de sport gevat: in een fractie van een seconde zet de ene coureur al zijn vaardigheden in tegen die van een andere coureur. En dat lukt of dat lukt niet. Inhalen brengt natuurlijke dynamiek in het verloop van het spel, zodat een Grand Prix nog steeds wat anders dan een hele snelle optocht van een aantal wagens is.

Door de opzet van de circuits is het inhalen op het ene circuit makkelijker dan op een ander circuit. Deze 'inhaalgunstige' circuits zijn zowel bij de coureurs als bij het publiek favoriet.

De meeste coureurs genieten van de strijd die bij het inhalen hoort. Het remmen op de limiet zonder grip te verliezen maakt inhalen erg moeilijk. Als er al wordt ingehaald, dan gebeurt dat meestal bij de ingang van een bocht. Met wagens die maar enkele tientallen meters nodig hebben om in minder dan drie seconden van 320 km/u af te remmen tot 65 km/u, heeft een inhaalactie alleen met een perfecte timing kans van slagen. In een fractie van een seconde moet hij zijn wagen in de juiste positie brengen en ervoor zorgen iets later dan zijn voorganger te remmen. Er hoeft maar iets verkeerd te gaan en het gevaar van een crash of een spin komt wel heel dichtbij.

Wanneer een coureur op de hielen wordt gezeten door een tegenstander, moet hij doortastend te werk gaan. Allereerst moet hij de snelheid op het rechte stuk vast zien te houden, wat alleen maar mogelijk is als hij op de juiste manier uit de bocht komt die voorafgaat aan het rechte stuk. Maar vaak is het onmogelijk dat langer dan een paar bochten achter elkaar vol te houden. De achterliggende coureur kan, als hij slim is, de voorste coureur ertoe dwingen een verdedigende lijn aan te houden in de bocht. Een lijn die weliswaar niet de ideale lijn is, maar die het wel moeilijk maakt ingehaald te worden. Nadeel hiervan is dat de coureur langzamer uit de bocht komt en daardoor kwetsbaarder de volgende bocht ingaat, met meer risico om daar alsnog ingehaald te worden. Het is een spel waar intelligentie gecombineerd wordt met lef en veel wagenbeheersing.

Komt een coureur in de laatste ronden van een Grand Prix steeds dichter bij de koploper, en biedt het circuit ook nog eens een realistische kans op inhalen, dan is de spanning in het publiek te snijden. Het kan niet beter worden gedemonstreerd door Mika Häkkinen, die tijdens de Grand Prix van België in 2000 tot vlak achter Michael Schumacher wist in te lopen. Hij bracht de race tot een fantastisch hoogtepunt toen hij, met nog slechts enkele ronden te gaan, Schumacher met een spectaculaire manoeuvre passeerde.

In de loop der jaren zijn er verschillende veranderingen doorgevoerd om meer van dit soort fantastische racemomenten mogelijk te maken. Denk bijvoorbeeld aan het aanpassen van de Nurburgring in 2002 en de regel uit de jaren negentig van de vorige eeuw dat een coureur slechts één keer van zijn lijn mag afwijken als hij zijn positie verdedigt. Waarschijnlijk zullen er in de toekomst meer radicale aanpassingen nodig blijken aan zowel de wagens als aan de circuits. Inhalen is en blijft op de meeste circuits vrijwel onmogelijk.

Stercoureurs

Michael Schumacher staat bekend als de succesvolste Formule 1-coureur aller tijden en breekt nog steeds tweewekelijks zijn eigen records. De laatste jaren is er een nieuwe generatie coureurs bijgekomen, waarvan sommigen getipt worden als de opvolger van Schumacher.

Coureurs als Juan Pablo Montoya en Kimi Raikkónen laten geen gelegenheid voorbij gaan om het Schumacher zo moeilijk mogelijk te maken.

Elke periode in de geschiedenis van de Formule 1 kent zijn eigen helden en uitdagers. Een van de fascinerendste aspecten van de sport is te zien wie uiteindelijk als winnaar uit de strijd komt, de gesettelde held of de uitdager. Schumacher nam de fakkel over van Ayrton Senna. Senna had op dezelfde wijze in de jaren tachtig van de vorige eeuw Alain Prost van diens plaats verstoten. Prost kwam als nummer één uit de strijd nadat hij in 1984 en 1985 had laten zien sneller te zijn dan teamgenoot en drievoudig kampioen Niki Lauda. Tien jaar eerder, eind 1973, had Lauda zich bewezen als troonopvolger van drievoudig kampioen Jackie Stewart, die gestopt was als coureur. Zo gaat het sinds de begindagen van deze sport en zo zal het altijd blijven.

Elke coureur, kampioen of uitdager, heeft een grote schare fans. Soms komen deze op de nationaliteit van de coureur af, maar dat is lang niet altijd het geval. Zo heeft de Colombiaan Montoya met zijn kenmerkende onbesuisde manier van rijden miljoenen fans over de hele wereld voor zich weten te winnen. De Spanjaard Fernando Alonso heeft de Formule 1 niet alleen tot leven gebracht in zijn eigen land, maar heeft ondertussen fans van over de hele wereld. Velen zien in deze coureur Schumachers grootste en langdurigste bedreiging. Ralf, de jongere broer van Michael heeft dan wel niet dezelfde razendsnelle Formule 1-carrière doorgemaakt als zijn broer, maar kan verbazingwekkend rap zijn en liet in 2003 een respectabele aanval op het wereldkampioenschap zien.

Fans bekijken races met in hun achterhoofd de karaktereigenschappen van de coureurs, hun sterke kanten en zwakheden en hun geschiedenis. De races worden zo tot onafgesloten verhalen waaraan telkens nieuwe hoofdstukken worden toegevoegd. Michael Schumacher is een meedogenloze winmachine. Montoya is de vurige Zuid-Amerikaan die Schumi soms tot wanhoop brengt. Raikkónen is de 'Ice Man' die nooit last lijkt te hebben van de druk of emoties. Alonso is the dappere, hartstochtelijke maar tegelijkertijd ook keiharde nieuwe jongen. Over Michael Schumacher wordt gezegd dat hij doordraait wanneer iemand hem onder echte druk zet. Ralf schijnt niet agressief genoeg te zijn en van Rubens Barrichello vindt men dat hij te onderdanig is aan teamgenoot Schumacher. Montoya maakt voor elke mooi uitgevoerde actie een fout. Voor degenen die de sport volgen zorgen al deze verschillende karakterschetsen, of ze nou kloppen of niet, voor de dramatiek binnen de sport.

De coureurs die de top bereiken en doorbreken binnen de Formule 1 waren zonder uitzondering kampioenen in een van de lagere raceklassen (zie ook de paragraaf 'Formule 1 en andere raceklassen'). Hun eerste overwinningen behaalden ze in de karts, en vanaf daar kwamen ze steeds stap voor stap verder in hun racecarrière. Binnen de Formule 1 wordt het jonge talenten snel duidelijk gemaakt of ze een kans maken. Iedere coureur waarbij te veel twijfel is over zijn prestaties wordt snel vervangen.

Gevaar

Met 320 km/u rondrijden in een met brandstof gevuld projectiel zal nooit een volledig veilige onderneming zijn. Velen zien dit bijkomende gevaar echter juist als een van de aantrekkingskrachten van de sport.

Door de jaren heen hebben er binnen de sport de onvermijdelijke rampen plaatsgevonden. Hierdoor wordt nog duidelijker hoe moedig degenen zijn die op circuits overal ter wereld de strijd voortzetten, ook al weten ze wat er op het spel staat.

Ayrton Senna, een van de grootste coureurs aller tijden, kwam op een zwarte dag voor de motorsport in 1994 om. Slechts één dag daarvoor was de Formule 1-debutant Roland Ratzenberger op hetzelfde circuit van Imola omgekomen. Zo blijkt maar welke rol het toeval in deze sport speelt, ongeacht iemands reputatie.

Sommigen kruipen door het oog van de naald, en zelfs dan kunnen ze hun sport nog niet loslaten. Niki Lauda is het levende voorbeeld. Tijdens de Duitse Grand Prix van 1976 crashte hij hard. Gezien de ernstige beschadigingen die zijn longen hadden opgelopen, durfde niemand nog op zijn herstel te hopen. Een priester had zelfs al de laatste sacramenten toegediend. Maar, slechts zes weken later zat hij weer achter het stuur van zijn Ferrari, zijn gezicht weliswaar onder de littekens, maar ontembaar als altijd. Die race eindigde hij als vierde, en hij won later nog twee kampioenschapstitels.

Hoe de Formule 1 een echte televisiesport werd

In het begin van de jaren zeventig van de vorige eeuw was Formule 1-grootheid Bernie Ecclestone de eerste die het televisiepotentieel van de sport inzag. Commerciële sponsoring was op dat moment al de sleutel tot het succes van de teams. Het was dus een logische stap om meer sponsorgelden binnen te krijgen door contracten met commerciële zenders af te sluiten, zodat de sponsorlogo's overal ter wereld te zien zouden zijn. Het resultaat werd een zo goed als perfecte samensmelting: verslaggeving op televisie zorgde voor toenemende populariteit van de sport, waardoor adverteerders bereid waren meer te betalen voor het tonen van hun reclames tijdens Formule 1-uitzendingen. Terwijl de televisiestations goed verdienden aan de verkoop van de reclameblokken, incasseerde de Formule 1 enorme bedragen voor de uitzendrechten van de races.

Vaak kregen televisiezenders aandacht voor de sport wanneer een van hun nationale helden het goed deed binnen de sport. Zo heeft Emerson Fittipaldi het pad gebaand voor de Braziliaanse televisie, deed James Hunt dat voor de Britse televisie en zorgde Alan Jones ervoor dat Formule 1 in Australië op de buis kwam. Ook nadat deze helden hun prominente plaats binnen de sport waren kwijtgeraakt, bleef het publiek massaal op de races afstemmen.

De FIA, de overkoepelende organisatie van de Formule 1, heeft strenge en uitgebreide veiligheidseisen opgesteld. Deze regels hebben zowel betrekking op de constructie van de wagens als op de tests die de wagens moeten doorstaan voordat zij de baan op mogen. Kijk in hoofdstuk 4 om te ontdekken wat de regels en voorschriften voor deze sport zijn.

Romantiek

Dappere en aantrekkelijke mannen die op de meest exotische plekken ter wereld hun snelle wagens besturen, terwijl knappe vrouwen het allemaal in adoratie bekijken. Natuurlijk staat de Formule 1 bol van de romantiek. Laat niemand je wijsmaken dat dat niet zo is; tenzij het een monteur is die de hele nacht zoet was om een gecrashte Formule 1-wagen weer rijklaar te maken, terwijl die gozer die de wagen in de muur zette, ondertussen gezellig met een topmodel uit eten was.

Media-aandacht

Televisie kan maar geen genoeg krijgen van de Formule 1. Elke race wordt door meer dan honderd zenders over de hele wereld uitgezonden. Meer dan vijfhonderd journalisten doen in kranten en gespecialiseerde tijdschriften verslag van het kampioenschap. Geen twijfel dat de Formule 1 zijn romantische, dramatische en kleurrijke boodschap in de huiskamers krijgt.

Kijk in hoofdstuk 17 als je wilt weten waar je betrouwbare en recente informatie over de Formule 1 kunt vinden.

Nationale trots

Complete landen raakten verslaafd aan de Formule 1 nadat een van hun landgenoten succesvol was in de sport. Een duidelijk voorbeeld hiervan is Finland. De Finnen hadden jarenlang alleen maar oog voor rally, een sport waarbij speciaal geprepareerde personenwagens met duizelingwekkende snelheid afgesloten routes door bossen, over sneeuw en door bergen tegen de klok moeten afleggen. Finnen merkten voor het eerst het bestaan van de Formule 1 op, toen Keke Rosberg in 1982 wereldkampioen werd. Tegen de tijd dat Rosbergs leerling Mika Häkkinen in 1998 en 1999 zijn twee wereldtitels won, waren de Finnen al trouwe fans en reisden ze met hun nationale vlag alle circuits af. Nu Häkkinen is gestopt, beschikken ze in de vorm van Kimi Raikkónen over een nieuwe held.

Fernando Alonso heeft Formule 1 tot iets groots gemaakt in Spanje. In Duitsland hebben de successen van Michael Schumacher ervoor gezorgd dat iedereen daar minstens van het bestaan van Formule 1 afweet. En in Nederland kennen we het Verstappen-effect.

Rijden in de nationale kleuren

Formule 1-wagens werden voor de introductie van commerciële sponsors in de sport, eind jaren zestig van de vorige eeuw, meestal in de nationale kleuren van het herkomstland gespoten. Deze traditie stamt uit het begin van de twintigste eeuw. In de Gordon Bennett Cup, de directe voorloper van het Formule 1-kampioenschap, streden teams uit vijf verschillende landen om de winst. Om de verschillende teams en landen uit elkaar te kunnen houden, kreeg elk land een eigen kleur toegewezen. De wagens konden aan de hand van deze kleuren makkelijk worden onderscheiden. Italië kreeg rood (vandaag nog terug te vinden in het rood van Ferrari), Frankrijk kreeg blauw (zoals gebruikt door Renault en team Prost), Engeland groen (denk aan de wagens van Jaguar), Duitsland wit, België geel en Nederland koos later oranje. Deze kleuren zijn lang kenmerkend gebleven, totdat ze overschaduwd werden door logo's en bedrijfsnamen.

Historisch overzicht

De Formule 1 heeft een lange en luisterrijke geschiedenis. Het begon allemaal aan het begin van de twintigste eeuw. Autofabrikanten organiseerden races om aandacht te trekken voor hun producten. Dat was nog steeds zo toen er voor het eerst gesproken werd over Formule 1, halverwege de vorige eeuw. Aan het eind van de jaren vijftig begon de sport een eigen leven te leiden, onafhankelijk van de autofabrikanten. De sport bleek zo populair te zijn, dat zelfs toen de autofabrikanten zich terugtrokken, andere specialisten zich meldden om de benodigde voorzieningen te treffen. De aandacht van de fans verschoof: niet de wagens, maar de coureurs stonden nu in het middelpunt van de aandacht.

Beroemde perioden in de geschiedenis van Formule 1

Terugkijkend is het mogelijk cruciale momenten in de sport aan te geven. De momenten die bijgedragen hebben aan de ontwikkeling van de fantastische technologie, het vermaak en de show die de Formule 1 vandaag de dag is.

Hoe het begon

De eerste Formule 1-race werd in 1906 op het circuit van Le Mans in Frankrijk verreden. Frankrijk organiseerde deze race als een reactie op de Gordon Bennett Cup, waarvoor een beperking van drie wagens per deelnemend land gold. Frankrijk was in die tijd wereldwijd veruit de grootste producent van auto's (tja, dingen veranderen) en had problemen met deze beperking. Dus organiseerden de Fransen, met hun karakteristieke chauvinisme (misschien dat toch niet alles verandert) hun eigen competitie, de Grand Prix. In deze wedstrijd gold geen beperking op het aantal deelnemende wagens en werd de strijd niet zozeer tussen landen gevochten, maar tussen de fabrikanten. Dit grondbeginsel is vandaag de dag nog steeds duidelijk terug te zien in de Formule 1.

Hoe het groter werd

In navolging van Frankrijk begonnen andere landen al snel ook hun eigen wedstrijden te organiseren. De overkoepelende organisatie stelde regels op die op alle races toegepast konden worden.

Eind jaren veertig van de vorige eeuw waren er zo veel Grands Prix, sommige daarvan eigenlijk te klein om zo genoemd te worden, dat de overkoepelende organisatie een aantal 'premier' Grands Prix aanwees. Dit waren de races die als grote nationale evenementen golden.

De geboorte van een kampioenschap

Toen eenmaal de belangrijkste races aangewezen waren, was het nog maar een kleine stap om de resultaten van die verschillende races via een puntensysteem met elkaar te combineren. Dit puntensysteem was het wereldkampioenschap dat in 1950 werd ingevoerd en in dat jaar de eerste wereldkampioen opleverde.

Voor het wereldkampioenschap van 1950 had er in de jaren dertig al een Europees kampioenschap plaatsgevonden. Het nieuwe wereldkampioenschap leek erg op dat eerdere Europese kampioenschap, al was het maar omdat alle zes de races op Europese bodem werden uitgevochten. De enige reden dat het kampioenschap het label 'wereld' kreeg, was het feit dat de resultaten van de Amerikaanse Indianapolis 500 in het eindresultaat werden meegenomen, ook al ging het daarbij om een race voor Indycars met totaal andere coureurs en totaal andere wagens. Pas toen eind jaren vijftig daadwerkelijk een Formule 1-race buiten Europa werd verreden en er sprake was van een echt wereldkampioenschap, werd de Indianapolis 500 uit het Formule 1-resultaat geschrapt.

De constructeurs, vroeger en nu

Aan het eind van de jaren vijftig was de Formule 1 niet langer in handen van de grote autofabrikanten, maar zwaaiden gespecialiseerde racewagenbouwers de scepter. Ferrari was er een van; in die tijd maakte Ferrari nog slechts bij uitzondering gewone wagens voor op de weg. Britse constructeurs als Cooper en Lotus gingen nog een stap verder. Zij ontwikkelden niet eens hun eigen motoren, maar kochten die, samen met de versnellingsbakken en het stuursysteem, als losse onderdelen bij anderen. Met al die losse onderdelen bouwden ze vervolgens een wagen. Al snel kwam je deze grappige kleine auto's, overigens geheel tegen de gewoonte in met de motor achterin geplaatst, overal tegen.

De autofabrikanten keerden begin jaren tachtig van de vorige eeuw weer terug in de Formule 1, en zijn er sindsdien ook gebleven. Meestal werken ze als motorleverancier samen met gespecialiseerde constructeurs. Vandaar McLaren-Mercedes, Williams- BMW en BAR-Honda. De enige uitzondering hierop is Toyota, dat dapper besloten heeft het helemaal zelfstandig aan te pakken. In een speciaal voor dit doel gebouwde fabriek in de Duitse stad Keulen, wordt de gehele wagen, dus inclusief het chassis, de motor en de versnellingsbak geproduceerd.

Van dorpsgarage tot Paragon

Ondanks de revolutie die Cooper eind jaren vijftig met zijn samengebouwde wagens ('hitcar') op gang bracht, bleven de teams in die tijd hoofdzakelijk vanuit kleine en eenvoudige werkplaatsen opereren. Je kent ze wel, die kleine garagebedrijven waar je je auto twintig, dertig jaar geleden naartoe bracht voor reparaties. De meeste grote teams uit de jaren zestig en het begin van de jaren zeventig hanteerden hetzelfde principe als Cooper. Meestal waren er maar vijftien tot vijfentwintig monteurs nodig om de wagens te ontwerpen, bouwen en klaar te maken voor de race. Het team van Ken Tyrrell, dat tussen 1969 en 1973 drie wereldkampioenschappen won, is ontstaan in een voormalige timmerwerkplaats.

En toen kwam het grote geld. Met de terugkeer van autofabrikanten naar de sport, kwamen niet alleen de motoren mee, maar ook grote onderzoeks- en ontwikkelingsbudgetten. Teams verviervoudigden in omvang en productiviteit. Windtunnels en koolstofvezel chassis zetten de Formule 1-wereld op zijn kop. Een Formule 1-team kan tegenwoordig uit meer dan 600 mensen bestaan. Natuurlijk wordt er niet meer gewerkt in kleine garages of de werkplaats van een timmerman. Tegenwoordig opereren de teams vanuit plekken als McLaren's Paragon Centre.

Het Paragon Centre is ontworpen door de wereldberoemde architect Lord Foster, die ook het Reichstag-gebouw in Berlijn en het vliegveld van Hong Kong op zijn naam heeft staan. De overweldigende ronde glas- en staalconstructie is gebouwd op een terrein dat ruim twintig hectare groot is. Er zijn twee kunstmatig aangelegde meren, waarvan één zelfs in het gebouw! Binnen de ronde vorm bevinden zich in lange 'vingers' van achttien meter lengte losse kantoren. Deze kantoren worden onderling van elkaar gescheiden door open ruimtes van zes meter breed, die voor zonlicht en ventilatie zorgen. De meren zijn onderdeel van het koelsysteem van het gebouw. Hete lucht verwarmt de gebouwen, terwijl de meren voor afkoeling zorgen op de momenten dat er geen warme lucht nodig is. Een ondergrondse tunnel verbindt het Paragon Centre met het gebouw waar het McLaren museum in is gevestigd. Een niet onbelangrijk detail is dat de man die dit alles heeft bedacht, Ron Dennis, zijn carrière ooit begon met het bouwen van wagens voor het team Cooper, ergens in een garage langs de kant van de weg.

De topspelers in de sport

Britse teams, die het 'bouwpakketmodel' van Cooper volgden, vormden in de jaren zestig van de vorige eeuw samen met de andere teams een machtig blok. En dit werd nog eens versterkt toen Bernie Ecclestone, een voormalig autohandelaar en Formule 3-coureur, aan het begin van de jaren zeventig een van de teams opkocht. Als gewiekst zakenman loodste Ecclestone de sport de wereld van de commercie binnen. Hij bracht de teams samen zodat ze bij onderhandelingen met raceorganisaties een front konden vormen. Mede dankzij overeenkomsten met televisiezenders werden zowel de sport als ook de teameigenaars snel erg rijk.

Aanvankelijk waren grote autofabrikanten, zoals Mercedes of Alfa Romeo, de enige belangrijke en toonaangevende spelers in dit spel. Dit maakte de sport kwetsbaar omdat het afhankelijk was van de economische positie van die fabrikanten. In het nieuwe tijdperk werd de afhankelijkheid van de sport verspreid over een breder industrieel vlak, en bleken de grootste spelers zelfs in staat de kost te verdienen met hun sport. De door Ecclestone gelegde basis van onafhankelijke maar samenwerkende teams blijft echter de spil van de Formule 1 vormen, ongeacht wie er feitelijk op het circuit wint.

Hoofdstuk 3

Het grote geld achter de Formule 1

In dit hoofdstuk:

▶ Begrijpen hoe de sponsors de sport steunen

▶ Ontdekken hoe sponsors hun geld optimaal benutten

▶ Formule 1-sponsorartikelen

*E*r wordt wel eens gezegd dat Formule 1 een dure manier is om advertenties met ruim 300 km/u langs te zien flitsen. En eerlijk gezegd zit daar een waarheid in: alleen dankzij het geld van de sponsors zijn de teams in staat aan de races deel te nemen. Alweer enige tijd geleden (in de jaren zestig van de vorige eeuw) reden wagens in hun eigen nationale kleuren. Het uiterlijk van een Formule 1-wagen wordt tegenwoordig geheel bepaald door de hoofdsponsor, die in ruil voor zijn naam op de zijkant van de wagens, flink geld in het team pompt. Het hart van een moderne coureur ligt dan ook in de eerste plaats bij zijn team en de sponsors van dit team, en pas daarna bij zijn land. Tast je diep genoeg in de buidel, dan zou ook jij je eigen naam op de helm van Michael Schumacher kunnen terugzien!

Ook al betekende sponsoring het einde van de ongepolijste romantiek van de sport, het heeft tevens voor de wereldwijde aandacht gezorgd. Sponsors willen graag de coureurs en teams gebruiken om hun goederen te promoten; of dat nou in de vorm van een enorme lichtreclame op Piccadilly Circus in Londen is, of in de vorm van de levensechte kartonnen figuren van coureurs in de lokale supermarkt of garage.

In dit hoofdstuk kijken we hoe sponsoring heeft geholpen om de Formule 1 uit te laten groeien tot een sport die minstens zo populair is als het wereldkampioenschap voetbal of de Olympische Spelen; met als bijkomend voordeel dat de Formule 1 achttien keer per jaar plaatsvindt!

De rol van de sponsor bij het financieren van de sport

De logo's van de sponsors bij het wereldkampioenschap voetbal of bij de Amerikaanse Superbowl zijn vaak zo klein, dat ze pas opvallen als je met je neus bovenop het beeldscherm gaat zitten. Bij een Formule 1-race is het echter onmogelijk om de namen, logo's en foto's van de sponsors te missen. Ze zijn werkelijk overal te zien; op de wagens, op de overalls van de coureurs, overal kom je de naam van de sponsor tegen. Zelfs de naam van een team wordt aan de hoofdsponsor aangepast. Het is dus niet denkbeeldig dat een coureur tijdens een interview iets zegt als: 'Ik ben erg blij dat mijn Marlboro Scuderia Ferrari-team de Duitse Mobil 1 Grand Prix heeft gewonnen, slechts een week na de tweede plek in de Foster's British Grand Prix achter het West McLaren Mercedes-team.' Zo, dat is nog eens een mondvol! En, de sponsors zouden tevreden zijn, want de merknamen worden vaak genoemd.

In de jaren zestig van de vorige eeuw, toen Formule 1 voor het eerst met sponsors te maken kreeg, waren de logo's nog klein en werd slechts aan enkele teams steun gegeven. Tegenwoordig wordt elke centimeter van de wagen, elk bord langs het circuit en elk stukje van de kleding van zowel de coureur als van het team gebruikt om reclame te maken voor de producten van de sponsors. In 2002 werd zelfs overwogen om op het asfalt de logo's af te beelden. De coureurs waren minder blij met dit voorstel. De afbeeldingen zouden bij nat weer spekglad kunnen worden, zodat dit plan weer snel van de baan was.

Je ziet het logo van de sponsor terug op de voorkant en de achterkant van de overall van de coureur en op zijn helm. En alsof dat nog niet genoeg is, zodra de coureur uit de cockpit stapt krijgt hij een baseballcap met nog meer sponsornamen opgezet. Lopen de coureurs niet in hun raceoverall, dan hebben ze truien, T-shirts en broeken aan waar de sponsor op wordt genoemd. Aangezien de sponsors veel geld investeren,

Dat kost hóéveel?!

Het is moeilijk voor te stellen dat nog geen twintig jaar geleden een Formule 1-team het hele seizoen kon meedraaien en ook nog eens succesvol kon zijn voor maar een paar miljoen euro. Tegenwoordig is dit bedrag net voldoende voor een enkele race. Door de enorme vooruitgang van de technologie, de steeds toenemende organisatiekosten en het ongelofelijke aantal mensen (sommige teams hebben meer dan zeshonderd mensen in dienst) dat nodig is om twee wagens gereed te maken, zijn de kosten buiten alle proporties getreden. Wanneer je bedenkt dat we hier spreken over budgetten van circa 45 miljoen tot 350 miljoen euro per jaar, mag het geen wonder heten dat sponsors hard nodig zijn om als team te kunnen overleven.

willen ze zo veel mogelijk reclame kunnen maken. Dit is dan ook de reden waarom de coureur zolang hij aan het werk is, gesponsorde kleding draagt.

Maar, toch is het niet verkeerd om zo trouw en opvallend de naam van je sponsor te tonen. De sponsors binden zich met de grote bedragen aan het team, en het team heeft dit geld hard nodig. Zie het tekstkader 'Dat kost hóéveel?!' voor details over de bedragen die teams nodig hebben om mee te tellen in de Formule 1. Tegelijkertijd gebruiken de sponsors hun band met de coureurs en de teams om hun producten te promoten. Fans maken dankbaar gebruik van de mogelijkheid zich via de sponsors met hun favoriete coureur te identificeren. Want hoe kun je een coureur beter steunen dan dezelfde pet met dezelfde logo's op te zetten?

De voordelen van sponsoring

Het soort bedrijven dat met Formule 1 te maken heeft, varieert van enorme ondernemingen die de sport als onderdeel van een wereldwijde marketingcampagne gebruiken, tot lokale ondernemingen die de kleinere teams of de minder bekende coureurs steunen.

In de volgende paragraaf laten we zien wat het investeren in Formule 1-teams voor grotere en kleinere sponsors oplevert, en we leggen uit hoe alle sponsors voordeel hebben van deze financiële aderlating.

Dikke voordelen voor vette sponsors

De enorme kosten om een Formule 1-team jaarlijks op de been te houden, van het betalen van de honderden werknemers tot de transportkosten voor achttien circuits in zestien verschillende landen (twee races

---

Het verhaal van de eerste sponsor

Colin Chapman, de eigenaar van Lotus, wordt nog steeds als de grote ontwikkelaar en pionier gezien die op het circuit zijn wagens aan talrijke overwinningen en wereldkampioenschappen hielp. Maar wat nog veel belangrijker is voor de geschiedenis van de sport, hij is ook de man die ervoor heeft gezorgd dat het gezicht van de sport voor altijd veranderde. Voor de start van het seizoen van 1968 realiseerde Chapman zich dat hij niet langer in staat was om het team uit eigen zak te betalen. Hij besloot een persoonlijke brief naar de eigenaars van meer dan honderd Britse bedrijven te schrijven, in de hoop ze ervan te kunnen overtuigen sponsor van zijn team te worden. Uiteindelijk kwam er een positieve reactie, en vanaf het seizoen 1968 waren de wagens van de beide Lotus-coureurs Graham Hill en Jim Clark niet langer in het Britse groen gespoten, maar in het rood en goud van het 'Gold Leaf Team Lotus'.

in Duitsland en twee in Italië), zorgen ervoor dat alleen grote internationals in aanmerking komen voor een rol als hoofdsponsor. Deze hoofdsponsor staat niet alleen groot op de wagen, maar is meestal ook met de naam van het team verbonden. Zo is de officiële naam van het McLaren-team eigenlijk 'West McLaren Mercedes'.

Het logo van de hoofdsponsor komt prominent op de belangrijkste delen van de wagens te staan. Zoals op de voor- en achtervleugels, de sidepods en de neus. In figuur 3.1 zie je wat je voor je naam op deze plekken ongeveer moet neertellen.

Natuurlijk betekent hoofdsponsor zijn meer dan het uitdelen van stickers aan het team en ervoor zorgen dat die op de wagen worden geplakt. Hoofdsponsors krijgen ook op de volgende manieren waar voor hun geld:

- Ze ontvangen een VIP-behandeling, zodat directie en klanten vermaakt kunnen worden met op de achtergrond een spectaculair sportevenement.

- Ze mogen de coureurs in hun pr en reclame gebruiken; of dat nou is om de pers te woord te staan tijdens bijeenkomsten of om handtekeningen uit te delen bij een kantoor of fabriek van het bedrijf. Dit is natuurlijk een mooie kans voor een sponsor om de moraal en het eenheidsgevoel binnen zijn bedrijf een sterke impuls te geven. Bij een pr-bezoek kun je ook denken aan een bezoek van de coureur aan het bedrijf van een belangrijke klant, er is natuurlijk altijd de mogelijkheid om samen met de coureur op de foto te komen. Er zijn coureurs die deze pr-taken uitputtender vinden dan de echte strijd op het asfalt!

Uiteraard wordt dit alles niet cadeau gegeven. Teams vragen soms meer dan zestig miljoen euro per seizoen voor deze privileges. Sponsors zijn er nog steeds van overtuigd dat zij, ondanks deze enorme bedragen, veel voordeel uit deze sponsorcontracten halen.

Momenteel zijn de meeste hoofdsponsors tabaksfabrikanten. De Formule 1 is voor hen de perfecte omgeving om wereldwijd reclame te kunnen maken voor hun producten. Marlboro, West, Benson & Hedges, Lucky Strike en Mild Seven zijn momenteel de belangrijkste sigarettenmerken die op het circuit om aandacht vechten.

Maar ook steeds meer bedrijven buiten de tabaksindustrie hebben interesse in de Formule 1. Zo steunt het Japanse elektronicaconcern Panasonic het Formule 1-team van Toyota, en werd in 2002 het kleine Italiaanse team Minardi gesponsord door de Maleisische overheid (als onderdeel van de Maleisische 'Go KL'-campagne , bedoeld om toerisme naar Kuala Lumpur een impuls te geven). Formule 1-teams zijn bereid voor alles reclame te maken, zolang de prijs die ze ervoor betaald krijgen maar goed is. Dus begin maar vast met sparen!

De laatste jaren is er ook een trend zichtbaar waarin autofabrikanten zelf teams opkopen of sponsor worden. De Duitse autofabrikant BMW

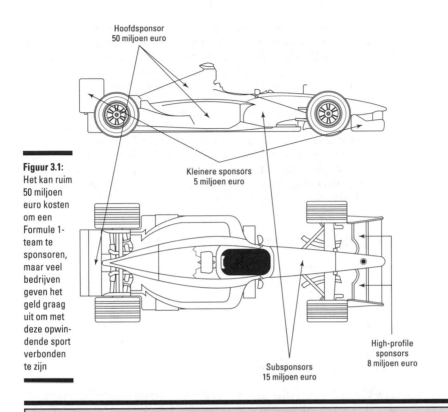

Hoofdsponsor
50 miljoen euro

Figuur 3.1:
Het kan ruim 50 miljoen euro kosten om een Formule 1-team te sponsoren, maar veel bedrijven geven het geld graag uit om met deze opwindende sport verbonden te zijn

Kleinere sponsors
5 miljoen euro

Subsponsors
15 miljoen euro

High-profile sponsors
8 miljoen euro

Tabaksgeld dat in rook opgaat

Formule 1 kon lang floreren op de miljoenen die de tabaksindustrie in de sport pompte. De enorme populariteit van de sport, die gelijk is aan die van het wereldkampioenschap voetbal en de Olympische Spelen, maakte dat sigarettenfabrikanten de Formule 1 als het perfecte platform voor hun producten zijn gaan zien.

De eerste sponsor van een Formule 1-wagen was sigarettenfabrikant Gold Leaf, die Lotus in 1968 steunde. Tegenwoordig zou de helft van de Formule 1-teams niet zonder de sponsoring van de tabaks- en sigarettenfabrikanten kunnen bestaan. Geen enkele andere sector kan in de buurt komen van de bedragen die deze sigarettenfabrikanten bereid zijn neer te tellen voor deze sport.

Dat alles zal gaan veranderen vanaf 2006, wanneer het verbod op tabaksreclame zijn intrede zal doen binnen de Formule 1. Hoewel het niet verplicht zal worden, raadt de overkoepelende organisatie, de FIA, alle teams aan vanaf dat moment geen geld voor tabaksreclame meer aan te nemen. In veel landen, zoals Frankrijk en Groot-Brittannië, geldt nu al een verbod op tabaksreclame. Vanaf juli 2005 zal dit verbod binnen de gehele Europese Unie gelden. Met het naderen van deze datum zullen de teams op zoek moeten gaan naar andere sponsors, en het zou zomaar kunnen dat een aantal van 's werelds grootse ondernemingen, zoals McDonalds, Coca Cola en Pepsi, de gaten zullen gaan vullen.

levert de motoren voor het team Williams en betaalt gelijktijdig om hoofdsponsor te zijn. Daarom heet Williams officieel 'BMW-Williams' en niet 'Williams-BMW'. Op dezelfde manier zijn Jaguar, Renault en Toyota elk de eigenaar van het gelijknamige Formule 1-team, terwijl Mercedes-Benz liefst veertig procent van het McLaren-team in bezit heeft.

Het bekendste voorbeeld van de rol van sponsors in de sport, is het Italiaanse kledingmerk Benetton. Benetton kocht eind 1984 het Toleman-team op, waarna dit team officieel als het Benetton Formule 1-team door het leven ging. Hoewel het maken van kleding niks te maken heeft met het snel laten rijden van een racewagen, won dit team met Michael Schumacher aan het stuur de wereldkampioenschappen van 1994 en 1995, om in 1999 verkocht te worden aan Renault.

En voor de overige sponsors een kleiner stukje van de koek

Lang niet ieder bedrijf kan het zich veroorloven hoofdsponsor te worden, maar dat betekent nog niet dat kleinere sponsors geen enkele kans op een fraaie naamsvermelding maken. Naast een hoofdsponsor hebben de teams ook meerdere kleinere sponsors, die slechts hun naam willen zien op de kleding of helm van de coureur, of die al blij zijn als hun naam tijdens een pitstop voorbij komt.

Namen van kleinere sponsors zijn vaak te vinden op die delen van de wagen die minder goed zichtbaar zijn, zoals aan de zijkanten van de cockpit, aan de punt van de neus of aan de achterzijde van de sidepods. Soms wordt er een deal gesloten waarbij de sponsor in ruil voor goederen die het team kan gebruiken, zoals brandstof voor de wagen of kleding voor het team, minder hoeft te betalen.

Zeker wanneer het om de kleinere, minder bekende teams gaat, merken sponsors dat deze teams graag een sponsorovereenkomst sluiten. Deze teams kunnen niet al te kieskeurig zijn met wie ze wel of niet in zee gaan. De wagens op de laatste startrijen zijn dan ook vaak volgeplakt met kleine stickers, terwijl de wagens vooraan grotere sponsorovereenkomsten met de bijbehorende grotere reclames hebben.

Overigens is ook een kleinere sticker op de wagen voor een sponsor zo slecht nog niet. Er worden voor kranten en tijdschriften zoveel foto's van de wagens gemaakt, dat die naamsbekendheid vanzelf wel komt.

Dit verklaart ook waarom sommige sponsors ook graag persoonlijk zaken doen met de coureurs. De ster van Ferrari, Michael Schumacher, is een van de best betaalde sporters ter wereld. En dat komt niet alleen door het salaris dat hij als coureur verdient, maar zeker ook door de sponsors die maar wat graag hun logo op zijn beroemde baseballcap willen zien. Zo hebben veel mensen dankzij het logo op de voorzijde van Schumachers cap van het kleinere Duitse bedrijf Deutsche Vermogensberatung gehoord.

Een coureur ontmoeten als je geen sponsor bent

Het ontmoeten van een Formule 1-coureur is alles behalve eenvoudig, al was het alleen maar omdat hun tijd op het circuit totaal volgepland is. Zitten ze niet in hun wagen, dan overleggen ze met het team over de resultaten of praten ze met de pers. Die begeerde handtekening is tegenwoordig dan ook veel makkelijker op een promotiedag van de sponsor te bemachtigen, dan op het circuit. Bijkomend voordeel van zo'n dag is dat de coureur zich niet op een race hoeft te concentreren en waarschijnlijk wat vriendelijker is. Informatie over promotiedagen vind je op de website van je favoriete team of coureur (zie ook hoofdstuk 17) en natuurlijk in de lokale kranten. De meeste van dit soort bijeenkomsten vinden plaats in de week voorafgaande aan de race. Ga je dus naar een Formule 1-wedstrijd, zorg er dan voor dat je er een paar dagen eerder bent. Ook als je niet naar een Grand Prix of een promotiebijeenkomst kunt, heb je nog een kans om een handtekening van je favoriete ster te krijgen. Vrijwel alle coureurs en teams hebben tegenwoordig een officiële fanclub waar je lid van kunt worden en die je vaak de kans geven de coureurs te ontmoeten. Sommige teams hebben open dagen waarop het publiek in hun werkplaatsen of fabriek rondgeleid wordt. Natuurlijk kun je het voorwerp waarop je de handtekening wilt ook opsturen naar het team. Bedenk wel dat je niet de enige bent die dat doet, en dat je wellicht enkele maanden zult moeten wachten voor je iets terugkrijgt. En zelfs dan heb je al veel geluk. Mocht je iets opsturen, zorg er dan in ieder geval voor dat je een geadresseerde retourenvelop met voldoende postzegels bijvoegt, zodat het team je spullen altijd, met of zonder handtekening, kan terugsturen. Niks is erger dan het kwijtraken van je favoriete foto van een coureur, terwijl die nog niet eens was gesigneerd.

Snelle auto's, snel geld

Sponsor van een Formule 1-team ben je 365 dagen per jaar, niet slechts in de 18 grandprixweekenden. Ben je Formule 1-sponsor, dan is het feit dat je logo over een circuit rondvliegt en door miljoenen op televisie wordt bekeken, slechts een van de relevante aspecten.

Formule 1-coureurs zijn tegenwoordig meer dan beroemd genoeg om net als acteurs en voetballers in televisiereclames op te treden. Vodafone, de sponsor van Ferrari, heeft Michael Schumacher naast voetbalster David Beckham gebruikt voor televisiereclames, terwijl de Duitse autofabrikant Mercedes-Benz het geweldig vond om voormalig wereldkampioen Mika Häkkinen lol te laten trappen met tennisgigant Boris Becker.

Televisie is slechts een van de manieren waarop een sponsor het rendement van zijn investering probeert te vergroten. Tegenwoordig kom je overal afbeeldingen van coureurs en Formule 1-wagens tegen: op etenswaren in supermarkten, op reclames bij garages en zelfs in advertenties en promoties die niks met autoraces te maken hebben. Bekend voorbeeld is Michael Schumacher die ingezet werd door shampoofabrikant L'Oreal; en hij is het zeker waard.

Sommige sponsors boren geheel nieuwe mogelijkheden aan. Zo is energiedrankengigant Red Bull van plan een circuit in Oostenrijk naar zich te vernoemen, wat dan bekend zal worden als de Red Bull Ring. Red Bull heeft daarnaast in de Verenigde Staten een programma opgestart om de volgende Amerikaanse Formule 1-kampioenscoureur te vinden.

Dingen maken waar fans gek op zijn

Wandel eens een stukje door de stad of maak een ritje met trein of bus, gegarandeerd dat je iemand met een Formule 1-jas, een Schumacher-cap of een T-shirt met Formule 1-afbeeldingen tegenkomt. Formule 1-fans zijn er nou eenmaal gek op om hun steun aan hun favoriete team of coureur te betuigen, en hoe kun je dat beter doen, dan iets aan te trekken waar het juiste logo op staat?

Coureurs hebben een enorme invloed op de spullen die fans aanschaffen. Vandaar dat de coureurs graag een contract afsluiten met grote en bekende kledingfabrikanten. Autofabrikanten hebben intussen ook ontdekt dat de goede resultaten op het circuit zich prima laten vertalen in hogere verkoopcijfers. Zowel BMW als Mercedes-Benz hadden bijvoorbeeld veel voordeel van de overwinningen die ze de afgelopen seizoenen in de Formule 1 hebben geboekt. Veel fans zijn bovendien trouw aan hun favoriete autofabrikant.

Dit alles is natuurlijk goed nieuws voor de sponsors in de Formule 1. Is je naam gekoppeld aan een succesvol team, dan levert dat meteen een hogere omzet op.

Veel coureurs hebben in de loop der jaren een breed aanbod aan promotieartikelen opgebouwd. Sommige coureurs verdienen meer aan de verkoop van deze artikelen dan dat ze voor het racen zelf krijgen betaald. In de volgende paragraaf laten we zien wat je zo allemaal kunt aanschaffen om te laten zien dat je fan bent.

Kleren maken de man (of de vrouw)

Heb je het geluk om toeschouwer bij een Grand Prix te mogen zijn, dan zal het je direct opvallen dat bijna iedereen iets aanheeft waaruit blijkt dat ze een Formule 1-fan zijn. Met bijna elk kledingstuk kun je wel laten zien dat je fan van een bepaald team of een bepaalde coureur bent. Sommige fans weten op deze manier een Michael Schumacher-baseball-cap te combineren met een Williams-T-shirt en daarover een Jordan-jack. De meeste fans beperken zich tot één team of coureur. Al doen ze dat af en toe wel erg grondig, en voltooien ze hun officiële Michael Schumacher-outfit zelfs met exact dezelfde sportschoenen en dezelfde zonnebril als de Duitse coureur.

Of je nou op zoek bent naar een T-shirt, een sweater, een jack of een pet, je zult zonder twijfel artikelen kunnen vinden waarop je favoriete

Wat teams zoeken in een sponsor

Ondanks de enorme behoefte aan sponsors die voldoende geld ophoesten, kunnen teams niet elke willekeurige sponsor die zich aanbiedt accepteren. Teams moeten daarin voorzichtig zijn. Waarom? Simpel: sommige sponsors zijn in een onderlinge strijd met elkaar verwikkeld. Twee van zulke rivalen een team laten steunen zou fataal kunnen zijn. Coureurs moeten bovendien continu op hun woorden letten, zeker wanneer hun persoonlijke mening haaks op die van de sponsor staat. Stel je maar voor hoe slecht het zou overkomen als een coureur, gesponsord door Coca-Cola, zegt dat Pepsi zijn favoriete drank is.

team of coureur is afgebeeld. Voordat je je zuurverdiende geld op de toonbank smijt, geven we je enkele tips:

- Teams hebben een officieel kleurschema voor het seizoen, maar zeker wanneer er sprake is van een nieuwe sponsor of een nieuwe coureur, kan dit veranderen. Je loopt altijd het risico dat je mooie en dure jack het volgende jaar alweer achterhaald is; al mag dat natuurlijk geen enkel excuus zijn om niet het juiste model te dragen.

- Let erop dat je de kleren koopt waar je favoriete coureur op staat; anders moedig je onbedoeld misschien een coureur aan waar je nou net niet zo'n grote fan van bent. Coureurs krijgen bij de start van het seizoen een nummer dat ze het hele seizoen houden. Houd echter altijd rekening met rijderswissels tijdens het seizoen.

- Wacht tot de eerste race van het seizoen, dan weet je wat je held draagt en kun je meteen het juiste T-shirt aanschaffen.

- Sommige kledingfabrikanten maken jacks die er exact hetzelfde uitzien als de bovenste helft van de raceoverall van je favoriete coureur. Kijk uit dat je niet per ongeluk voor een van de echte sterren wordt aangezien!

Speelgoed

Formule 1 is ook onder kinderen erg populair, ook al worden bijna alle speciale Formule 1-modellen juist door volwassenen aangeschaft.

Kijk uit naar modellen die verwijzen naar een bepaalde race, zoals de eerste gewonnen race van een coureur. Als je hier dan ook nog eens een handtekening op weet te krijgen, dan zou dat model in de loop der jaren zomaar flink wat waard kunnen worden.

Er is nog veel meer Formule 1-speelgoed te koop, variërend van officiële Mecano-sets tot Lego-modellen van de Ferrari- en Williams-teams. Ook computergames zijn erg populair (zie hoofdstuk 8). En mocht je kind of

TIP

Koop geen kat in de zak; zelfs geen Jaguar

Tijdens een Grand Prix struikel je over de honderden kramen waar van alles en nog wat voor de fans wordt aangeboden. Maar het is lang niet altijd duidelijk wat officieel is en wat slechts goedkope namaak is.

Ook al is er niks mis met een goedkoop T-shirt met de kop van je favoriete coureur: je krijgt waar je voor betaalt. Daarom hebben Formule 1-teams tegenwoordig allemaal hun eigen officiële promotieartikelen. Door het kopen van deze officiële artikelen weet je zeker dat je de juiste logo's en foto's hebt gekocht, en je bent er ook zeker van dat je iets van goede kwaliteit hebt aangeschaft. Zowel de coureurs als de teams hebben een hekel aan slecht nagemaakte of half versleten logo's en foto's. Het tast hun goede naam aan. Omdat de teams en coureurs een klein percentage krijgen van elke item dat wordt verkocht, is alles iets duurder dan de namaakproducten. Maar je weet in ieder geval zeker dat je het echte product hebt gekocht. Vaak gaat het zelfs om producten die ook door het team worden gedragen of gebruikt.

Wil je zeker weten dat je alleen maar officiële promotieartikelen aanschaft, ga dan op het circuit naar een officiële dealer. Meestal vind je boven de ingang van de winkel de naam van het team of de coureur. Bovendien zijn alle producten voorzien van een officieel label waarop staat dat ze zijn goedgekeurd door het team. Je kunt veilig aannemen dat de spullen die je vanaf de achterklep van een vrachtwagen of ergens op straat koopt, niet officieel door het team zijn goedgekeurd.

vriendin niet zo dol zijn op modelauto's, bouwdozen of computergames, dan zijn er altijd nog de speciale teddyberen die je compleet met het juiste shirt van sommige teams kunt kopen.

Vlaggen

Wanneer de coureurs in de wagens zitten met hun helm op en oordoppen in als bescherming tegen de herrie van de motor, dan zullen ze van de aanmoedigingen en het gejuich van de fans nog maar weinig meekrijgen. Je zult de coureurs daarentegen vaak wel over de vlaggen horen spreken die ze in het publiek zagen. Het is dé manier waarop fans hun coureur aan een overwinning kunnen helpen. Voor elk team en elke coureur zijn er vlaggen te koop, zo groot soms, dat je je er drie keer in kunt wikkelen.

Je huis inrichten

Promotieartikelen zijn tegenwoordig zo'n enorme handel, dat het mogelijk is (mocht je dat willen) je complete woning met het gezicht van je favoriete coureur te versieren. In elke bouwmarkt kun je Formule 1-

behang kopen, dat zich prima laat combineren met een dekbedovertrek van je favoriete coureur of team. Vergeet ook de gordijnen, de placemats op de eettafel en de kussens op de bank niet. Michael Schumacher heeft zelfs zijn eigen officiële lamp, die je kunt aandoen als je in bed je Formule 1-boeken ligt te lezen! Misschien niet de coolste dingen die te koop zijn, maar elke bezoeker weet meteen hoe gek jij op Formule 1 bent. Al lukt het je misschien niet om ze na deze aanblik nog over te halen om gezellig een kopje thee uit je speciale David Coulthard thee-servies te drinken.

Personenwagens

Het is misschien een wat duur aandenken, maar verschillende teams produceren ook 'gewone' sportwagens of personenwagens die je kunt aanschaffen. In de jaren negentig van de vorige eeuw produceerde McLaren een eigen sportwagen waarmee ze onder meer de beroemde 24 uur van Le Mans race wonnen. Williams heeft samen met Renault een aantal jaar geleden de 'Clio Williams' geproduceerd. In de sportwagens van Ferrari vind je technologie die rechtstreeks uit de Formule 1 afkomstig is. Ook de auto's die de coureurs in hun dagelijkse leven gebruiken, zijn over het algemeen allemaal normaal te koop.

Informatie over eventuele samenwerkingsverbanden vind je op de sites van de verschillende autofabrikanten. De nieuwste sportwagen uit de McLaren-stal, de Mercedes SLR-McLaren is overigens inmiddels te koop, mocht je nog ergens een half miljoen euro hebben liggen.

De rest

Wil je op een wat subtielere manier je voorkeur voor een team of coureur duidelijk maken, dan is er een ontelbaar aantal pennen, potloden of gummen te koop. Stickers en opnaaibare badges zijn goedkoop en kunnen op slaapkamerramen, auto's en rugzakken worden bevestigd, om zo je enthousiasme voor de sport te tonen. De teams produceren jaarlijks ook honderden notitieboeken en agenda's.

Achter de buis: waarom sponsors van televisie houden

De Formule 1 dankt zijn populariteit niet in de laatste plaats aan het feit dat je Formule 1 overal ter wereld op de televisie kunt volgen. Tijdens het seizoen, dat van maart tot oktober duurt, kun je om het weekend kwalificatiewedstrijden en races zien; allemaal live bij jou in de huiskamer. Zelfs wanneer je ergens ver van huis vakantie viert, kun je eenvoudig op de hoogte blijven van wat er gebeurt in de Formule 1-wereld. Erg handig!

En al die live-uitzendingen zijn maar een van de manieren waarop je de sport kunt volgen. Er zijn programma's te over vol analyses van de races, de laatste nieuwtjes uit de paddock, inside-informatie en natuurlijk veel interviews.

De grote bazen binnen de Formule 1 zijn zich er terdege van bewust dat de populariteit van de sport grotendeels samenhangt met het feit dat het een erg geschikte televisiesport is. Het mediacircus rond een Grand Prix is tegenwoordig zo strak georganiseerd, dat een coureur nauwelijks nog tijd heeft om voor de race zijn vrienden of familie te spreken. Zo worden de coureurs na de race direct op het podium gezet, waar zij de trofee ontvangen en met champagne mogen spuiten. Maar voordat zij terug kunnen gaan naar hun team en meer felicitaties in ontvangst kunnen nemen, worden ze eerst nog naar een aparte ruimte gebracht voor het verplichte korte televisie-interview direct na de race. Vaak zijn deze interviews de eerste woorden die een coureur spreekt na een race. De miljoenen fans voor de buis weten zo eerder wat de coureur van de race vond dan zijn baas. Het televisie-interview is ook het perfecte moment voor de coureur om de sponsorlogo's aan miljoenen fans te tonen; let bijvoorbeeld eens op Schumachers baseballcap, die hij vaak subtiel voor hem op tafel legt.

De beelden van de camera's aan boord van de wagen zijn inmiddels een vast onderdeel van de raceverslaggeving geworden. Je kunt ook live meeluisteren met de radiocontacten tussen het team en de coureur. Hoewel de coureur direct na afloop van de race wordt geïnterviewd, kunnen de televisiemakers al tijdens de race met de technici en de teambazen in de pits spreken. Bijvoorbeeld om zo de kijker uitleg te geven over de tactiek van het team of om bepaalde gebeurtenissen in de race toe te lichten.

En de verslaggeving blijft niet beperkt tot de televisie. Is er geen tv in de buurt, dan zijn er nog voldoende andere manieren waarop je aan je informatie kunt komen:

Niet alle aandacht is goede aandacht

Zolang zijn team wint, kan het geluk van een sponsor niet op. Maar helaas kan er bij elke race slechts één winnaar zijn. Ook al zijn er 'mediaspecialisten' die beweren dat er niet zo iets als slechte publiciteit bestaat, er toch dagen zijn dat sponsors hun naam liever op een andere wagen hadden zien staan. Het is al erg genoeg als een team of coureur wegens het overtreden van de regels gediskwalificeerd wordt, maar als een coureur met het logo van de sponsor breed op de borst op de vuist gaat met een concurrent, uiteraard omringd door tientallen camera's, dan kun je je voorstellen dat een sponsor zich nog het liefste onder de tafel zou willen verbergen. Voor een sponsor hangt er veel van het onberispelijke gedrag van de teams en coureurs af.

✔ Radiozenders, en dan met name de sportzenders, doen vaak uitgebreid verslag van de laatste ontwikkelingen. Experts, voormalig coureurs en belangrijke teamleden geven hun commentaar of analyseren de laatste gebeurtenissen.

✔ Verslaggeving in kranten wordt steeds uitgebreider. Gespecialiseerde tijdschriften (zie hoofdstuk 16) geven verslagen die nog dieper op de stof ingaan.

✔ De populariteit van internet is de laatste jaren zo sterk gegroeid, dat tegenwoordig honderden sites verslag doen van de Formule 1. In de toekomst zullen fans de gebeurtenissen op de baan dankzij internet nog intenser kunnen volgen. Op dit moment wordt er bijvoorbeeld een computergame ontwikkeld waarin de spelers deelnemen aan een virtuele Formule 1-race, maar dan wel zoals die op dat moment daadwerkelijk plaatsvindt. Terwijl jij achter je virtuele stuur zit, worden de tijdschema's en andere statistieken van de echte race live gedownload en verwerkt in de game.

Het mag duidelijk zijn waarom sponsors in de rij staan om Formule 1-teams financieel te ondersteunen: het biedt zo veel mogelijkheden voor de verschillende media, dat het geld welbesteed is. Maar dit betekent niet dat de bazen van deze sport overtuigd zijn van de onkwetsbaarheid van de Formule 1 ten opzichte van andere sporten. Het nieuwe kwalificatiesysteem dat in 2003 is ingevoerd had als belangrijkste doel de kwalificatie spannender te maken en zo meer kijkers te trekken. Er wordt altijd gezocht naar manieren om de sport aantrekkelijker te maken, zonder dat dat ten koste gaat van de sportieve uitdaging.

Zwart-witfoto's doen eenvoudigweg geen recht aan het kleurrijke spektakel dat Formule 1 is. Daarom hebben we besloten met een aantal spetterende kleurenfoto's deze wereld voor je tot leven te wekken. In deze bijlage zie je de wagens over het asfalt schieten, de adembenemende efficiëntie van de pitcrew en voorbeelden van de futuristische technologie die nodig is om races te winnen.

En dan zijn er ook nog de spectaculaire crashes, de spanning in de momenten voor de start, de ongelofelijke vaardigheden die nodig zijn om een wagen onder controle te houden, de tienduizenden toeschouwers en tot slot zie je natuurlijk hoe de coureurs hun winst na de race vieren.

Giancarlo Fisichella tijdens de Grand Prix 2003 van Monaco in Monte Carlo.

Gaan dingen mis, dan kan het resultaat behoorlijk spectaculair zijn. Takumo Sato ondervond dit aan den lijve toen hij tijdens de Grand Prix 2002 van Oostenrijk door de oncontroleerbaar geworden wagen van Nick Heidfeld werd geramd.

Bij gevaarlijke omstandigheden op de baan houdt de safety car de snelheid van de wagens binnen de perken.

De eerste bocht is de perfecte plaats voor een inhaalmanoeuvre; of voor een ongeluk. Ralf Schumachers wagen kiest na zijn aanrijding met Rubens Barrichello tijdens de Grand Prix 2002 van Australië het luchtruim.

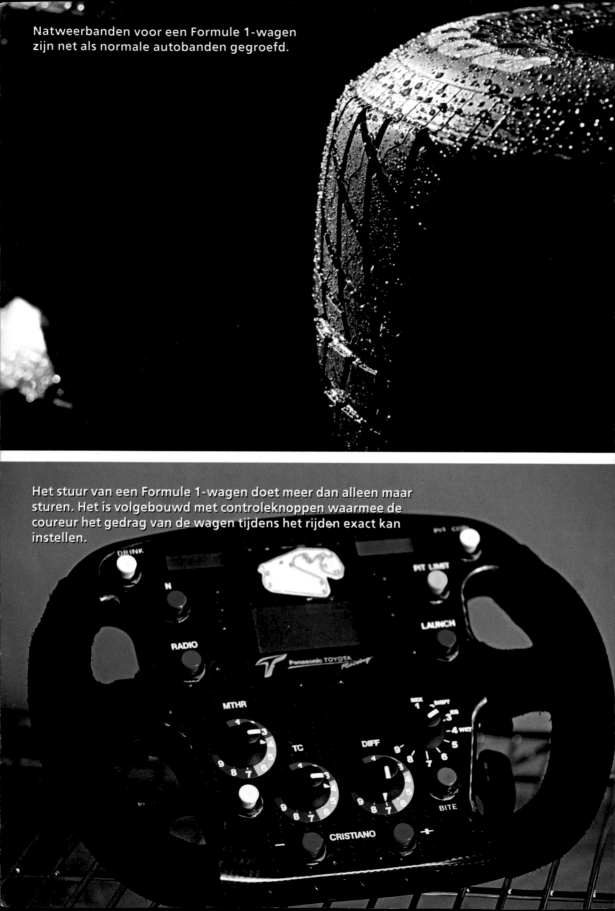

Natweerbanden voor een Formule 1-wagen zijn net als normale autobanden gegroefd.

Het stuur van een Formule 1-wagen doet meer dan alleen maar sturen. Het is volgebouwd met controleknoppen waarmee de coureur het gedrag van de wagen tijdens het rijden exact kan instellen.

Pitstops zijn vaak het moment waarop races gewonnen of verloren worden. Daarom moet elk teamlid zijn taak blindelings en foutloos kunnen uitvoeren in de paar seconden dat de wagen stilstaat.

De naam Schumacher is een van de bekendste in de Formule 1. Ralf en Michael Schumacher kunnen naast de baan prima met elkaar opschieten, ook al zijn ze op het asfalt regelmatig met elkaar in strijd verwikkeld.

Wat zou Formule 1 zijn zonder de fans?

CATALUNYA 2003

Er is maar één passende manier om een grandprixoverwinning te vieren: met champagne!

Hightech computersystemen vormen de ruggengraat van elk Formule 1-team. Specialisten analyseren de gegevens die van de wagens worden verzameld.

De motorhomes van de teams zijn allesbehalve eenvoudig; het zijn kostbare constructies die voor elk team uniek worden ontworpen.

Hoofdstuk 4

Je aan het reglement houden

*I*n het reglement staan de technische en sportieve regels van de Formule 1 beschreven. Het reglement wordt continu aangepast aan de technologische vooruitgang en aan de slimme jongens die telkens nieuwe manieren verzinnen om de regels te omzeilen. De Formule 1 is een bijzonder competitieve omgeving waarin teams altijd op zoek zijn naar nieuwe manieren om hun rivalen voorbij te streven of buiten spel te zetten. Het competitieve karakter blijkt ook uit de manier waarop teams de regels telkens in hun eigen voordeel proberen uit te leggen; regels die vaak in samenwerking met diezelfde teams zijn ontstaan.

In het reglement vind je de opeenstapeling van pogingen van de FIA, de overkoepelende organisatie van de Formule 1, om de trucs en creatieve interpretaties van de teams steeds een stap voor te zijn. In dit hoofdstuk kom je meer te weten over de regels waaraan Formule 1-teams zich hebben te houden, wat ze inhouden en wie ze maken. Ook vertellen we je over de vele pogingen van de teams om deze regels te omzeilen of ze in elk geval zo veel mogelijk in hun eigen voordeel uit te leggen.

FIA: de regelmakers

Formule 1 staat onder toezicht van de Fédération Internationale de l'Automobile (FIA), het wereldwijde overkoepelende en leidinggevende orgaan van de autosport. De FIA verzorgt al vanaf 1904 het reglement, dus bijna vanaf het begin van de autosport. Wanneer zij dat nodig acht, kan de FIA geheel onafhankelijk van de teams wijzigingen in het reglement aanbrengen. De FIA houdt uitsluitend toezicht op de sportieve en technische aspecten van de sport. Met het oog op de Europese kartelwetgeving moeten de commerciële belangen van de sport in een andere organisatie zijn ondergebracht.

De Formula One Management (FOM), vroeger Formula One Constructors Association (FOCA), de organisatie waarin de teams zijn vertegenwoordigd, werkt nauw met de FIA samen bij het opstellen van de regels. Hoewel de FOM geen doorslaggevende stem heeft in het opstellen van deze regels, heeft deze organisatie wel de commerciële rechten van Formule 1 in handen. In de praktijk betekent dat, dat de FOM onderhandelt over de inkomsten, opbrengsten en de verdeling van deze gelden tussen het management en de teamleden.

Deze twee organisaties konden lange tijd elkaars bloed wel drinken. De strijd tussen hen was vaak heftiger dan de gevechten die de wagens op het asfalt leverden. Niet in de laatste plaats dankzij de inspanningen van Max Mosley, een voormalig leidinggevende bij de FOCA die in 1991 tot voorzitter van de FIA werd gekozen, werken ze de laatste jaren echter prima samen.

Met Mosley, een voormalig Formule 1-teameigenaar, als voorzitter bij de FIA, is gegarandeerd dat de FIA oog heeft voor de belangen van de teams. Bovendien begrijpt Mosley als voormalig teameigenaar precies de moeilijkheden en de druk waaronder de teams moeten werken.

De Concorde-overeenkomst

De Concorde-overeenkomst is de blauwdruk aan de hand waarvan de Formule 1 wordt bestuurd. De Concorde-overeenkomst is een overeenkomst tussen enerzijds de overkoepelende organisatie van de sport (de FIA) en anderzijds de deelnemende teams (vertegenwoordigd door de FOM). De naam van de overeenkomst is afgeleid van het hoofdkantoor van de FIA, op de Place de la Concorde in Parijs.

 In een zekere zin mag je de Concorde-overeenkomst met de Conventie van Genève vergelijken, die de basisregels voor het uitvechten van gewapende conflicten in oorlogstijd vastlegt. De Formule 1 is in deze analogie zowel in een burgeroorlog als een internationaal conflict gewikkeld; de burgeroorlog wordt tussen de teams uitgevochten, het internationale conflict tussen de teams en de overkoepelende organisatie. Teams accepteren het feit dat er een leidinggevend orgaan nodig is. Ze weten dat er te veel eigenbelang en te veel strijd in het spel is om zelf de sport te organiseren. Maar dat betekent niet dat ze het leuk vinden.

Sleutelbegrippen

De Concorde-overeenkomst, waarvan de details overigens geheim zijn, legt exact de organisatiestructuur van de Formule 1 vast. Ook worden de grenzen van de verantwoordelijkheid van zowel de FIA als de teams aangegeven. Hier vind je de belangrijkste punten van de Concorde-overeenkomst:

De FIA

De FIA vertegenwoordigt 150 nationale autosportorganisaties uit 117 landen. Ook al is de Formule 1 het belangrijkste kroonjuweel van de FIA, ook alle andere raceklassen worden in de aangesloten landen vertegenwoordigd. De Verenigde Staten zijn geen lid van de FIA en hebben hun eigen overkoepelende organisatie. Zoals de naam al aangeeft, werd de Fédération Internationale de l'Automobile in Frankrijk opgericht, het land waar de motorsport het daglicht zag. Tegenwoordig zijn er afdelingen in Parijs, Genève en Londen.

Er is geen enkele wettelijke reden waarom de FIA de enige internationale vertegenwoordiger van de autosport in de deelnemende landen zou zijn. De FIA is eenvoudigweg de organisatie die in de loop der jaren de meeste macht naar zich toe heeft weten te trekken en die de belangrijkste contacten met teams, fabrikanten, circuits en raceorganisatoren onderhoudt. Deze status wordt extra benadrukt door de Europese wetgeving die de FIA erkent als het orgaan dat voor de beoordeling van de veiligheid van voertuigen of circuits verantwoordelijk is. Een eventuele rivaliserende autosportorganisatie zou, in ieder geval in Europa, altijd bij de FIA moeten aankloppen voor de goedkeuring van hun wagens en circuits.

Elke vijf jaar wordt er door de verzamelde autosportorganisaties een nieuwe FIA-voorzitter gekozen. De huidige voorzitter, Max Mosley, is voor het eerst in 1991 gekozen en is nu aan zijn derde termijn bezig.

✔ De commerciële rechten van Formule 1 liggen bij de FOM, de Formula One Management.

✔ De overeenkomst geeft aan hoe het geld dat verdiend wordt met de sport (met name inkomsten uit de verkoop van televisierechten), verdeeld wordt onder de teams.

✔ Om de stabiliteit binnen de sport te verzekeren, staat in de overeenkomst aangegeven hoe lang van tevoren teams op de hoogte gesteld moeten worden van aanpassingen in de regels. Zo hebben de teams de tijd om de nodige technische veranderingen door te voeren.

✔ Wijzigingen in de overeenkomst kunnen alleen unaniem worden goedgekeurd. De enige uitzondering op deze regel is wanneer de wijzigingen noodzakelijk zijn voor de veiligheid van de sport. In een dergelijke situatie heeft de FIA het recht om zelfstandig actie te ondernemen.

De hoofdrolspelers Mosley en Ecclestone

Max Mosley (voorzitter van de FIA) en Bernie Ecclestone (voorzitter van FOM) vertegenwoordigen twee organisaties die regelmatig met elkaar overhoop liggen. De discussies gaan meestal over de praktische uitwerking van strategische beslissingen die al eerder zijn genomen. Beide organisaties begrijpen echter goed dat het belang van de sport boven hun eigen belangen staat. Het is dan ook niet verwonderlijk dat Ecclestone als voorzitter van de FOM tegelijkertijd vice-voorzitter van de FIA is!

Mosley en Ecclestone kennen elkaar al een lange tijd. Toen Ecclestone in 1971 het Brabham Formule 1-team kocht, was Max Mosley medeteameigenaar van March. Ecclestone had het commerciële gevoel en Mosley, als geschoold jurist, het juridische inzicht. Samen wisten ze de Formule 1 van een kleine sport in een miljardenonderneming om te vormen. Ze zijn medeoprichters van de FOCA (tegenwoordig FOM), de organisatie die de teams vertegenwoordigt en die in de jaren tachtig van de vorige eeuw in een hevige strijd was verwikkeld met de FIA. Mosley was de grondlegger van de Concorde-overeenkomst die een einde aan dit conflict maakte.

In 1991 werd Mosley, inmiddels geen teameigenaar meer, gekozen tot voorzitter van de FIA en nam hij afscheid van de FOCA. Ook al was Ecclestone inmiddels ook geen teameigenaar meer, hij bleef nog wel de belangen van de teams behartigen. Tot vandaag de dag werken beide mannen achter de schermen nauw samen, om er zo zeker van te zijn dat de Formule 1 zich ook in de toekomst als een gezonde organisatie kan blijven ontwikkelen.

Het reglement begrijpen

Het reglement omvat zowel de sportieve regels van de sport als het technische reglement voor de deelname. De sportieve regels leggen zaken vast als de minimale lengte van een race om als officiële race te gelden, het puntensysteem, de geaccepteerde rijstijl, het aantal bandensets dat gebruikt mag worden, het gebruik van reservewagens en de straffen voor het overtreden van de regels. Dit deel van het reglement bepaalt dus *hoe* er in de races wordt geracet. Het technische deel van het reglement bepaalt *waarmee* de races worden verreden.

De sportieve kant van het reglement: wat en hoe

Het sportieve deel van het reglement legt het raamwerk vast waarbinnen een Grand Prix wordt verreden. In dit deel van het reglement vind je bijvoorbeeld zaken als:

- ✔ De lengte van een race moet het minimale aantal ronden zijn dat een afstand van 305 km overschrijdt.

- ✔ Wat er gebeurt als een race moet worden afgebroken (zie hoofdstuk 9 en de paragraaf 'Afgebroken race').

✔ Of een race ondanks de regen doorgaat (ja, die gaat door).

✔ Het puntensysteem, momenteel respectievelijk 10, 8, 6, 5, 4, 3, 2 en 1 punten voor de eerste acht finishplaatsen.

✔ Hoe een coureur zich op de baan moet gedragen (maar één beweging om een positie te verdedigen) en aan welke regels hij zich tijdens het racen heeft te houden (niet inhalen onder geel).

✔ Het aantal sets banden dat gebruikt mag worden in een raceweekend. Momenteel geldt een maximum van twaalf sets per weekend per wagen.

✔ Straffen. Alles van een kleine boete tot geschorst worden voor het wereldkampioenschap, afhankelijk van de ernst van de overtreding.

De technische kant van het reglement: waarmee

In het technische deel van het reglement wordt tot in het kleinste detail beschreven wat een Formule 1-wagen is en hoe hij eruit moet zien. En dan hebben we het niet over een paar algemene definities en principes. De vorm van de verschillende onderdelen is zo nauwgezet vastgelegd, dat de vorm van een wagen meer wordt bepaald door de regels, dan door de ontwerpers. De technische regels specificeren daarnaast de motor, de versnellingsbak en transmissielijn, de remmen, de wielophanging, de banden en de brandstof.

Lang niet elke ontwerper is blij met deze strakke regels. Ontwerpers van de oude stempel zeggen vaak dat ze de sport hebben verlaten omdat de regels, en niet de ontwerpers bepalen hoe een wagen eruitziet. Het reglement heeft creativiteit onmogelijk gemaakt. Anderen zijn van mening dat door die strakke regels juist de topontwerpers met de beste vaardigheden en kennis komen bovendrijven. Je mag zelf kiezen met wie je het eens bent.

Het technische deel van het reglement legt niet alleen het uiterlijk van de wagen vast, maar vertelt ook welke tests een wagen moet doorstaan om deel te mogen nemen. Zo moeten de wagens voor elk seizoen een aantal strenge crashtests en tests met statische belastingen doorstaan. Deze tests zijn vele malen strenger dan wat wettelijk vereist is voor wagens op de openbare weg.

Waarom worden deze aspecten zo streng getest? Meestal heeft het te maken met kostenbeheersing of met de veiligheid. Vrijere regels maken de weg vrij voor nieuwe technologie, maar alleen de topteams kunnen zich deze technologie veroorloven. Bovendien kan deze nieuwe technologie zonder goede controle tot minder veilige wagens leiden.

De regels en waar je ze kunt vinden

Vroeger kon je gewoon een boek kopen waar de regels en voorschriften in stonden. Het tempo van de huidige ontwikkelingen in de Formule 1 vraagt echter om zulke frequente aanpassingen van de regels, dat een boek binnen de kortste keren alweer achterhaald zou zijn. Vandaar dat dit boek niet meer te koop is voor het publiek. Zowel het sportieve als het technische reglement vind je tegenwoordig terug op de website van de FIA (www.fia.com).

Alleen al het technische reglement is meer dan 15.000 woorden lang; en dan zijn er ook nog eens de begeleidende illustraties. Mocht je last van slapeloosheid hebben, dan heb je wat te lezen.

Bij iedere race zijn technische afgevaardigden van de FIA en een racedirecteur aanwezig. deze mensen zien er gezamenlijk op toe dat het sportieve en technische reglement wordt nageleefd. De *racedirecteur*, momenteel Charlie Whiting, controleert de toepassing van het reglement en is ook aanwezig bij de briefings voor de race waarin de coureurs de laatste sportieve aanwijzingen krijgen. Als voormalig Formule 1-technicus is Whiting goed op de hoogte van de manier waarop teams proberen de regels en daarmee de concurrentie te slim af te zijn.

Een oogje in het zeil houden: de noodzakelijke inspecties

Een reglement vastleggen is één ding, zorgen dat iedereen zich ook houdt aan deze regels is iets compleet anders. De wagens worden door de FIA zowel voor het seizoen als in elk grandprixweekend gecontroleerd. En dat zijn dan alleen nog maar de routinecontroles. Als iemand, ondanks de heldere regels, een protest indient, vinden er extra inspecties plaats. Elke onzekerheid over de interpretatie van de regels is normaal gesproken opgelost voordat de wagens de baan op gaan.

Crashtests

Voordat een nieuw model wagen aan een race mag deelnemen, moet deze wagen eerst een aantal strenge crashtests doorstaan. In de volgende paragrafen wordt uitgelegd waar deze tests uit bestaan.

Frontale crashtest

De frontale botsing bestaat uit een aanrijding recht naar voren met 45 km/u tegen een in beton gevatte stalen plaat. Het gedeelte van de neus voor de pedalen mag slechts beperkt beschadigd zijn, terwijl er achter deze neus verder geen schade aan het chassis te bekennen mag zijn. De gemiddelde kracht die bij deze botsing vrijkomt moet onder de 25 G blijven (25 maal de zwaartekracht), waarbij krachten boven de 60 G niet meer dan 3 milliseconde mogen bestaan. Deze test controleert de energieabsorptie van de wagen bij een frontale botsing.

De testsnelheid is vergeleken met de snelheden bij botsingen op het circuit bijzonder laag. De stalen plaat geeft echter, in tegenstelling tot de metalen objecten waar de wagens op het circuit mee in botsing kan komen, totaal niet mee. In de praktijk zal een wagen bovendien nooit zuiver frontaal botsen, wat de absorptie van de inslagenergie verder verbetert.

Achterwaartse crashtest

Als de frontale test is afgelegd, moet dezelfde wagen vervolgens een aanrijding van achteren zien te doorstaan. Deze keer blijft de wagen op z'n plaats staan terwijl een slede tegen de achterkant van de wagen wordt geschoten. Deze slede heeft hetzelfde gewicht als een volgetankte Formule 1-wagen en raakt de testwagen met een snelheid van 48 km/u. Er mag geen structurele beschadiging voorbij de achteras ontstaan.

Roltest

Op de voor de roltest relevante delen van de wagen worden exact gecontroleerde laterale (van de zijkant), longitudinale (van voren en van achteren), en verticale (van boven) krachten uitgeoefend, waarbij elk deel niet meer dan 50 millimeter mag vervormen. Elke beschadiging van het oppervlak moet beperkt blijven tot de eerste 100 millimeter van het oppervlak. De wagens worden dus niet echt over de kop gerold, maar de impact wordt eenvoudig gesimuleerd door de FIA.

Zijwaartse crashtest

Ook de zijkanten van de wagens worden op hun stevigheid getest. Bij een zijdelingse botsing moet de beschermconstructie voorkomen dat de cockpit vervormd of beschadigd raakt. Bij een van de tests wordt een slede met een gewicht van 780 kilo met een snelheid van 10 meter per seconden tegen de zijkant van de wagen geschoten. Het inslagpunt bevindt zich 300 millimeter boven het referentievlak (een strip aan de onderzijde van de wagen die als uitgangspunt voor de metingen dient) en 500 millimeter voor de achterrand van de cockpit. De gemiddelde afremming mag niet meer dan 20 G bedragen, waarbij 15 tot 35 procent van de energie wordt geabsorbeerd. Krachten groter dan 80 kN mogen niet meer dan 3 milliseconden duren.

Stuurkolomtest

Het stuur wordt in botsing gebracht met een van te voren vastgestelde kracht. Een halfrond gewicht van 8 kilo en een diameter van 165 millimeter raakt het stuur met een snelheid van 7 meter per seconde op dezelfde lijn als de stuurkolom. Na afloop mag er geen vervorming van het stuur zijn, alleen van de stuurkolom. Het ontgrendelingsmechanisme van het stuur moet nog steeds perfect functioneren.

Statische belastingen

Een serie tests wordt uitgevoerd waarbij op belangrijke delen van de wagen een constante kracht wordt uitgeoefend (dus geen impact). Hiermee wordt de noodzakelijke sterkte van de wagen getest. Deze 'squeeze tests' worden uitgevoerd op de zijkanten van de cockpit, de achterkant van het chassis rond de brandstoftank, de versnellingsbak en de neus van de wagen.

De zijkanten van de cockpit worden met een belasting van 25 kN getest, waarbij geen enkele permanente beschadiging mag optreden. Deze test wordt herhaald met belastingen die telkens 20 procent minder zijn. Vervormingen groter dan 3 millimeter mogen niet meer dan 120 procent van de vervormingen bij 80 procent van de eerste test bedragen.

Dezelfde test wordt herhaald voor de bodem van de brandstoftank, met het verschil dat er nu een belasting van 12,5 kN wordt toegepast.

Voor de rand van de cockpit wordt getest met een belasting van 10 kN met een maximale vervorming van 20 millimeter.

Voor de neus en de achterzijde van de wagen wordt gedurende 30 seconden een belasting van 40 kN toegepast, waarbij geen enkele permanente schade mag optreden.

Technische commissie

Op de donderdag voor de race worden de wagens op het circuit gecontroleerd op de naleving van de regels. Door de FIA goedgekeurde *technische commissarissen*, mensen met een technische achtergrond in de autosport die de wagens bij wedstrijden controleren, voeren deze tests uit. De tests concentreren zich op de veiligheid en de conformiteit van de wagens. Bij de veiligheidstests wordt onder meer gekeken naar de wielen, het stuur, de wielophanging en de implementatie van de veiligheidsmaatregelen.

De conformiteit van de wagen wordt bepaald aan de hand van de maten van het bodywork, de positie van de cockpit, de breedte, hoogte en vorm van de voor- en achtervleugels, de vorm van de bodemplaat en de reglementaire afstandshouders onder de wagen (om de neerwaartse kracht te beperken). Alle maten zijn exact door het technische reglement vastgelegd.

Natuurlijk wordt deze conformiteit ook voor de eerste race van het seizoen gecontroleerd, maar zou je de controle niet bij elke race herhalen, dan weet je zeker dat er enkele teams zijn, misschien wel alle teams, die tussentijds enkele onreglementaire aanpassingen maken.

Ze in de gaten houden

Met de technische commisie is de controle van de wagens nog niet afgesloten. Het hele weekend door worden willekeurige teams gecontroleerd. Op ieder moment kan er een brandstofmonster worden genomen, en als dit niet overeenkomt met de chemische vingerafdruk die het team aan het begin heeft opgegeven, dan kan dat het team een flinke boete opleveren. De wagen en coureur worden bovendien regelmatig gewogen, om na te gaan of het gewicht van de wagen (inclusief coureur) niet onder de vastgestelde 605 kilo ligt. De teams worden ook nauw in het oog gehouden bij het bandengebruik, om zeker te weten dat ze niet meer dan de toegestane twaalf sets banden gebruiken tijdens het raceweekend.

Soms verzegelt de FIA een motor. Deze zegels voorkomen dat het team de motor ongeoorloofd probeert aan te passen of te verbeteren. Aparte inspecteurs met een grote kennis van de motortechniek controleren deze motoren zowel op het circuit als tijdens bezoeken aan de fabrieken waar ze worden gemaakt. Hij zal de motor uit elkaar halen en controleren of deze volledig reglementair is; met name of de motor binnen de maximale inhoud van drie liter blijft. De FIA kan op ieder moment en zonder opgaaf van reden een motor verzegelen. Naar de reden kun je vaak alleen maar gissen.

Zodra de wagens de kwalificatie hebben gereden worden ze in het *parc fermé* geplaatst. Het parc fermé is een afgesloten deel van het circuit dat permanent onder toezicht staat, zodat de organisatie zeker weet dat de teams niets meer aan de wagens kunnen veranderen. Pas kort voor de echte race mogen de teams hun wagens weer ophalen. In hoofdstuk 11 kun je meer lezen over wat er in het parc fermé gebeurt. In de momenten voor de race zijn alleen kleine wijzigingen aan de wagen, zoals het veranderen van de bandenspanning, toegestaan. Voor alle andere aanpassingen en reparaties is de toestemming van de aanwezige FIA-vertegenwoordiger nodig.

Controles na afloop van de race

De wagens die de race uitrijden worden normaal gesproken ook direct na afloop van de race gecontroleerd op naleven van de technische regels.

Zodra de coureurs uit de wagen stappen worden ze met hun helm gewogen. De wagen zelf wordt eveneens gewogen, er worden brandstofmonsters genomen, de banden worden gecontroleerd en de motor kan worden verzegeld.

Alles wat voor de race is gecontroleerd, wordt nu opnieuw door de technische commisarissen getest. Het zou bijvoorbeeld kunnen dat door de vibraties en trillingen tijdens het rijden de voorvleugel tot onder de minimumhoogte is gezakt. Dit gebeurde tijdens de Grand Prix van Brazilië met de wagen van David Coulthard, die daardoor gediskwalificeerd werd en de tweede plaats kwijtraakte.

Het is de taak van de teams om ervoor te zorgen dat hun wagen tijdens het gehele weekend aan de gestelde eisen blijft voldoen. In het verleden hebben teams vaak geprotesteerd tegen deze regels, maar bij een beroep is de FIA zowel aanklager als rechter. Vaak levert in beroep gaan zelfs een hogere straf op dan in eerste instantie werd opgelegd. Teams zijn daarom nogal huiverig om in beroep te gaan tegen een beslissing van de FIA.

De regels omzeilen

De dagen van brutaal bedrog en hopen dat niemand het merkt, lijken definitief voorbij in de Formule 1. De regels zijn te uitgebreid en gedetailleerd, de controles te grondig en de boetes te hoog voor dat soort acties. Teams proberen tegenwoordig niet meer zozeer de regels zelf te omzeilen, maar zoeken naar een zo gunstig mogelijke interpretatie van deze regels.

De regulering van *traction control* (sinds de Grand Prix van Spanje in 2001 overigens weer officieel toegestaan) is een fraai voorbeeld hiervan. Met traction control wordt automatisch het motorvermogen wat teruggeregeld als de elektronica merkt dat de wielen beginnen door te slippen, zodat altijd de optimale tractie beschikbaar is. Dit was precies wat de FIA in het reglement verbood. Maar wat dan bijvoorbeeld als je de karakteristiek van de motor wat aanpast als het motormanagement voorspelt dat de wielen door gaan slippen? Het verschil tussen het voorspellen van wielspin en het eigenlijke optreden van de wielspin, is misschien maar een honderdste seconde. In de FIA-reglementen is het ene echter traction control en daarmee verboden, terwijl het andere gewoon toegestaan motormanagement is.

Ook al is traction control inmiddels weer toegestaan, de FIA is serieus van plan dit hulpmiddel opnieuw te verbieden. Betere verwoording van de regel en apparatuur waarmee traction control efficiënter opgespoord kan worden, maken het deze keer misschien wel mogelijk het verbod te handhaven. Bovendien is de FIA een kleine psychologische oorlog met de teams begonnen, want iedereen die een ontduiking van de regels meldt, kan daarvoor één miljoen dollar van de FIA ontvangen. Zijn identiteit blijft daarbij gegarandeerd geheim, zodat ook technici zonder gevaar voor hun baan informatie kunnen doorspelen.

Beroemd bedrog uit het verleden

In het begin van de jaren tachtig van de vorige eeuw hadden de teams die nog niet een van de allernieuwste turbomotoren hadden weten te machtigen, een serieus probleem. Met 150 pk minder moesten ze een manier zien te vinden om toch mee te tellen in de race. Hun oplossing was ingenieus, en op het randje van illegaal. Ze bouwden hun wagens tot zestig kilo onder de gewichtsgrens (toen nog 580 kilo) en installeerden grote watertanks in de wagens. Het reglement stond het toe elementaire vloeistoffen voor de wagen na de race bij te vullen. De teams verklaarden dat de watertanks voor de watergekoelde remmen waren, maar reden de race met lege tanks. Na de race vulden ze de tanks, zodat de wagen weer op het verplichte minimale gewicht kwam.

Nadat deze maas was gedicht, kozen veel teams ervoor om de wagens het grootste deel van de race niet vol te tanken en onder het verplichte gewicht te rijden, om dan met een late pitstop de wagen bij te tanken en zo weer op gewicht te brengen.

Beweegbare aërodynamische onderdelen zijn eind jaren zestig verboden. In 1978 verscheen Brabham bij de Zweedse Grand Prix met zijn 'fan car', de 'ventilatorwagen'. Een enorme ventilator aan de achterkant zoog de wagen naar de grond. De ventilator was een beweegbaar aërodynamisch onderdeel, maar de ontwerpers beweerden dat de primaire taak van de ventilator het koelen van de motor was, met het aërodynamisch voordeel als toevallig bijeffect. Brabhams wagen won de race, maar werd direct voor de volgende race verboden.

Deel II
Teams, coureurs en hun wagens

The 5th Wave — By Rich Tennant

'Zou iemand "Start!" kunnen roepen?'

In dit deel...

Elke Formule 1-fan heeft zo zijn eigen redenen waarom hij van deze sport houdt, maar er is vrijwel geen toeschouwer of kijker te vinden zonder zijn eigen favoriete team of coureur. Of je ze nou aanbidt of haat, zonder de uiterste inspanningen van de coureurs en de monteurs van het team zou Formule 1 nooit zo spannend, onderhoudend en boeiend kunnen zijn als dat het tegenwoordig is.

In dit deel kijken we naar de rol van de coureur: welke vaardigheden er bij het besturen van een Formule 1-wagen komen kijken, wat het team allemaal van ze vraagt en waarom het zo belangrijk is dat ze nauw met het team samenwerken. Formule 1 is alles behalve een one-manshow. We nemen ook een kijkje achter de schermen, naar de mannen die de Formule 1-wagens ontwikkelen en bouwen. Bovendien vertellen we je wat er zo bijzonder is aan de constructie van een Formule 1-wagen en waarom deze wagens maar weinig op normale personenwagens lijken.

Hoofdstuk 5

Formule 1-wagens begrijpen

*F*ormule 1 is de koningsklasse van alle Formule-raceklassen; de race-klassen waar met pure racewagens, eenzitters met open wielen, wordt gereden. De Formule 1 bewijst zijn status als koning van de auto-sportjungle niet alleen met de kracht en het vernuft van de wagens, maar ook met de astronomische geldbedragen die in de sport omgaan.

Alleen de wagens die aan zeer specifieke eisen voldoen, mogen om het Formule 1-kampioenschap meestrijden. En ook al worden deze eisen jaarlijks bijgesteld, het uitgangspunt blijft gelijk: Formule 1-wagens zijn de snelste en meest wendbare machines die je op een circuits zult aan-treffen. En de Formule 1-coureurs nemen voor deze circuits geen genoe-gen met de ovals die je in de Verenigde Staten ziet. Nee, echt racen be-tekent op topsnelheid door echte bochten op echte circuits scheuren!

Vanwege het enorme motorvermogen en superlage gewicht, zullen al-leen de allerbeste coureurs erin slagen een Formule 1-wagen onder con-trole te houden.

In de materialen, het ontwerp en de ontwikkeling van deze wagens spe-len de nieuwste en modernste technologische ontwikkelingen een hoofdrol. De Formule 1-wagen staat dan ook eenzaam aan de top in de ontwikkeling van de autotechnologie.

De onderdelen van een Formule 1-wagen

Een Formule 1-wagen is een racemachine met open wielen en plaats voor slechts één persoon. Ook al weegt hij nauwelijks de helft van de kleinste Europese personenwagen, het motorvermogen achter de coureur is ruim het dubbele van wat een 'gewone' Ferrari tot zijn beschikking heeft. Het indrukwekkendste aan een Formule 1-wagen zijn echter de remmen en de enorme snelheid in de bochten. Dankzij zijn enorme neerwaartse kracht (NK) kan een Formule 1-wagen ongeveer vier keer harder remmen en vier keer sneller een bocht nemen als de beste personenwagen. Een normaal mens zonder speciale training is niet eens in staat zijn hoofd bij deze krachten rechtop te houden.

Alle verschillende onderdelen van de wagen, van de vele pk's en het superlage gewicht tot de uitgekiende aërodynamica, dragen bij aan de spectaculaire prestaties van een Formule 1-wagen op het asfalt.

Alles draait om het chassis

Het chassis vormt de basisstructuur van de wagen. Alle andere onderdelen van de wagen, van de motor en de versnellingsbak tot de monocoque van de coureur, zijn aan het chassis bevestigd en geconstrueerd met het chassis in het achterhoofd. Het gedeelte van het chassis rond de coureur wordt met een kleine knipoog naar de racehouding van deze coureur, ook wel de 'tub' genoemd; letterlijk de kuip.

Het chassis van een Formule 1-wagen is compleet uit koolstofvezel gemaakt. Ondanks een eigen gewicht van slechts dertig kilo, is het chassis sterk genoeg om een race lang een neerwaartse kracht (de neerwaartse kracht die door de luchtstroom over de vleugels wordt gegenereerd) van soms meer dan tweeduizend kilo te weerstaan. Was het chassis niet zo sterk en stevig, dan zou de wagen die aërodynamische krachten nooit in meer grip en snelheid kunnen omzetten. Het lage gewicht gecombineerd met de grote stijfheid, vormt de perfecte basis voor een goede Formule 1-wagen.

Het chassis van de wagen bestaat uit meerdere lagen koolstofvezels, die in een mal onder een hoge temperatuur en druk in de juiste vorm worden gebakken. Misschien denk je bij woorden als 'bakken' en 'hoge temperatuur' eerder aan zandtaartjes of porselein, maar dit koolstofvezelchassis biedt de coureurs wel degelijk veel meer bescherming dan de aluminium exemplaren die in het verleden werden gebruikt.

Door jarenlang onderzoek weten de ontwerpers precies op welke plekken extra lagen koolstofvezel nodig zijn om het chassis de juiste sterkte te geven. En het is best wel lastig een stevig chassis te ontwerpen, als je rekening moet houden met een groot gat voor de coureur en een bijna even groot gat voor de brandstoftank. Maar ook daar vinden die ontwerpers wel een oplossing voor; daar worden ze immers voor betaald.

Het technisch reglement vereist dat de onderzijde van de wagen volledig vlak is, zonder aërodynamische constructies die de wagen op de grond zuigen. Ook zijn er regels voor de minimale omvang van de cockpit en de minimale ruimte die de brandstoftank inneemt, gebaseerd op het aantal ronden dat de wagen moet kunnen rijden op de circuits waar het brandstofverbruik het hoogst is. Binnen deze randvoorwaarden is het zaak het chassis zo compact mogelijk te maken, zodat de luchtweerstand zo laag mogelijk blijft.

Het kleine potige motortje

Met zijn cilinderblok, cilinders, zuigers en kleppen, werkt een Formule 1-motor volgens precies hetzelfde principe als elke andere conventionele verbrandingsmotor. De zuigers in de cilinders bewegen zich omhoog

Een Formule 1-zeepkist bouwen

Zodra de motor- en chassisontwerpers het met elkaar eens zijn over een ruw ontwerp van het chassis, wordt een driedimensionale computertekening (CAD, Computer Aided Drawing) gemaakt. Dit ruwe ontwerp vormt bovendien de basis voor de eigenlijke vormgeving achter de computer (CAM, Computer Aided Manufacture). Voordat een chassis van koolstofvezel gebouwd kan worden, zijn er eerst mallen in spiegelbeeld nodig. En om deze mallen te kunnen maken, heb je weer patronen nodig. Deze basispatronen worden met de CAD/CAM-systemen uit platen Ureol gevormd, een handgemaakt materiaal met een lange traditie bij dit soort producten.

De verschillende patronen vormen samen de mal voor het kale Formule 1-chassis, compleet met het neusdeel. Deze mal wordt met een scanner opgemeten en vergeleken met de originele CAD-tekeningen. Kloppen alle afmetingen, dan worden de vellen koolstofvezel op de patronen gelegd en met kunsthars

geïmpregneerd. Het geheel wordt onder grote druk en bij hoge temperatuur in de autoclave (eigenlijk niet meer dan een hele grote oven) uitgehard terwijl de vorm van de mal behouden blijft. Met behulp van blokken wordt in de mal aangegeven waar gaten en inhammen, bijvoorbeeld voor de versnellingsbak of de motorophanging, komen.

Nu de mal gereed is, wordt de koolstofvezel eroverheen gelegd. Dit keer is het aanbrengen van de matten koolstofvezel echter ingewikkelder dan toen de mal werd gemaakt. De ingenieurs berekenen met 'finite stress analysis' waar extra stevigheid moet komen en waar dus extra lagen koolstofvezel nodig zijn.

Omdat het chassis uit meerdere lagen bestaat, moet het ook meerdere malen worden verhit. Het proces wordt afgesloten met een laatste autoclave-ronde van ruim twee uur. Het uiteindelijke chassis weegt ongeveer dertig kilo.

en omlaag, worden daarbij aangedreven door de explosieve verbrandingen van de brandstof en zuurstof in de cilinders. De zuigers drijven via hun krukassen de nokkenas aan, wat op hun beurt weer voor de juiste timing van de inlaat- en uitlaatkleppen zorgt.

Niets nieuws dus. Het unieke aan een Formule 1-motor is het feit dat hij bijzonder licht van gewicht is en tegelijkertijd een enorm vermogen levert. Dat er bijna negenhonderd pk uit iets van minder dan negentig kilo komt, lijkt misschien onmogelijk, maar binnen de Formule 1 krijgt elk team het voor elkaar.

Voor een zo licht mogelijke motor met zo min mogelijk thermische werking, maken de motorenbouwers dankbaar gebruik van exotische metalen en soms zelfs keramiek. Een Formule 1-motor moet flink op toeren komen om zijn kracht te ontplooien: de beste motoren halen momenteel meer dan negentienduizend toeren per minuut (rpm), wat twee keer zoveel is als de beste personenwagens. Hoe de teams dat voor elkaar krijgen? Eigenlijk zou iedere fatsoenlijke motor wel zo veel vermogen kunnen leveren, zij het dat je hem dan na enkele honderden kilometers al kunt weggooien. Eigenlijk heel eenvoudig dus, alleen een tikje kostbaar.

In het Formule 1-reglement staat dat de inhoud van de motor niet groter dan 3000 cc mag zijn, waarbij turbomotoren verboden zijn. De motor moet tien cilinders hebben met elk vier pneumatische kleppen: twee inlaat en twee uitlaat. Motoren met vijf kleppen per cilinder zijn weliswaar toegestaan, maar tot nu toe heeft nog niemand daar een voordeel in gezien.

Vooral bij hogere snelheden bieden de pneumatische kleppen meer zekerheid en nauwkeurigheid dan de conventionele kleppen. De cilinders zijn gegroepeerd in twee banken van vijf, die ten opzichte van elkaar een fraaie V-vormige hoek maken. Vandaar dat dergelijke motoren vaak als 'V10' worden omschreven.

Waarom tien cilinders, en niet meer of minder? Dat heeft te maken met de volgende voors en tegens:

- **Maximaal toerental.** Hoe meer cilinders een motor heeft, des te meer vermogen hij theoretisch gezien kan leveren. Wil je de motorinhoud gelijk houden, dan kun je alleen maar meer cilinders toevoegen door ze elk een slagje kleiner te maken. Neem bijvoorbeeld een motor met een inhoud van drie liter, zoals voorgeschreven in de Formule 1. Bij acht cilinders is elke cilinder 375 cc groot, terwijl de cilinderinhoud bij tien cilinders nog slechts 300 cc is. De kleinere zuigers in deze kleinere cilinders kunnen sneller heen en weer bewegen, en zullen zo meer vermogen leveren.

- **Meer kleppen.** Meer cilinders betekent automatisch ook meer kleppen, wat op zijn beurt weer betekent dat er elke seconde meer brandstof en zuurstof door de motor gepompt wordt, wat weer leidt tot meer vermogen.

✔ **Betere warmtegeleiding.** In een motor met meer cilinders kunnen de verschillende onderdelen hun warmte beter afvoeren, wat tot een kleiner energieverlies en meer vermogen leidt. Aan de andere kant zorgt de wrijving van het grotere aantal snellere cilinders weer voor meer warmte. Ingewikkeld, niet waar?

✔ **Hogere wrijvingsweerstand.** Beweegt het ene oppervlak tegen het andere, zoals de zuiger in een cilinder, dan verlies je energie. Hoe meer cilinders een motor heeft, des te meer energie er door wrijving verloren gaat.

✔ **Hoger gewicht.** Meer cilinders betekent ook meer gewicht. De motor moet niet alleen groter zijn om er alle cilinders in kwijt te kunnen, maar ook telt iedere cilinder met zijn zuigers, kleppen, drijfstang en dergelijke mee in het totaalgewicht.

✔ **Meer brandstofverbruik.** Wanneer de verbranding over tien cilinders worden verspreid in plaats van over acht, dan is dat minder efficiënt voor het brandstofverbruik. Dat betekent dan ook dat er bij meer cilinders meer brandstof nodig is, wat de wagens weer zwaarder maakt.

Jarenlang onderzoek heeft uitgewezen dat, wanneer je rekening houdt met al deze voors en tegens, een motor met tien cilinders het beste compromis biedt. Toch waren er genoeg constructeurs die dankzij de steeds betere materialen en voortschrijdende kennis met twaalf of zelfs zestien cilinders experimenteerden. Om te voorkomen dat de grens steeds weer werd verlegd, besloot de FIA in 1999 dat een Formule 1-motor per definitie tien cilinders moet hebben.

De hoek waarin de cilinders ten opzichte van elkaar staan is een van de belangrijkste aandachtspunten bij het ontwerpen van een motor. Deze 'V-hoek' heeft namelijk een zeer grote invloed op het chassisontwerp. Hoe groter de hoek is, des te platter is de motor. En een plattere motor maakt een lager zwaartepunt mogelijk en levert daarmee meer grip en een betere handling op. Een te grote hoek belemmert echter weer de doorstroming van de lucht langs de achterzijde van de wagen, wat juist leidt tot een minder efficiënte aërodynamica. Bepaalde hoeken veroorzaken bovendien ongewenste trillingen die de beweging van de zuigers en daarmee het geleverde vermogen tegenwerken. Hoewel er natuurlijk altijd auto's zijn die met een grotere of juist een kleinere cilinderhoek rijden, is een hoek van negentig graden momenteel favoriet.

Je zou kunnen denken dat met het vermogen van de wagens als belangrijkste aandachtspunt, het brandstofverbruik niet iets is waar een ontwerper veel aandacht aan zal besteden. Niets is minder waar. Een zuinigere motor kan met minder brandstof aan boord vertrekken, is gedurende de hele race sneller dan zijn concurrenten, en het team heeft dankzij de kleinere brandstoftank veel meer speelruimte bij het ontwerpen van een aërodynamisch perfecte wagen.

Hoe dorstig is een Formule 1-motor?

Je mag aannemen dat een coureur zijn motor tot het uiterste benut. Doet hij dit immers niet, dan zit hij snel zonder werk. Maar ondanks deze coureur die zijn wagen constant elk weekend tot de grens belast, is niet te voorkomen dat het brandstofverbruik van een Formule 1-wagen erg wisselvallig is. Dit zijn de belangrijkste factoren die invloed hebben op het brandstofverbruik:

✔ **Het circuit.** Op een circuit met afwisselend snelle en langzame stukken waarop de coureurs veel moeten remmen en weer versnellen, zullen de wagens duidelijk meer brandstof verbruiken dan op een circuit waar de baan een natuurlijker verloop heeft en de snelheden constanter zijn. Op circuits met veel bochten wordt via de stand van de vleugels meer neerwaartse kracht gegenereerd, maar de keerzijde van de medaille is dat de wagen zo ook meer last van de luchtweerstand heeft. Het resultaat is een wagen met een hoger brandstofverbruik.

✔ **Motormanagement.** Net als bij elke normale benzinemotor, wordt de motor van een Formule 1-wagen volledig elektronisch geregeld. Het motormanagement van de wagen kan vrijwel alle relevante aspecten van de motor reguleren, van de lucht/brandstofverhouding tot de timing van de ontsteking. Deze kenmerken kunnen zowel door het team vanuit de pits als door de coureur vanuit de cockpit worden gereguleerd. Een team kan er bijvoorbeeld voor kiezen om de motor tijdelijk wat armer af te stellen, zodat de coureur met zijn restje brandstof nog net een extra ronde buiten kan blijven. Op dezelfde manier kan een team al aan het begin van een race voor een betrouwbare, maar misschien niet supersnelle motor kiezen.

Het brandstofverbruik van een Formule 1-wagen, normaal al snel zo'n 1,2 liter per kilometer asfalt, wordt door al deze aspecten beïnvloed.

Vaart erin zetten: de versnellingsbak

Het vermogen van de motor wordt via de versnellingsbak aan de achterwielen doorgegeven. Deze versnellingsbak moet uit minstens vier en maximaal zeven voorwaartse versnellingen bestaan (waarbij bijna altijd voor zes of zeven versnellingen wordt gekozen), en er moet verplicht een achteruit op zitten. De versnellingsbak is verbonden met het differentieel, dat zorgt voor de optimale krachtoverbrenging van de motor op de achterwielen. Deze basiselementen zijn op de wagens van elk team aanwezig, al kunnen de details in de uitvoering nogal eens van elkaar verschillen.

Het in de Formule 1 gebruikte tandwielsysteem bouwt voort op dezelfde principes als je eigen handgeschakelde versnellingsbak. Het belangrijkste verschil is dat versnellingsbakken in de Formule 1 elektrohydraulisch worden aangestuurd, en niet zuiver mechanisch zijn. De coureur bedient zijn semi-automatische versnellingsbak met de peddels aan het stuur. Op deze manier elektronisch schakelen is veel efficiënter en sneller voor de coureur, het is veiliger als hij zijn beide handen aan het stuur kan houden en het voorkomt bovendien dat de wagens breder gemaakt zouden moeten worden om plek te bieden aan een pookje.

Zelfs de snelst schakelende coureur had nog zeker 0,1 seconden nodig om met een mechanische versnellingsbak te schakelen. In deze tijd verloor de wagen door de enorme luchtweerstand en de remkracht van de motor ongeveer 3 km/u aan snelheid. Dankzij de semi-automatische versnellingsbakken is een coureur tegenwoordig nog maar ongeveer 0,02 seconde kwijt.

Bij de hanteerbaarheid van de wagen speelt ook het differentieel een grote rol. Net als de versnellingsbak wordt het differentieel elektrohydraulisch gecontroleerd, met sensors die het koppel naar elk wiel meten. De tractiecontrole van de wagen betrekt zijn gegevens van deze sensoren en voorkomt zo onnodig doorslippende wielen.

Vleugels en onderzijde van de wagen

Een goede bochtsnelheid staat of valt met de neerwaartse kracht van de wagen. Alleen als de aërodynamische onderdelen van de wagen de langsstromende lucht goed weten te benutten, kan de wagen voldoende grip genereren. De belangrijkste aërodynamische onderdelen zijn de vleugels, de diffuser, de endplates en de barge boards. Het gecombineerde effect van al deze onderdelen zorgt voor een totale neerwaartse kracht van ongeveer 2.500 kilo, bij een wagen die slechts 600 kilo weegt. Theoretisch gezien is een Formule 1-wagen dus in staat om ondersteboven over het plafond van de tunnel van Monaco te rijden!

Vleugels

De twee opvallendste aërodynamische onderdelen van een Formule 1-wagen zijn de voor- en de achtervleugel. Deze vleugels werken volgens hetzelfde principe als vliegtuigvleugels, met als verschil dat de vleugels op de Formule 1-wagens ondersteboven zijn aangebracht om neerwaartse, in plaats van opwaartse kracht te creëren. De langere weg die de lucht langs de onderzijde van de vleugels moet afleggen, zorgt voor een lagere luchtdruk aan die zijde van de vleugel en daarmee een neerwaartse druk. Het resultaat is dat de wielen stevig tegen het asfalt worden gedrukt.

De vleugels leveren echter niet alleen de gewenste neerwaartse kracht, maar als bijproduct ook een flinke dosis luchtweerstand. Vooral op de rechte stukken hebben de wagens daar last van. Waar een Formule 1-wagen zonder vleugels ruim 480 km/u zou kunnen halen, haalt een wagen met vleugels momenteel maar net iets meer dan 350 km/u. De perfecte oplossing zijn natuurlijk vleugels die in de wagen verborgen zitten en pas tevoorschijn komen als ze echt nodig zijn. Beweegbare aërodynamische onderdelen zijn echter sinds 1969 verboden. Wel mag de hoek waarin de vleugels staan tijdens een pitstop worden versteld. Op deze manier heeft de coureur vrij veel invloed op de balans en wegligging van de wagen.

Diffuser

Vleugels geleiden de lucht die langs de buitenkant van de wagen stroomt. Maar ook de lucht die onder de wagen doorgaat wordt door de constructeurs benut. Het reglement zegt dat de onderkant van de wagen gelijk moet lopen met de aslijn van de achterste wielen, maar vanaf daar tot de achterkant van de wagen is verder alles toegestaan. Dankzij deze regels kunnen ontwerpers achter de motor en de versnellingsbak een apart aërodynamisch onderdeel toevoegen: de diffuser (zie figuur 5.1). De snel stromende lucht onder de wagen wordt door de breed uitlopende diffuser snel over een groter gebied verdeeld ('to diffuse'), wat voor een flinke verlaging van de luchtdruk en daarmee voor veel extra neerwaartse kracht zorgt.

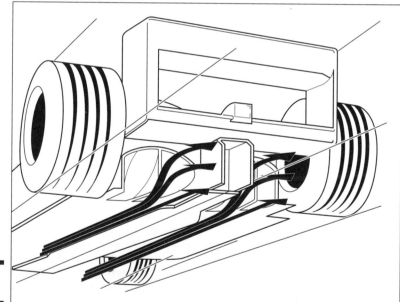

Figuur 5.1:
De diffuser

Endplates en barge boards

Om een goed aërodynamisch effect te bereiken, is het van vitaal belang dat de luchtstroom bij de voorkant van de wagen op de juiste hoogte gesplitst wordt en langs de bovenkant en onderkant van de body stroomt. De complexe endplates aan de zijkanten van de voorvleugel zijn precies met dit doel voor ogen toegevoegd. Verder naar achteren, op de zijkant van de wagen, laag naast de cockpit, vind je de barge boards. Deze barge boards zorgen voor een snellere luchtstroming over de voorvleugel (waarmee ze voor meer neerwaartse kracht zorgen) en brengen tegelijkertijd de lucht naar waar die nodig is. In figuur 5.2 zie je een endplate en een barge board.

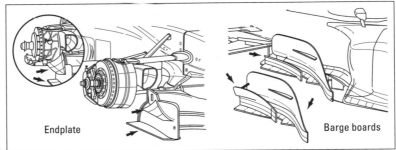

Figuur 5.2:
Een end-
plate en een
barge board

Endplate

Barge boards

De wielophanging

Het technisch reglement zegt dat een Formule 1-wagen een wielophanging moet hebben, want puur technisch gezien zou een Formule 1-wagen het best zonder kunnen doen. De rug van de coureurs geeft het eerder op dan de wagen zelf. De wielophanging bezorgt de coureur een prettige rit, en is bovendien van wezenlijk belang bij de afstelling van de wagen. Alleen met de juiste wielophanging is het mogelijk om de wagen aan alle verschillende circuits, de omstandigheden en de voorkeuren van de coureurs aan te passen.

De wielophanging moet flexibel genoeg zijn om de coureur over de kerbs die belangrijke honderdsten van seconden van een bocht af te laten snoepen. Maar tegelijkertijd stug genoeg zijn om de enorme aërodynamische krachten te doorstaan die de wagen op de baan duwen. Dit klinkt je als een haast onmogelijke opgave in de oren? Hé, als het makkelijk was hadden we allang zelf een wagen in elkaar gezet!

Onderdelen van de wielophanging

De ophanging bestaat uit de volgende onderdelen:

- **Veren.** De veren absorberen de belastingen waaraan de wagen onderhevig is. In een Formule 1-wagen kom je zowel de gebruikelijke schroefveren, bekend van de personenwagen, als bladveren tegen. Het aanpassen van de stugheid van de veer, de manier waarop hij reageert op de uitgeoefende krachten, is een belangrijke manier om de wegligging van de wagen te verbeteren.

✔ **Schokdempers.** De taak van de schokdempers is het opvangen van de krachten en trillingen die bijvoorbeeld na het nemen van een bocht of bij het loslaten van het rempedaal vrijkomen. Schokdempers zijn erg belangrijk voor de balans van de wagens. Bij het zoeken naar de juiste afstelling spelen de schokdempers een bijzonder belangrijke rol.

✔ **Ophanging.** De armen van de ophanging begeleiden de belasting van de wielen naar de veren en de schokdempers. In een Formule 1-wagen zijn deze armen vrijwel altijd geplaatst als dubbele wishbone. Deze naam is ontleend aan de gelijkenis met het sleutelbeen ('wishbone' in het Engels) van het menselijk skelet. De twee bovenste en twee onderste armen liggen in een horizontale V-vorm, tussen de wielen en de aanhechtpunten op het chassis. Daartussen bevindt zich een pushrod, een enkele arm tussen het wiel en de veer/demper-combinatie die direct is bevestigd op het chassis van de wagen. Beweegt het wiel ondersteund door de dubbele wishbone omhoog of omlaag, dan vertaalt de pushrod deze beweging naar een kracht op de veren en schokdempers. De bevestiging van de wielen aan de armen verloopt via een apart bevestigingsstuk, meestal gemaakt uit titanium. Aangezien de warmte van de uitlaat slecht is voor de sterkte van koolstofvezel draagarmen, wordt voor de ophanging van de achterwielen meestal voor lichtgewicht metalen gekozen. Figuur 5.3 toont de plaatsing van de armen van de ophanging.

✔ **Stabilisatorstang (rollbar).** De stabilisatorstang of rollbar is een metalen stang tussen de beide zijden van de wielophanging. Hij zorgt ervoor dat een wagen in de bocht zo horizontaal mogelijk blijft liggen, waarbij de dikte van de stabilisatorstang de stijfheid bepaalt. De voorwiel- en achterwielophanging hebben elk hun eigen stabilisatorstang.

De ophanging gebruiken voor de afstelling van de wagen

Een Formule 1-wagen is vrijwel eindeloos aan te passen aan de eisen die het circuit, de omstandigheden en de coureur stellen. Voor de ideale afstelling van de Formule 1-wagen zijn twee dingen relevant: de hoek waarin de vleugels staan en de wielophanging. De balans tussen het genereren van neerwaartse kracht voor bochten en snelheid voor de rechte stukken wordt gezocht in de afstelling van de vleugels (zie de paragraaf 'Vleugels en onderzijde van de wagen', eerder in dit hoofdstuk). Maar dit is slechts het begin; het echt ingewikkelde werk komt bij de afstelling van de wielophanging kijken.

Je zou kunnen zeggen dat de afstelling van de ophanging wordt bepaald door het zoeken naar een evenwicht tussen twee aspecten die meestal elkaars tegengestelden zijn: enerzijds de noodzaak van een zo hoog mogelijke bochtsnelheid en remkracht, en anderzijds een direct

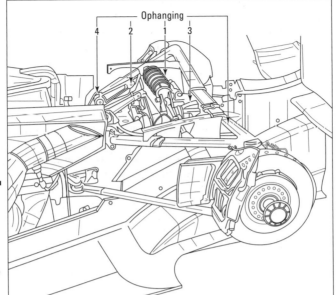

Ophanging

Figuur 5.3:
De achter-
wielophan-
ging en
schokdem-
pers van
een Formule
1-wagen

1. Titanium veer op de derde demper
2. Demper in de versnellingsbak
3. Veren
4. Rollbar

reagerende wagen met een goed wegcontact. Zo vraagt een circuit met
veel aërodynamische krachten om een stuggere vering. Tegelijkertijd
levert dat problemen op in de langzame bochten, waar de vering minder stug moet zijn om de wagen goed te laten remmen en direct te laten
reageren op de stuurbewegingen. Voor een goede afstelling zal dan ook
een compromis gevonden moeten worden tussen deze twee uitersten.
Goede grip op de baan krijgen is belangrijk, maar het vinden van de beste balans in de handling van de wagen is nog belangrijker.

Geen enkele wagen heeft een onbegrensde hoeveelheid grip. Zijn de
grenzen van de grip bereikt, dan zal de wagen voor of achter zijn grip
verliezen. Het is aan de coureur om deze grenzen goed in te schatten,
maar wat er precies in dit grensbereik gebeurt, wordt door de afstelling
van de wagen bepaald. Er kunnen twee dingen gebeuren: of de wagen
verliest het eerst zijn grip aan de voorkant, waardoor *onderstuur* ontstaat (de wagen gaat rechtdoor, terwijl een bocht de bedoeling was) of
de wagen verliest eerst zijn grip aan de achterzijde, en *overstuur* is het
gevolg (de wagen draait juist te veel). Er is nog een klein gebied tussen
onderstuur en overstuur waarin zowel de voor- als achterwielen hun
grip gelijktijdig verliezen, maar dit zul je bij moderne wagens nog maar
zelden zien.

De voorkeur van de coureur en de rondetijden bepalen wat op een zeker
circuit en op een zeker moment de beste afstelling voor zijn wagen is.
Overstuur kan makkelijk worden tegengegaan met meer achtervleugel

of minder voorvleugel, maar door dat spelen met de vleugels loop je wel het risico de goede instellingen kwijt te raken, omdat je met het optimale compromis tussen de neerwaartse kracht en de topsnelheid (kijk ook bij de paragraaf 'De ophanging gebruiken voor de afstelling van de wagen') aan het knoeien bent. Voor de perfectionering van de afstelling van de wagen wordt daarom geen beroep op de vleugels, maar op de wielophanging gedaan:

- ✔ **Veren.** Een veer moet stug genoeg zijn om in een bocht de wagen in balans te houden, want de buitenste banden kunnen bij een verschuivend zwaartepunt snel hun grip op het wegdek verliezen. Een veer die daarentegen te stug is, vertraagt de overbrenging van het gewicht te veel van de binnenste band naar de buitenste, met als gevolg dat de buitenste band door onvoldoende belasting eveneens zijn grip verliest. En vergeet daarbij niet dat elke bocht op het circuit anders is. De perfecte afstelling van de wielophanging voor de ene bocht kan totaal ongeschikt voor de volgende bocht zijn. Bij dat alles moet de coureur ook rekening houden met de balans tussen de voor- en achterzijde. Zijn de achterveren perfect afgesteld, dan leidt elk probleem met de voorveren tot een ondersturende wagen, terwijl problemen met de achterveren bij perfect afgestelde voorveren juist voor een oversturende wagen zorgen. De coureur en zijn team moeten een tussenoplossing zien te vinden waarin ze rekening houden met de kenmerken van het circuit. Dit compromis kan betekenen dat er voor een optimale balans op sommige plekken grip ingeleverd moet worden. Op circuits met een zeer grote variatie aan bochten kan een schokdempingssysteem worden gebruikt dat bij hogere snelheden stijver wordt.

- ✔ **Schokdempers.** Schokdempers bepalen niet zozeer de totale grip van een wagen, maar eerder hoeveel grip de coureur daarvan ook kan gebruiken. Met de schokdempers kan de coureur, in de beperkte tijd die een trainingssessie biedt, op een zeer efficiënte manier de wegligging van de wagen perfectioneren. Per schokdemper kan zowel de opgaande fase als de neergaande fase afzonderlijk op snel of langzaam worden ingesteld, wat in totaal dus vier verschillende instellingen oplevert. De schokdempers kunnen bovendien op een bepaald frequentiebereik worden ingesteld, al betekent dit dat de interne kleppen van de demper vervangen moeten worden; niet iets dat je tijdens een trainingssessie even doet. De coureur kan voor een zachtere afstelling van de dempers kiezen als hij merkt dat zijn wagens door hobbels of de kerbs te moeilijk te controleren wordt. Een stuggere afstelling van de dempers helpt daarentegen juist tegen het duiken van de neus van de wagen, wat het remmen en insturen van een bocht makkelijker maakt.

  Kleppen op de dempers zorgen ervoor dat extreme hobbels en schokken worden genegeerd. Zo wordt voorkomen dat een enkele hoge kerbstone de complete afstelling bepaalt.

✔ **Ophanging.** De constructie van de wielophanging en de onderlinge interactie heeft direct invloed op de rijkarakteristiek van de wagen. Het *rolcentrum* is weliswaar een denkbeeldig punt, maar je kunt het wel precies aangeven op de rollijn waarover de wagen op zijn ophanging 'rolt'. Het rolcentrum kan hoog, laag of zelfs onder de grond liggen (het is immers een denkbeeldig punt). De rollijn is een denkbeeldige lijn tussen het rolcentrum van de achterwielophanging en de voorwielophanging. Loopt deze lijn naar beneden, dan neigt de wagen naar overstuur; een naar voren omhoog lopende rollijn wijst op onderstuur. De rollijn is een gegeven van de wagen en kan niet zomaar worden aangepast, maar het is wel mogelijk de hoogte van de wagen, dus de afstand tussen de onderzijde en het asfalt, in te stellen. Een wagen die lager ligt is stabieler, maar ook minder vergevingsgezind voor hobbels en kerbs. Ook de camber van de wielen kan via de wishbones worden bijgesteld. Door de wielen niet helemaal loodrecht te zetten, kan ervoor worden gezorgd dat de buitenwielen in een bocht een zo groot mogelijk contactoppervlak met het asfalt hebben. Het nadeel daarvan is echter dat de wagens in een rechte lijn iets minder grip hebben, wat nadelig voor het remvermogen is.

✔ **Stabilisatorstang (rollbar).** De stabilisatorstang heeft grote invloed op de karakteristiek van een wagen, zeker bij het insturen van een bocht. De belangrijkste taak van de stabilisatorstang is ervoor te zorgen dat de rolneiging wordt onderdrukt. De manier waarop dit gebeurt, zorgt voor een verschuiving van de belasting van de binnenste wielen naar de al flink belaste buitenste wielen, wat op zijn beurt weer ten koste van de grip gaat. Stijvere stabilisatorstangen voor of achter bieden de coureur dus nog een ander middel om de balans van de wagen te beïnvloeden.

Remmen om u tegen te zeggen

Een groot deel van de indrukwekkende remprestaties van een Formule 1-wagen zijn het resultaat van de neerwaartse kracht die door de vleugels en de andere aërodynamische onderdelen van de wagen wordt gegenereerd. Slechts dankzij deze enorme neerwaartse kracht zijn de banden in staat om tijdens het remmen voldoende grip op het asfalt te houden, maar er zijn nog steeds bijzondere remmen nodig om in eerste instantie de benodigde remkracht te genereren. Het geheim van deze remmen ligt in de koolstofvezel remschijven en blokken.

Remschijven van koolstofvezel functioneren goed bij temperaturen tussen 500 en 800 graden Celsius. Bij een lagere temperatuur hebben de schijven relatief weinig effect, terwijl ze bij een hogere temperatuur gaan oxideren, een proces dat vergelijkbaar is met roestende metalen. Het is dus zaak de temperatuur van de wielen binnen het aangegeven bereik te houden. Een ware uitdaging, zeker als je bedenkt dat de schijven volgens het reglement niet dikker mogen zijn dan 28 millimeter.

Deze regel is in het leven geroepen om nog enigszins controle te houden over het remvermogen, zodat inhalen niet helemaal onmogelijk zou worden.

De remkracht is toch wel een van de indrukwekkendste aspecten van een Formule 1-wagen. Waar de beste personenwagens tot 1,5 G (1 G is gelijk aan de zwaartekracht op aarde) bereiken bij een noodstop, kan een Formule 1-wagen tot over de 4,5 G aan afremkracht halen. Bloed wordt bij deze kracht naar de ogen van de coureurs gestuwd, en er zijn dan ook coureurs die op deze momenten even een verstoord zicht hebben. Andere coureurs merkten op hoe druppeltjes traanvocht op de binnenkant van hun vizier terecht kwamen. Haalt een Formule 1-coureur zijn voet van het gas, dan levert alleen dat door de neerwaartse kracht en de remkracht van de motor een afremming van 1 G op, vergelijkbaar met een noodstop in een personenwagen. En dan heb je de rem nog niet aangeraakt!

Banden

Als enige directe contactpunt tussen de wagen en het asfalt, mag het duidelijk zijn dat de banden een cruciale rol in de prestaties van de wagens spelen. De rol van banden is zo belangrijk, dat de FIA-regelgeving voor de banden als belangrijkste middel ziet om de snelheden in de Formule 1 te beperken.

De regels voor droogweerbanden hebben betrekking op de breedte van het contactvlak en de groeven:

- **Breedte.** De voorbanden moeten tussen 12 en 15 inches (305-381 millimeter) breed zijn, en de achterbanden tussen 14 en 15 inches (356-381 millimeter). De achterbanden hebben meer werk te verrichten, en mogen daarom ook breder zijn dan de voorbanden. De achterbanden moeten niet alleen het grootste gewicht dragen, maar zijn ook verantwoordelijk voor de krachtsoverbrenging van de motor op het asfalt.

- **Groeven.** Er moeten vier groeven over het oppervlak van de band lopen. De diepte en de vorm van deze groeven wordt exact in het technische reglement beschreven. Bij regenbanden specificeert het reglement in de eerste plaats het contactvlak, en laat meer vrijheid voor de vorm van het profiel.

Formule 1-banden leveren meer grip op het asfalt dan welke personenwagen ooit zal hebben, maar deze hoeveelheid grip gaat wel ten koste van de duurzaamheid van de banden. Gelukkig hoeft een Formule 1-band maar zelden een complete race mee te gaan.

Grip en duurzaamheid van de banden worden vooral bepaald door de chemische samenstelling van het rubber, in vaktermen de *compound*. Hoe zachter het rubber, des te meer grip, maar des te minder duurzaam.

Waarom geen slicks in de Formule 1?

Tussen 1971 en 1997 reden Formule 1-wagens op banden zonder enig profiel, de zogeheten *slicks*. Door het compleet gladde oppervlak bieden deze banden het grootst mogelijke contactoppervlak tussen band en asfalt. In vrijwel alle andere raceklassen kom je nog steeds slicks tegen, alleen in de Formule 1 zijn ze sinds 1998 verboden. De enige toegestane droogweerbanden in de Formule 1 zijn de bekende banden met vier groeven. De FIA heeft deze maatregel genomen om de snelheid van de Formule 1-wagens, en dan met name de snelheid in de bochten, nog enigszins binnen de perken te houden. Een Formule 1-wagen op slicks zou volgens bandeningenieurs ongeveer drie seconden per ronde sneller zijn dan een wagen op de toegestane gegroefde banden.

Afhankelijk van het gebruikte asfalt en de lay-out van de baan, stelt elk circuit weer compleet andere eisen aan de banden. De bandenfabrikanten stemmen hun banden daarom steeds op een specifiek circuit af. Naast het gebruikte rubber is vooral de constructie van de band, en dan met name het karkas, bepalend voor de karakteristiek van de banden. Een stijvere constructie van de band maakt het mogelijk met zachter rubber grotere belastingen te verwerken, wat zo de grip ten goede komt.

De juiste werktemperatuur van een Formule 1-band luistert zo nauw, dat een band onder deze temperatuur zo goed als geen grip meer zal leveren. Het zou dus levensgevaarlijk zijn om deze banden op de openbare weg te gebruiken. Alleen een goede coureur die door zijn rijstijl de banden op temperatuur weet te houden, zal de kwaliteit van de banden optimaal kunnen benutten.

In de cockpit

Iedere millimeter van de cockpit die naast de coureur vrij is, is volgestopt met technologie:

- **Schakelaars en regelaars.** Het koolstofvezel stuurtje (zie figuur 15.4) is volgebouwd met knoppen en regelaars voor onder meer de radio, de instelling van het differentieel (om de karakteristiek van de wagen bij te stellen), de verhouding tussen brandstofverbruik en prestaties, de snelheidsbegrenzer voor de pitstraat en het in- of uitschakelen van de traction control en launch control.

- **Knoppen en hendels.** Achter het stuurtje bevinden zich de hendels voor de koppeling, die alleen nodig is om de wagen aan het rijden te krijgen als de launch control niet gebruikt wordt (zie hoofdstuk 9), en het schakelen. De coureur gebruikt een hendel aan de ene zijkant van het stuurtje voor het opschakelen,

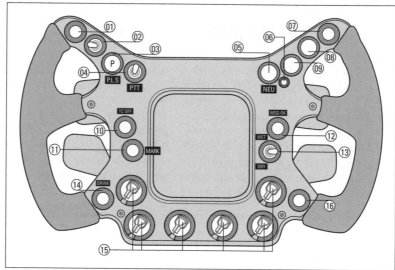

Figuur 5.4:
Het stuurtje
van een For-
mule 1-wa-
gen, com-
pleet met
alle knop-
pen en
schakelaars

01 Launch control: de coureur houdt deze knop tot de start van de race ingedrukt (zie hoofdstuk 9).

02 Engine mapping: hiermee kan de coureur kiezen tussen een aantal profielen voor het motormanagement.

03 Pitstraat snelheidsbeperker: deze knop voorkomt dat een wagen harder rijdt dan de toegestane snelheid in de pitstraat.

04 Radio: wordt gebruikt om tijdens de race contact te houden met de ingenieurs (zie hoofdstuk 10 om meer over deze communicatie te weten te komen).

05 Vrij: iedere goede chauffeur weet dat je de wagen hiermee tot stilstand brengt, zonder dat de motor afslaat!

06 Radio-indicator: licht op wanneer de radio wordt gebruikt.

07 Launch control: hetzelfde als knop 01, voor het gemak is deze knop aan beide zijden van het stuur aangebracht.

08 Differentieel: met deze knop kan de coureur tussen een aantal vastgelegde differentieel-karakteristieken kiezen, en zo het rijgedrag van zijn wagen beïnvloeden.

09 Reserveknop: kan ingesteld worden voor elke willekeurige functie. Soms zijn er onvoorziene omstandigheden waardoor deze nodig is.

10 Traction control: schakelt de traction control uit.

11 Data log: de coureur kan met deze knop een punt in de telemetrie markeren (in hoofdstuk 6 lees je hier meer over), bijvoorbeeld omdat hij iets vreemds merkte. De ingenieurs kunnen zo na afloop van de race dit punt in de gegevens terugvinden.

12 Message accept: de coureur drukt deze knop in om aan te geven dat hij het bericht van zijn team heeft begrepen.

13 Tyre switch: laat de coureur tussen twee basisinstellingen van de wagen kiezen, bijvoorbeeld omdat het tijdens een race is gaan regenen (zie hoofdstuk 9).

14 Drinken: met deze knop kan de coureur tijdens de race drinken via een slangetje in zijn helm (kijk in hoofdstuk 12 om te ontdekken waarom het zo belangrijk is dat de coureur genoeg drinkt).

15 Algemene functies: worden gebruikt om verschillende instellingen aan de wagen elektronisch bij te stellen.

16 Resetknop: met deze knop worden de oorspronkelijke instellingen van de wagen hersteld.

terwijl aan de andere kant een hendel zit voor het terugschakelen. Normaal gesproken wordt er automatisch geschakeld en hoeft de coureur deze hendels dus niet te gebruiken. Er zijn echter situaties waarin de coureur liever zelf schakelt of door een technisch probleem niet anders kan dan handmatig te schakelen.

✔ **Verschillende meters.** Wat betreft het aantal meters ziet een cockpit er behoorlijk Spartaans uit. Kleine digitale meters laten het toerental van de motor, de motortemperatuur, minimumbochtsnelheden en de rondetijden zien.

✔ **Pedalen.** De wagens hebben slechts twee pedalen: rechts het gas en links de rem. De meeste Formule 1-coureurs remmen met hun linkervoet.

✔ **Stoeltje.** Het stoeltje van de coureur is speciaal voor zijn lichaam gebouwd.

Ingebouwde veiligheidsvoorzieningen

Uiteraard zijn er ook in de cockpit verschillende veiligheidsvoorzieningen te vinden. Zo is de cockpitrand bekleed met schokdempend materiaal, om bij een crash het hoofd van de coureur beter te beschermen. Een ander voorbeeld is de vijfpuntsgordel met riemen over de schouders, over de schoot en tussen de benen van de coureur. Deze gordel is met een simpele handeling te ontkoppelen.

Sinds 2003 is het dragen van HANS (Head and Neck Support) verplicht. Dit systeem (zie figuur 5.5) voorkomt dat bij een aanrijding het hoofd van de coureur hard naar voren of opzij wordt geslagen, de klassieke oorzaak van nek- en rugklachten na ongelukken.

Het stuurtje is los te koppelen, zodat de coureur toch snel uit de vrij krappe cockpit kan klimmen. Voordat een coureur aan een Grand Prix mag deelnemen, moet hij eerst bewijzen dat hij binnen tien seconden

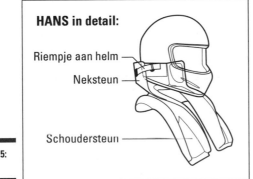

HANS in detail:

Riempje aan helm

Neksteun

Schoudersteun

Figuur 5.5:
HANS

het stuurtje kan verwijderen, uit de auto kan stappen en tot slot het stuurtje weer kan terugplaatsen (zodat de baancommissarissen de wagen van een gevaarlijke plek kunnen wegrollen). De coureurs moeten deze test regelmatig herhalen.

In hoofdstuk 12 vind je meer informatie over de veiligheidsvoorzieningen van Formule 1-wagens en de veiligheidsmaatregelen op het circuit.

Wat je verder nog over de wagen moet weten

Het chassis, de motor en de transmissie zijn de drie meest fundamentele onderdelen van een Formule 1-wagen. Maar vaak zie je juist aan al die andere details hoe enorm geavanceerd de technologie in de Formule 1 tegenwoordig is.

Elektronica: het brein van de wagen

De motor, de transmissie en de chassissystemen van een Formule 1-wagen worden via elektronica bestuurd. Net als in een moderne personenauto, heeft een Formule 1-wagen een boordcomputer (ook wel *ECU* of *Electronic Control Unit* genoemd) die de optimale instellingen voor de brandstoftoevoer en de ontsteking bepaalt. De computer baseert zich daarbij op de duizenden meetgegevens die elke seconde door tientallen sensoren worden geleverd. Alle mechanische aansturingen van de motorsystemen zijn inmiddels vervangen door elektronische aansturingssystemen; 'drive-by-wire' zoals dat ook in de luchtvaart wordt gebruikt. De enige verbinding tussen het gaspedaal en de brandstoftoevoer is een elektronische. Dezelfde elektronica zorg in combinatie met hydraulische systemen voor het bedienen van de koppeling en de versnellingsbak.

Het differentieel, het mechanische onderdeel dat bepaalt hoe het vermogen tussen de achterwielen wordt verdeeld, wordt eveneens elektrohydraulisch aangestuurd. Desondanks is de meest controversiële toepassing van elektronica waarschijnlijk de traction control. Op basis van metingen van wielspin en geleverd koppel beperkt de computer het vermogen dat aan de achterwielen wordt geleverd, zodat de wagens zo efficiënt mogelijk kunnen versnellen en goed bestuurbaar blijven.

Je vindt dat de twintig beste coureurs op deze aarde best wel zelf zouden kunnen schakelen of voorkomen dat hun wielen doorslippen? Je hebt gelijk, de coureurs *kunnen* dat ook best wel doen, alleen doet de computer het nou eenmaal beter. Je kunt er inderdaad over discussiëren of het de sport ten goede komt, maar in het geval van de traction control bleek het bijvoorbeeld vrijwel onmogelijk om een verbod ook feitelijk af te dwingen. Een klassiek voorbeeld van ontwerpers die slimmer zijn de regelmakers.

Betrouwbaarheid of snelheid, dat is de vraag

Binnen de Formule 1 draait alles om strijd. Het is geen enkel probleem om een degelijke en superbetrouwbare wagen te maken, maar deze wagen zou ook zwaarder en langzamer dan zijn concurrenten zijn en in de race geen enkele kans maken. Hoe je de wagen ook bouwt, hij moet licht en toch ook betrouwbaar zijn.

Ballast: een paar pondjes aankomen

Een Formule 1-wagen mag inclusief de coureur en zijn helm niet minder dan 605 kilo wegen. Feitelijk worden de wagens echter veel lichter gebouwd. Extra ballast zorgt ervoor dat de wagens uiteindelijk op het voorgeschreven minimumgewicht komen.

De ballast wordt zo geplaatst dat het gewicht van de wagen optimaal is verdeeld en de beste handling oplevert. Bij een lichtere wagen heeft het team zo meer vrijheid om met ballast de wagen aan te passen aan de eisen van het circuit en de wensen van de coureur.

Van de huidige wagens worden de lichtste rond 410 kilo geschat, dus zonder de 60 tot 75 kilo die de coureur weegt. De ballast bestaat meestal uit wolfraam blokken die onder de wagen worden aangebracht om het zwaartepunt op deze manier zo laag mogelijk te houden.

Racewagens en kwalificatiewagens

Sinds 2003 rijden de Formule 1-wagens op zondag precies zoals ze zich op zaterdag hebben gekwalificeerd. Tussen de kwalificaties en de eigenlijke race mag er niet aan de afstelling worden gewerkt en er mag ook niet worden bijgetankt. Tussen de twee kwalificatiesessies op zaterdag mag er wel aan de wagen worden gewerkt, maar veel tijd voor grote aanpassingen is er dan niet.

Voor de reglementswijzigingen van 2003 was het gebruikelijk dat de wagens in de kwalificatie met een compleet andere afstelling reden, namelijk een afstelling die volledig op de pure snelheid over één enkele ronde was gericht. Daarom werd alles aan de wagen tot het minimaal noodzakelijke teruggebracht, met een zo leeg mogelijke tank en zo min mogelijk overbodige ballast aan boord. Er werden zelfs speciale dunnere remschijven gebruikt die hooguit een paar ronden meegingen.

Privé-teams, fabrieksteams en anderen: de mensen die de wagens maken

Privé-teams als McLaren en Williams bouwen de hele wagen van begin tot eind zelf. Ze hebben de benodigde werkruimte, materiaal en het personeel dat de wagens ontwerpt en bouwt. Grote autofabrikanten zoals Honda, BMW en Mercedes zijn ook betrokken bij de Formule 1, maar dan als motorenleveranciers. Meestal gaan deze fabrikanten een partnership aan met een team. Zo levert Honda motoren aan BAR en rijden de wagens van Williams met BMW-motoren.

Er zijn uiteraard ook uitzonderingen. Zo is Ferrari altijd zijn eigen motoren en chassis blijven produceren, en sinds de recente successen van Ferrari raken meer en meer mensen ervan overtuigd dat dit ook de beste strategie is. De Japanse fabrikant Toyota heeft deze aanpak overgenomen en bouwt sinds 2002 in een fabriek in het Duitse Keulen in eigen beheer zowel het chassis als de motoren voor hun wagens.

Ferrari en Toyota zijn ook de enige fabrikanten die hun eigen versnellingsbakken bouwen. De andere fabrikanten laten de versnellingsbakken meestal naar hun eigen specificaties door gespecialiseerde bedrijven bouwen.

Er zijn geen vaste regels voor wie wat maakt van een Formule 1-wagen. Zo heeft autofabrikant Renault het voormalig team Benetton gekocht en gebruikt nog steeds de Britse basis en medewerkers van dat team om het chassis te ontwerpen en te bouwen, terwijl de motoren in Frankrijk door Renault zelf worden gemaakt. Het team Jaguar is eigendom van Ford, maar de motoren zijn afkomstig van Cosworth, eveneens eigendom van Ford. DaimlerChrysler, het concern rond Mercedes-Benz en Chrysler is zowel aandeelhouder van het team McLaren als van de gespecialiseerde motorenfabrikant Ilmor dat onder het Mercedes-label de Formule 1-motoren voor McLaren bouwt.

Maar wie hem ook maakt, een Formule 1-wagen is altijd het resultaat van een indrukwekkend staaltje technologie, productie en ontwerp.

Hoofdstuk 6
Het team achter de coureur

*E*en top Formule 1-team biedt werk aan tussen de zeshonderd en ne-genhonderd mensen, die in tientallen afdelingen werken: ontwerp, productie, marketing, administratie, reizen, automatisering, elektronica, testteams, raceteams en veel meer. Sinds de enorme toename van het aantal werknemers in de jaren tachtig en negentig van de vorige eeuw, is het niet langer meer mogelijk dat één persoon het hele team leidt. Er moet gestructureerd management worden toegepast om alle facetten van zowel de sportieve als de zakelijke kant onder controle te houden.

Dat neemt niet weg dat de teams worden geleid door individuen met hun eigen individuele ideeën en omstandigheden. Een Formule 1-team kan hierdoor alleen maar dankzij een strakke structuur en organisatie overleven. Tegelijkertijd heeft elk team zijn eigen ontstaansgeschiedenis en zijn geen twee teams hetzelfde. Elk team heeft zijn eigen manier van dingen doen en doet dat binnen een eigen structuur. Er bestaat niet zoiets als een Formule 1-'bouwplan' waarin is te lezen hoe een team te werk zou moeten gaan. Het mag duidelijk zijn dat we je in dit hoofdstuk daarom niet exact kunnen vertellen wie wat in elk team doet, maar we kunnen je wel de grote lijnen beschrijven en je uit de doeken doen wat de belangrijkste functies binnen een team zijn.

De structuur van een team en de verschillende functies binnen een team zijn nergens vastgelegd in regels. Elk team geeft dan ook zijn eigen invulling aan deze structuur en de functies. Benamingen van functies zou je kunnen zien als etiketten, die hun betekenis pas krijgen op het moment dat ze in combinatie met andere etiketten in hetzelfde team worden gebruikt. Vaak is de structuur van een team opgebouwd rond de vaardigheden en kennis van degenen die in de bovenste lagen van dat team zitten, en wordt er niet gewerkt met vooraf vastgestelde functieomschrijvingen waar geschikte mensen voor worden gezocht.

Wie is de baas?

De baas is gewoon de baas, toch? Nou nee, binnen de Formule 1 ligt dat iets gecompliceerder. Sommige teams zijn onderdeel van grote internationale autofabrikanten als Ferrari (51 procent is in handen van Fiat), Toyota, Renault of Jaguar (is eigendom van Ford). Andere teams, zoals Williams en McLaren, zijn privé-bezit, al is McLaren deels in handen van Mercedes. En weer een ander team, BAR, is eigendom van de sponsor. Het is dus lang niet altijd zomaar te zeggen wie de baas van een team is.

Soorten bazen

Ook al is het moeilijk te zeggen wie de echte baas is, uiteindelijk is er altijd één persoon die de strategische beslissingen neemt en die zal worden afgerekend op de resultaten. Overal in het team voel je de aanwezigheid en de invloed van deze persoon, maar wat nou precies de formele positie is, verschilt van team tot team.

De teameigenaar als baas

Met de opkomst van de kleine gespecialiseerde Formule 1-teams aan het eind van de jaren vijftig, werd het gebruikelijk dat de eigenaar van het team ook de baas is. Hij is degene die het team heeft opgericht, financieel risico heeft genomen en de financiële partners heeft aangetrokken. Ook is hij degene die de langetermijnbeslissingen neemt. Heeft het team formeel een bestuur waarvan de teambaas tevens voorzitter is, dan moet hij voor alles wat hij doet verantwoording aan het bestuur afleggen.

De huidige eigenaars van de verschillende teams zijn mannen die met verschillende achtergronden en via verschillende routes op hun huidige positie terecht zijn gekomen:

Eigenaar	*Team*
Frank Williams	Williams F1
Ron Dennis	McLaren-Mercedes
Peter Sauber	Team Sauber
Eddie Jordan	Jordan Grand Prix
Paul Stoddart	Minardi F1

Williams, Sauber en Jordan begonnen alle drie als coureur, hoewel geen van hen het ooit tot de Formule 1 heeft geschopt. Dankzij hun race-ervaring waren ze in staat vrij snel teams op te zetten voor de verschillende raceklassen, en wisten ze met tactisch handelen, goed nadenken en soms wat geluk uiteindelijk ook hun weg naar de Formule 1 te vinden.

Zo is Ron Dennis van monteur tot eigenaar van het team opgeklommen. Hij nam in het begin van de jaren tachtig de leiding van het McLaren Formule 1-team over, nadat dit door de sponsor met zijn Formule 2-team werd samengevoegd. Stoddart tot slot, werd rijk in de luchtvaart en was als liefhebber van de sport, eerst sponsor. Uiteindelijk kocht hij een bestaand team en werd daarmee automatisch de eigenaar van dat team.

Williams is de grootste aandeelhouder van zijn team, terwijl de technische man achter het team, Patrick Head mede-eigenaar is. Ze leiden het team samen, maar het is duidelijk dat Williams het laatste woord heeft. Eddie Jordan is nog steeds de grootste aandeelhouder van zijn eigen team, maar daarnaast heeft ook een grote bank besloten in zijn team te investeren. Bij McLaren is Ron Dennis de enige baas, ook al heeft technisch partner DaimlerChrysler een aandeel van liefst veertig procent in het team. Alleen Sauber en Stoddart zijn volledig onafhankelijk, maar vergeleken met teams als McLaren en Williams, zijn hun teams erg bescheiden in omvang.

De baas in loondienst

De grote autofabrikanten hebben vaak iemand in dienst die zich bezighoudt met het Formule 1-gebeuren. Deze medewerker van het bedrijf krijgt volledige uitvoerende verantwoordelijkheid en een algemeen budget om mee te werken. De volgende heren vallen hieronder:

Luca di Montezemelo, Fiat

Ferrari-president Luca di Montezemelo voert zijn werk in opdracht van het Fiat-concern uit, en is naast het raceteam Ferrari ook verantwoordelijk voor de sportwagenproductie van zowel Ferrari als Maserati. In de jaren zeventig was hij al eens teammanager van Ferrari, waarna hij overstapte naar een aantal hogere managementfuncties binnen het Agnelli-imperium, de eigenaars van Fiat en daarmee ook van Ferrari. Montezemelo werd na het catastrofale seizoen van 1991 teruggehaald naar Ferrari.

Montezemelo haalde Jean Todt binnen als de sportdirecteur voor Ferrari, en Todt was op zijn beurt degene die Michael Schumacher als coureur inhuurde en Ross Brawn en Rory Byrne voor de technische afdeling aannam. Dit kwartet vormt nog steeds de basis van het succesvolste team in de lange Formule 1-geschiedenis van Ferrari. Montezemelo verschijnt slechts zelden bij races. De taak om het team te leiden ligt dan ook volledig bij de briljante organisator Todt. In de jaren zestig en zeventig maakte Todt naam als navigator in rally's. Na deze carrière stapte hij over naar de autosportafdeling van Peugeot, om daar zowel de rally- als de sportwagenprogramma's te coördineren. Hij bekleedde deze functie totdat hij door Montezemelo werd overgehaald om voor Ferrari te gaan werken.

Ove Andersson, Toyota

Ove Andersson, die overigens tegelijkertijd met Todt in de rally actief was, prepareerde rally-auto's en Toyota kocht zijn bedrijf op. Later besloot Toyota over te stappen van de rallysport naar de Formule 1 en ging Anderson dat nieuwe project in goede banen leiden.

Tony Purnell, Ford

De unieke structuur van het team Jaguar is terug te voeren op de manier waarop Ford bij de Formule 1 betrokken raakte. Na het opkopen van het voormalige team Stewart besloot Ford in eerste instantie het management van het Formule 1-team in eigen hand te houden. Pas later werden de ex-coureurs Bobby Rahal en Niki Lauda ingehuurd om de show te leiden. Met de nieuwe teammanager Tony Purnell (ingenieur en voormalig directielid van een in racetechnologie gespecialiseerd bedrijf dat onlangs werd overgenomen door Ford) is de cirkel rond.

De ingehuurde baas

Af en toe besluit een eigenaar dat er een specialist nodig is om het Formule 1-team te leiden. Wil of kan de persoon niet in dienst van het bedrijf treden, dan is het altijd mogelijk hem als zelfstandige specialist in te huren, zoals dat bijvoorbeeld gebeurt bij de teams van Renault en BAR.

Flavio Briatore

Het Formule 1-team van Renault staat onder leiding van Flavio Briatore. Deze positie bekleedde hij bij dit team overigens al voor de komst van Renault, want Briatore was tevens de baas van het team Benetton, dat na enkele jaren afwezigheid van de autofabrikant, door Renault werd opgekocht. Briatore heeft een zuiver commerciële achtergrond zonder enige technische kennis. Toen iemand hem ooit iets over een oliefilter vroeg, antwoordde hij door te zeggen dat hij het verschil tussen een oliefilter en een koffiefilter nog niet zou kunnen zien. Zijn gebrek aan technisch inzicht heeft hem er echter niet van weerhouden een van de meest succesvolle teambazen in de Formule 1 te worden.

David Richards

BAR is eigendom van British American Tobacco en Richards is de man die is ingehuurd om het team te leiden. Richards nam vanuit zijn bloeiende ingenieursbedrijf Prodrive zijn eigen managementteam mee. Net als Todt en Andersson had Richards eerder al naam gemaakt in de rally. In de voorgaande paragrafen vind je meer over Todt en Andersson.

De sponsor als baas; iets aparts

Gezien de hoeveelheid geld en de economische belangen zou je snel kunnen denken dat de sponsor veel te zeggen heeft over het management van het team. Op een enkele uitzondering na, is dat echter nooit het geval.

Normaal gesproken geven sponsors geld in ruil voor bepaalde rechten zoals het gebruik van afbeeldingen van het team in reclames. Ook mogen sponsors vaak een bepaald aantal dagen aanspraak maken op de coureurs van het team, om deze bijvoorbeeld in te zetten bij promotie-activiteiten. Uiteraard mag de sponsor met zijn gasten ook aanwezig zijn bij de races en krijgt hij een afgesproken hoeveelheid ruimte voor logo's op de kleding en de wagens van de coureurs. Dit zijn maar enkele voorbeelden van de rechten die de sponsors krijgen in ruil voor hun geld. Slechts zelden gaat de invloed van de sponsor echter zover dat hij een stem heeft in het leiden van het team. Dat wordt overgelaten aan degenen die voor die taak het beste zijn: de teambaas en zijn managers.

Er zijn echter uitzonderingen. Soms zijn fabrikanten van personenwagens de sponsor, en produceren zij niet alleen de losse motoren voor het team, maar leveren zij tegelijkertijd een financiële bijdrage aan het budget van het team. Meestal telt de stem van deze fabrikanten, als het gaat om belangrijke technische beslissingen of soms ook als er een nieuwe coureur moet worden gekozen, wel degelijk flink mee.

Een ander scenario is wanneer de sponsor eigenaar van het team wordt. Deze situatie ontstond toen kledinggigant Benetton als sponsor besloot tot de aankoop van het team. Een ander voorbeeld is BAR (British American Racing), dat vanaf de grond is opgebouwd met British American Tobacco als de grootste aandeelhouder. Ook al houden de vertegenwoordigers van de tabaksorganisatie zich niet bezig met de cilinderhoek van de motor of vorm van de sidepods, zij zijn uiteindelijk wel degenen die beslissen wie die keuzes dan wel maakt.

Beroemde bazen uit het verleden

Hoewel het meestal de coureurs zijn die in de schijnwerpers staan, zijn veel teambazen als ware legenden de geschiedenis van de Formule 1 ingegaan. Met hun kleurrijke persoonlijkheden of hun onorthodoxe manier van leidinggeven hebben ze hun teams stap voor stap naar de roem geleid.

Enzo Ferrari

Toen Enzo Ferrari, oprichter van een indrukwekkend team dat nog steeds zijn naam draagt, in 1988 op negentigjarige leeftijd stierf was hij nog steeds de teambaas. In de jaren twintig van de vorige eeuw was Ferrari een redelijk succesvol coureur, maar hij werd vooral bekend als

de handige jongen achter het team Alfa-Romeo, dat toen een van de topteams binnen de Formule 1 was. Onder zijn invloed kreeg het team de
briljante mengeling van ontwerpers en technici waarmee zo veel overwinningen werden geboekt.

Een aantal jaren was Scuderia Ferrari, de naam van het team dat Enzo
leidde, de officiële autosportafdeling van Alfa-Romeo, totdat ze vlak
voor de tweede wereldoorlog ieder hun eigen weg gingen. Met de eerste
Formule 1-Ferrari, die in 1948 verscheen, werd een aantal belangrijke
Grand Prix gewonnen. Het team won in 1952 het eerste wereldkampioenschap en heeft sindsdien nog vele andere overwinningen geboekt.
Ook na de overname door Fiat in 1968, bleef Enzo de baas van het team.

Enzo Ferrari was een aristocratisch man en schreef zijn succes toe aan
zijn vermogen mensen op te zwepen. Vaak liet hij twee ingenieurs of
coureurs wedstrijdjes tegen elkaar afleggen, in de overtuiging dat hij
daarmee het beste in beiden naar boven haalde. Slechts zelden had hij
persoonlijk contact met de coureurs, een uitzondering daargelaten.

Colin Chapman

Colin Chapman, de oprichter van het team Lotus, was een buitengewoon
man. Hij wordt herdacht als een van de grootste en origineelste race-
wagenontwerpers aller tijden, die op de momenten dat hij niet achter
de tekentafel zat, geld bijeenhaalde voor zijn team en alles in goede banen leidde. Voordat Chapman besloot zich op het team Lotus te storten, had hij zich bewezen als een goed coureur. Dat hij nooit echt succesvol is geworden als Formule 1-coureur, ligt waarschijnlijk aan zijn
enorme toewijding aan het leiden van zijn team. Chapman is degene
geweest die de commerciële sponsoring in de Formule 1 bracht. In 1982
stierf hij op 54-jarige leeftijd aan een hartaanval.

Chapmans snelle gedachtesprongen waren voor de meeste mensen in
zijn omgeving maar moeilijk te volgen. Zijn ergernis over deze mindere
geesten kon hij vaak maar moeilijk bedwingen. Hij kon extreem char-
mant zijn, maar tegelijkertijd was hij als het moest meedogenloos op
het circuit.

Ken Tyrrell

Ken Tyrrell begon als eigenaar van een houthandel in de jaren vijftig
met racen. Al snel verwisselde hij de cockpit voor de pits en boekte successen als eigenaar van een team in een van de lagere raceklassen. In
1964 won hij het Britse Formule 3-kampioenschap met de jonge coureur
Jackie Stewart. Dit duo zou later een van de beste samenwerkingsverbanden ooit in de Formule 1 worden. Ze wonnen de wereldkampioenschappen van 1969, 1971 en 1973. Toen Stewart stopte met racen ging
Tyrrell door met het leiden van het team, maar het werd nooit meer zo

succesvol. Eind 1998 verkocht hij zijn team aan de British American Tobacco. In 2001 stierf hij aan de gevolgen van kanker.

Tyrrell was hard, scherp en praktisch. Hij stond erom bekend dat hij
jonge coureurs tot allroundprofessionals vormde. Jammer genoeg kon
zijn team nooit echt meekomen in het commerciële tijdperk van de Formule 1, waardoor het in latere jaren te weinig financiële middelen had
om succesvol te kunnen zijn.

Jack Brabham

Jack Brabham is de enige man die ooit een Formule 1-wereldkampioen-
schap won met een wagen die zijn eigen naam droeg. Het lukte hem in
1966, op toen al veertigjarige leeftijd. Aanvankelijk maakte Brabham
echter in de jaren vijftig van de vorige eeuw naam als coureur voor het
team Cooper, waarmee hij in 1959 en 1960 wereldkampioen werd.

In 1962 besloot Brabham voor zichzelf te beginnen. Hij vroeg ingenieur
Ron Tauranac om de Brabham-wagens te ontwerpen, en de twee mannen behaalden samen vele successen. Veel woorden zal Brabham er
niet aan vuil hebben gemaakt, want hij was beroemd om zijn spaarzame
taalgebruik. In 1970, aan het einde van het seizoen, besloot Brabham de
boel te verkopen en terug te keren naar Australië. De nieuwe eigenaar
van het team was Bernie Ecclestone, de toekomstige grote man van de
sport.

Bernie Ecclestone

Deze heel gewone jongen wist het van handelaar in tweedehands auto's
en motoren tot de belangrijkste en invloedrijkste man in de Formule 1
te schoppen. Maar ook als teameigenaar deed hij het niet slecht. Nelson
Piquet behaalde zijn wereldkampioenschappen in 1981 en 1983 voor het
team Brabham onder leiding van Ecclestone.

Ecclestone is een man die waarde hecht aan presentatie, en de Brabhams in zijn tijd waren dan ook altijd tot in de puntjes verzorgd en voorbereid. Ecclestone beperkte zijn taken binnen het team echter tot de financiële zijde, en liet de dagelijkse leiding en de meeste praktische
beslissingen over aan hoofdontwerper Gordon Murray.

Max Mosley

Hoewel opgeleid tot jurist wilde Max Mosley in de jaren zestig zijn geluk
als coureur uitproberen, maar zijn echte successen boekte hij als oprichter van March. Deze constructeur van racewagens kwam tussen
1970 en 1977 met een eigen team in de Formule 1 uit.

Mosley speelde samen met Bernie Ecclestone een sleutelrol in de Formula One Constructors Association (FOCA), de organisatie die later het

commerciële gezicht van de Formule 1 zou veranderen. De intelligente Mosley was met zijn juridische achtergrond geknipt voor een positie binnen deze organisatie. Pas toen hij als voorzitter van de FIA werd gekozen nam hij afscheid van de FOCA.

De managementstructuur van het team: wie is wie

Elk team heeft een eigen en unieke managementstructuur, maar binnen deze structuur zijn grofweg altijd twee hoofdgebieden te herkennen: commercieel en technisch. Zowel degenen die voor het commerciële gedeelte verantwoordelijk zijn, als degenen die voor het technische deel verantwoordelijk zijn, brengen rechtstreeks verslag uit aan de teambaas. (Zie de paragraaf 'Wie is de baas?' als je wilt weten wie de grote bazen zijn.)

Bij Ferrari is er ook nog een extra functie in de vorm van de *sportdirecteur*, de man die feitelijk de teambaas is op het circuit. Bij Ferrari is dit Jean Todt, maar ook Jaguar heeft een sportdirecteur. De positie van deze man, John Hogan is echter puur commercieel en zijn werk lijkt sterk op wat in de meeste andere teams door de commercieel verantwoordelijke wordt gedaan. Zo blijkt maar weer eens dat de namen die aan functies gegeven worden door ieder team anders zijn ingevuld, en dus ook niet zonder meer uitwisselbaar zijn tussen de verschillende teams.

Er is een belangrijk onderscheid tussen de privé-teams (die afhankelijk zijn van de samenwerking met fabrikanten die de motoren leveren) en de fabrieksteams (die hun eigen motoren bouwen). Fabrikanten die alleen als motorenleverancier werken, zoals BMW en Honda, hebben hun eigen teambazen, technisch directeuren, ontwerpers, hoofdengineers enzovoorts. Fabrikanten als Toyota en Renault, die hun eigen team hebben, nemen deze taken op in de algemene structuur van het team.

De commercieel directeur

De commercieel directeur of manager is meestal de man achter de schermen die afspraken met de sponsors maakt en de commerciële en technische samenwerking organiseert. Zijn werk draait om geld, geld en nog meer geld. Zo leggen de hoofden van de financiële en boekhoudkundige afdelingen bij hem verantwoording af.

Ook deze definitie is weer een vrij algemene omschrijving die vooral (maar niet altijd) betrekking heeft op de onafhankelijk teams. Binnen de fabrieksteams is meestal iemand van het moederbedrijf verantwoordelijk voor het commerciële gedeelte, met name omdat het grootste deel van het geld van de fabrikant afkomstig is. Aan de andere kant neemt bij

Renault de teambaas Flavio Briatore deze taak grotendeels op zich. Er zijn geen vastgestelde regels voor de structuur binnen een Formule 1-team.

De commercieel directeur (soms ook wel 'hoofd marketing' of 'marketingmanager' genoemd) speelt een fundamentele rol bij het aantrekken van sponsors. Ook is hij degene die de tactiek bepaalt die gebruikt wordt om de sponsors vast te houden. Deze man is meestal degene die aangeeft hoeveel miljoen ieder plekje op de wagen waard is.

De technisch directeur en degenen onder hem

De taak van de technisch directeur is deels leidinggevend en deels technisch. Zonder uitzondering zijn het voormalig ontwerpers of specialisten voor aërodynamica die deze taak toebedeeld krijgen. Hoewel ze vanaf dan nog maar weinig kans krijgen om iets te ontwerpen. Deze technische man achter het team is een rare snuiter: een verstrooide professor met een flair voor organisatie. Hij is degene die de ontwerpdoelen stelt en er tevens voor moet zorgen dat deze doelen ook worden gehaald. Het ene moment doet hij onderzoek naar een nieuw materiaal en vraagt hij de teambaas daarvoor om een passend budget, terwijl hij het volgende moment aan het brainstormen is om een aërodynamisch vraagstuk op te lossen.

Deze technische man is in veel opzichten de sleutel tot het succes van het team. Zonder snelle wagen is het team niets, en zonder de technische organisatie en de sturende hand van een technisch directeur krijgt een team nooit die snelle wagen. Ferrari is na een slechte periode in het begin van de jaren negentig van de vorige eeuw opgeklommen tot het onverslaanbare team dat record na record breekt. Dit alles is te danken aan de organisatorische en technische kennis van Ross Brawn, die sinds 1997 het team op technisch gebied leidt.

Vanwege zijn cruciale rol in het succes of het falen van het team, kan de technisch directeur een salaris vragen dat soms hoger ligt dan dat van de coureurs. Een ruwe schatting is rond twee miljoen euro per jaar, hoewel er over sommigen wordt gefluisterd dat zij toch zeker zes tot acht miljoen per jaar zouden verdienen. Maar, voor dat geld moeten wel resultaten worden geboekt. Niet echt een baan dus voor iemand die veel waarde aan een vast contract hecht.

Een motorenleverancier heeft ook zijn eigen technisch directeur die ervoor zorgt dat het Formule 1-programma gladjes verloopt. In de teams die hun eigen motoren bouwen legt het hoofd van de afdeling motorontwerp verantwoording af aan de technisch directeur van het team. Het geheel is zo complex, dat er soms twee lagen aan technisch management zitten boven de man die het chassis of de motor werkelijk ontwerpt.

De leidinggevenden van de ontwerpers, van de aërodynamisch specialisten, en van de afdeling onderzoek en ontwikkeling moeten allen verantwoording afleggen bij de technisch directeur van het team. In de volgende alinea's worden de taken van deze personen binnen een Formule 1-team uitgelegd.

Hoofd van de aërodynamicaspecialisten

De uiteindelijke snelheid van een Formule 1-wagen wordt bepaald door de aërodynamische eigenschappen. Met een perfecte afstelling alleen zal de wagen wel fracties van seconden, maar geen hele seconden van een rondetijd kunnen afhalen. Het verschil tussen een goede en een slechte aërodynamische wagen kan met gemak die hele seconden winst opleveren, wat een enorme verantwoordelijkheid en druk op de schouders van het hoofd van de aërodynamica-afdeling legt.

De berekeningen zijn zo complex en gedetailleerd, dat hij (of zij: Williams heeft momenteel een vrouwelijke leidinggevende) afhankelijk is van een heel team van aërodynamicaspecialisten. Dit team bedenkt nieuwe ideeën, berekent ze en test ze uit in de windtunnel.

De leidinggevende van de aërodynamicaspecialisten is alleen geïnteresseerd in het eindeffect. De aërodynamische effectiviteit van een wagen wordt uitgedrukt in de verhouding tussen de gegenereerde downforce en de daarbij optredende luchtweerstand. Degene die eindverantwoordelijk is voor dit aërodynamische gedeelte, is vooral in deze verhouding geïnteresseerd.

Hoofd van de ontwerpers

Het hoofd van de ontwerpers is degene die een wagen moet ontwerpen waarin alles past wat erin moet. Deze persoon moet zorgen dat de wagen voldoende gekoeld wordt en de aërodynamicaspecialisten voldoende ruimte krijgen om downforce te genereren. Het resultaat moet bovendien stijf genoeg zijn om de enorme krachten te verwerken die door de aërodynamische onderdelen worden gegenereerd. Iets dat alleen met een uitgebreid team van ontwerpers en analisten mogelijk is.

Ten minste één team technici werkt afwisselend voor beide hoofdontwerpers aan de auto van het volgende jaar, zonder dat ze zich daarbij bezig hoeven te houden met de wagen van dit jaar. Zodra de nieuwe wagen de oude wagen heeft vervangen, kan het team technici zich voor de tweede hoofdontwerper van de wagen van volgende jaar inzetten.

Hoofd van de onderzoeks- en ontwikkelafdeling

Nieuwe materialen en technologieën zijn net als de nieuwe manieren om de bestaande technologie toe te passen, allemaal afkomstig van de onderzoeks- en ontwikkelingsafdeling (research and development, of R&D).

De forse investeringen in onderzoek en ontwikkeling zijn meestal vrij direct terug te vinden in de rondetijden op de baan. Degenen die goed zijn in het bedenken van dit soort aspecten, komen al snel op een ontwerpafdeling terecht om daar afdelingshoofd te worden, maar ze zouden het zeker ook goed doen als hoofd van de onderzoeks- en ontwikkelingsafdeling.

Andere leidinggevenden

Hoofd van de ingenieurs

Sommige teams scheiden het ontwerp en de toepassing ervan en stellen een aparte hoofdengineer aan, die bovenal moet controleren hoe de ontwerpen naar de werkelijkheid worden vertaald. Deze personen, zoals Pat Symonds bij Renault of Sam Michael voor Williams, spelen vaak een sterk leidinggevende rol tijdens een raceweekend.

Hoofd van de windtunnel

Een nauwkeurige windtunnel is van fundamenteel belang voor de aërodynamicadeskundigen die willen onderzoeken hoe goed of hoe slecht een wagen is. Een windtunnel bouwen is een behoorlijk complexe klus, waarvoor de meeste grote teams aparte specialisten in dienst hebben.

Hoofdmotorontwerper

De hoofdmotorontwerper houdt het ontwerp van de motor net zo nauwgezet in de gaten als dat de technisch directeur het ontwerp van de wagen controleert. Deze hoofdontwerper, dat wil zeggen degene die feitelijk de motor ontwerpt, is niet per se dezelfde als het hoofd van de afdeling motorontwerp. Dat is namelijk meestal een technisch manager die de hele afdeling onder zijn verantwoordelijkheid heeft, inclusief de hoofdmotorontwerper.

Hoofd van de aandrijflijn

Een aantal teams fabriceert hun eigen versnellingsbakken en heeft daarvoor hun eigen team van ontwerpers en ontwikkelaars van de transmissie. Maar ook de teams die de versnellingsbakken bij gespecialiseerde bedrijven inkopen, hebben ingenieurs die zich bezighouden met het op elkaar afstemmen van motor en versnellingsbak.

Productiemanager

Het produceren van een Formule 1-wagen is een behoorlijk complex proces. Een groot aantal verschillende afdelingen moet zo efficiënt mogelijk

worden samengebracht, waarbij alles aan een strak tijdschema is ge-
bonden. Dit is de taak van de productiemanager. Hij heeft een team van
ontwikkelaars, monteurs, werktuigbouwkundigen, lassers en monteurs
voor zich werken.

De productiemanager is zelf vaak afkomstig uit een van deze groepen
medewerkers. Het kan bijvoorbeeld een voormalig hoofd van de monteurs zijn, die zelf genoeg had van het reizen of wiens vrouw genoeg had
van zijn reizen!

Race-engineers

Op het circuit heeft iedere coureur zijn eigen race-engineer. Samen proberen zij bij de voorbereiding op de race de beste afstelling voor de
wagen te vinden. De coureur heeft ook tijdens de race nog contact met
zijn engineer. De race-engineer en de coureur werken nauw samen met
een bandenfabrikant, die vaak speciaal voor dit team engineers naar
het team stuurt. In sommige teams is de race-engineer degene die beslist wat de racestrategie wordt (dus hoe vaak er getankt wordt, en
wanneer). In andere teams neemt de technisch directeur of de hoofdengineer deze beslissingen. En dan zijn er nog teams met strategische
medewerkers.

Teammanager

De taak van de teammanager is alle activiteiten van de monteurs, de
engineers en de coureurs te coördineren en te combineren, zodat alles
gladjes verloopt. Ook vertegenwoordigt hij het team op sportief gebied
op het circuit, bijvoorbeeld om protest tegen een ander team aan te
tekenen of om zijn eigen team te verdedigen tegen een aantijging vanuit
een ander team. De teammanager was enkele jaren geleden nog de on-
betwiste nummer twee na de teambaas. Door de enorme toename van
technische specialisten en de vele afdelingshoofden die daarbij horen,
is hij die plaats kwijtgeraakt.

Chef-monteur

Elke wagen heeft een eigen team met monteurs dat alleen aan die wagen
werkt. Ook de reservewagen heeft zo zijn eigen team. De rollen binnen
het team worden per wagen verdeeld over de motor, het chassis, de
versnellingsbak en de hydraulische onderdelen. Elke monteur is een
expert op zijn eigen gebied. Zo is er altijd een man die verantwoordelijk
is voor de banden. Hij wast en stapelt de banden voor iedere wagen en
voor iedere training, kwalificatie of race. Een aantal van de monteurs zit
tijdens de race in het pitstopteam. Dit geheel in de gaten houden en het
coördineren van al deze mensen is de taak van het hoofd van de monteurs.

Meer mensen achter de schermen

De meeste leden van een Formule 1-team bezoeken nooit een grandprix-weekend. Van een team dat uit zeshonderd tot negenhonderd leden bestaat, zijn er slechts vijfentachtig tot honderd medewerkers op het circuit. Het grootste deel van het werk van deze onzichtbare meerderheid wordt in de fabriek uitgevoerd. Zonder deze medewerkers zou de groep die zichtbaar is op het circuit nooit kunnen bestaan. Deze niet zichtbare groep omvat het grootste deel van degenen die zich met de fabricage van de wagens bezighouden, evenals de meeste aërodynamica-specialisten, ontwerpers en medewerkers van de afdeling ontwikkeling. Van al deze mensen is hun rol al uitgelegd in de paragraaf 'De managementstructuur van het team: wie is wie', maar er is nog een aantal andere specialisten van wie de werkzaamheden uitleg nodig hebben.

Teams willen voor de buitenwereld geheim houden wie de knappe koppen van het team zijn, om te voorkomen dat zij door concurrenten worden weggekocht.

CFD-analysten (computational flow dynamics)

Computational flow dynamics (CFD) is het gecomputeriseerd onderzoek naar gedrag van vloeistoffen, waarbij in de Formule 1 natuurlijk de lucht als een vloeistof wordt gezien. CFD-experts staan de aërodynamicaspecialisten bij in het gedetailleerd bestuderen en het voorspellen van luchtbeweging over belangrijke onderdelen van de wagen. Door het gebruik van computermodellen kan er veel tijd en geld bespaard worden op het testen van nieuwe ideeën. Als de ideeën niet werken kunnen ze worden geschrapt, zonder dat de productieafdeling er ooit mee lastig is gevallen.

Er zijn mensen die beweren dat CFD op een gegeven moment de windtunnels geheel zullen vervangen en dat wagens dan compleet ontworpen worden met slechts de computer als hulpmiddel; en de aërodynamicaspecialisten en de ontwerpers natuurlijk! Dit zal nog een tijd duren. Op dit moment is nog geen enkele computer krachtig genoeg om alle berekeningen uit te voeren. Wel worden momenteel kleinere onderdelen als spiegels en de endplates van de voorvleugel geheel met CFD ontworpen. De techniek wordt ook toegepast in het voorspellen van het gedrag van olie en water in de motoren en radiatoren.

Modelbouwers

Lang voordat een echte wagen in de windtunnel kan worden getest, wordt er eerst een model van deze wagen gemaakt. Dit model helpt de constructeurs in te schatten welk potentieel ze van deze wagen mogen verwachten. Neuzen, vleugels, onderzijden en andere aërodynamische details worden zo ook eerst als model gemaakt. De modellen worden

meestal op een schaal van ergens tussen twintig en zestig procent gebouwd, waarbij erop gelet wordt dat ze stijf genoeg zijn om de luchtstroom te weerstaan. Als het model vervormt zijn de data immers niets
waard. Deze schaalmodellen worden gebouwd door professionele mo-
delbouwers.

Elektronicaspecialisten

Ook voor de elektronische of elektrohydraulische onderdelen voor alles van het motormanagement tot het differentieel en de versnellingsbak worden afzonderlijke specialisten aangenomen om deze systemen
te ontwerpen en verder te ontwikkelen.

ICT-specialisten

In sommige teams is bijna de helft van al het personeel op de een of andere manier betrokken bij het ontwikkelen, opzetten en onderhouden
van de ICT-systemen van het team. Geen enkel modern team kan nog
zonder deze computers, die de teams onder meer voor het verzamelen
en verwerken van de telemetrische gegevens gebruiken.

Maar telemetrie is slechts een van de vele zaken waarmee de ICT-afde-
ling te maken heeft. Computers spelen in het hele traject van ontwerp,
vormgeving, fabricage en racen een onmisbare rol. De benodigde software wordt vaak kant-en-klaar gekocht, al zijn er ook teams die hun
eigen software ontwikkelen en zo hopen een streepje voor te hebben op
de concurrentie. Een topteam kan zo enkele honderden softwarespecia-
listen in dienst hebben.

Logistiek managers

Het verplaatsen van een compleet team van het testterrein naar de fabriek en vervolgens naar de Grand Prix, in alle mogelijke volgorden en
naar alle uithoeken van de wereld, is zo complex dat het team logistiek
managers moet inhuren om alles gestroomlijnd te laten verlopen. Deze
mensen gebruiken een techniek die 'critical path analysis' wordt genoemd. Ze splitsen daarbij de taken op in hoofdelementen en zoeken uit
waar een beperking in tijdsduur voor het ene element zal leiden tot een
afname van de duur van de gehele onderneming. Iets dat lang niet altijd
het geval hoeft te zijn.

Truckies en cateringmedewerkers

Een Formule 1-team dat op pad is, is een indrukwekkend gezicht. Het
team van de ene naar de andere plaats zien te krijgen en ze dan ook nog
onderweg te eten geven, is dan ook een grote verantwoordelijkheid. En
deze verantwoordelijkheid rust op de schouders van de truckies en de
cateringmedewerkers.

TECHNISCHE INFO

Hoe telemetrie het team helpt

Telemetrie is het verzenden van gegevens van de ene plaats naar de andere, meestal via radiosignalen. Deze techniek heeft het vakmanschap van de Formule 1 vervangen door wetenschap. Tegelijk is het een voorbeeld van hoe sommigen van de minder opvallende teamleden toch een belangrijke rol in de race spelen.

Tot 2003 was tweerichtingsverkeer tussen wagen en de pitgarage toegestaan, maar sinds de reglementswijzingen van dat seizoen mag de telemetrie alleen nog maar van de wagen naar de pit worden gestuurd. De omgekeerde route (van pits naar wagen) werd in het verleden gebruikt om onderdelen van de wagen dynamisch aan de race aan te passen. In een poging de kosten in de hand te houden werd dit verboden.

Terwijl de wagens over het circuit scheuren geven ze constant de gegevens van tientallen sensoren door. Deze gegevens worden vervolgens verzonden naar de computers in de garage van het team, waar specialisten continu controleren of er eventueel technische problemen aan de wagen te zien zijn. Aangezien veel van deze problemen direct door de coureur tijdens het rijden kunnen worden opgelost, staan de specialisten voortdurend met de race-engineer van de desbetreffende coureur in verbinding. Deze kan de aanwijzingen van de specialisten doorgeven aan de coureurs.

Automatische gegevensopslag is iets anders dan telemetrie. Het laatste is eenvoudig het verzenden van het eerste. Voordat de race van start gaat, zijn de coureurs en de technici vrijwel geheel afhankelijk van de computergegevens als hulpmiddel bij de afstelling van de wagen. De sensoren registreren niet alleen informatie van de wagen, maar ook de fysieke inzet en toestand van de coureur, evenals de snelheden die tijdens de verschillende ronden gehaald worden.

In briefings na afloop van een training of kwalificatie bekijken de coureurs en engineers de overzichten waarop de gereden snelheden voor ieder punt van het circuit staan vermeld. Ook zien ze op die overzichten wanneer de coureur geremd heeft en hoe hard hij dat deed, hoeveel hij stuurde en hoeveel gas hij op welke momenten gaf. Deze informatie kan voor verschillende afstellingen van de wagen worden vergeleken, zodat de coureur zelf kan zien of zijn gevoel over de afstelling ook klopt. Bovendien is het mogelijk de resultaten van de teamgenoten direct met elkaar te vergelijken om zo te bepalen op welke momenten een van de coureurs nog meer winst kan boeken.

Via telemetrie worden ook gegevens verzameld en verzonden over de prestaties van de motor, temperaturen en brandstofgebruik. In extreme situaties kan het team dankzij deze informatie zelfs de coureur vertellen de motor uit te schakelen voordat deze zichzelf opblaast. Informatie over brandstofverbruik kan benut worden om de coureur nog een extra ronde te laten rijden, bijvoorbeeld om op deze manier tijdens de race een concurrent net in te halen. De telemetrie is dus ook tijdens de race een belangrijk gereedschap in de racestrategie.

Vrachtwagens met opleggers vervoeren de wagens, en doen daarnaast tijdens de race vaak dienst als technische briefingruimte. Weer andere vrachtwagens bevatten de mobiele paleizen die tijdens het weekend het hoofdkwartier van het team vormen. Deze worden uitgeklapt tot 'gebouwen' waarin alle faciliteiten en luxe aanwezig zijn die een team nodig heeft tijdens een grandprixweekend, inclusief de keukens die de medewerkers van de catering gebruiken om voor het team en de gasten eten te kunnen verzorgen.

Medewerkers van het testteam

Het raceteam, inclusief de technici en data-analysten, is grotendeels gekopieerd in een apart testteam. Dit team reist op de testdagen langs de circuits waar geen races worden gehouden en voeren tests uit op banden of op nieuwe onderdelen voor de wagens. Het testteam heeft zijn eigen team van monteurs en meestal ook eigen testrijders. Hoewel de eigenlijke coureur ook testen uitvoert voor het team.

Teamorders en waarom ze verboden zijn

Sinds het begin van het seizoen van 2003 zijn er regels binnen de Formule 1 die een team verbieden tijdens de race orders op te leggen aan de coureurs. Deze redelijk bizarre regel is het resultaat van een oproer die ontstond door het team Ferrari tijdens de Grand Prix van Oostenrijk van 2002. De tweede coureur van dat team, Rubens Barrichello, had de hele race aan kop gelegen, met teamleider Michael Schumacher als tweede. In de laatste meters van de laatste ronde hield Barrichello in en gaf daarmee de overwinning aan Schumacher. Barrichello nam gas terug, omdat hij via de radio van zijn team de instructie had gekregen dat te doen. De organisatie van de Formule 1 had het idee dat deze actie de sport in een kwaad daglicht zette en verbood onmiddellijk alle teamorders. Maar serieus, hoe kan zo'n verbod ooit worden opgelegd? De teams mogen niet langer hun radiosignalen coderen, zodat de raceleiding op elk moment kan meeluisteren met de communicatie tussen team en coureur. Maar regels kunnen nooit van tevoren gemaakte afspraken verbieden of een 'per ongeluk' langzame pitstop voorkomen van degene die achter zijn teamgenoot moet finishen.

De effectiefste manier om teamorders tegen te gaan is ervoor te zorgen dat de snelste teams qua snelheid dicht bij elkaar liggen, zodat geen enkel team echt voordeel kan hebben van deze teamorders.

Waarom een teamgenoot de grootste concurrent is

Elk Formule 1-team heeft twee coureurs. Gezien het feit dat deze twee voor hetzelfde team rijden, dezelfde baas hebben en dezelfde sponsors op hun overall hebben staan, zou je denken dat ze samenwerken in de strijd om succes voor het team. De term teamgenoot versterkt dit idee nog eens.

In werkelijkheid is een teamgenoot de grootste rivaal van een coureur; in de meeste teams in ieder geval. Omdat autosport in het algemeen, en zeker de Formule 1, helemaal afhankelijk is van techniek, is het niet mogelijk om de individuele prestaties van de verschillende coureurs uit verschillende teams te vergelijken. Is de man die wint een megaster in een goede wagen of een goede coureur in een fantastische wagen en verslaat hij een goede coureur in een geweldige wagen of een perfecte wagen met een redelijke coureur? Iedereen heeft hier een mening over, maar niemand weet het echt zeker.

Omdat teamgenoten exact dezelfde wagens besturen zou hier ieder verschil in prestatie wel toegeschreven kunnen worden aan de coureurs, en aan niets anders.

Met de komst van een nieuwe teamgenoot worden bestaande mythes vaak onderuit gehaald en komen de prestaties van de leidende coureur in een nieuw daglicht te staan. De nieuwe man verslaat regelmatig degene met de grote reputatie, of de grote reputatie van de nieuwe man wordt door de andere coureur, die eigenlijk minder hoog stond aangeschreven, onderuitgehaald. Dit heeft allemaal direct invloed op het salaris dat de coureur het volgende jaar kan vragen en het kan ook de status van een team waar hij in de toekomst voor gaat rijden beïnvloeden. Zodra een coureur constant minder presteert dan zijn teamgenoot, is zijn Formule 1-carrière meestal snel voorbij

Laten we vooral de coureurs niet vergeten

Dus de coureur komt tegen de tijd dat het grandprixweekend begint eindelijk eens opdagen en dankzij het harde werk van al deze mensen die hier genoemd zijn gaat hij weer naar huis met de roem en de vrouwen?

Nou, het deel over de vrouwen klopt misschien, maar de taak van een coureur begint of eindigt niet met de training, de kwalificaties en de race. Is hij niet aan het trainen in de sportschool, dan is de coureur wel bezig de wagen te testen en samen met de technici te verbeteren. Of hij moet voor de sponsor ergens aanwezig zijn en kletsen met degenen die het geld geven. Vaak moet hij hiervoor tussen verschillende landen heen en weer vliegen om overal te kunnen komen waar hij moet zijn. Af en toe hebben de coureurs tussen de races door een dag vrij, maar lang niet zo vaak als je zou verwachten. (Zie hoofdstuk 7 voor meer informatie over wat de baan van een coureur inhoudt en waarom deze mannen veel harder werken dan de meeste mensen denken.)

De beste coureurs rijden niet alleen erg hard met hun wagen, maar weten ook het hele team te motiveren. Hun gedrag en persoonlijkheid kan het verschil maken tussen een team van technici en ingenieurs die alles meebeleven of een enkele persoon die over de baan zoeft.

Michael Schumacher staat bekend als een coureur die het hele team weet te motiveren. Een gemiddelde testdag op het Ferrari testterrein bij de fabriek ziet er voor hem als volgt uit: van acht uur 's ochtends tot het begin van de middag wordt de wagen getest. In de lunchpauze daarna wordt vaak ook even een partijtje voetbal gespeeld met de technici, waarna weer gereden wordt tot het einde van de dag. Tussen de tests door evalueert hij de resultaten met het team. Aan het einde van de dag is er dan een volledige briefing die tot twee uur kan duren. Daarna zit de werkdag erop, maar gaat Schumacher vaak nog naar zijn privé-sportzaal die zich op het terrein bevindt, om daar nog een laatste strijd met de apparaten aan te gaan.

De beste coureurs brengen hun team naar de voorgrond, waarbij ze iedereen in het team meenemen. Ze stellen hoge eisen achter de schermen, maar naar buiten toe leveren ze geen kritiek. Ze weten hoe ze het beste uit de medewerkers naar boven halen. Sommige coureurs lijken nooit het succes te behalen wat ze qua talent zouden kunnen bereiken. Dit heeft meestal niks met pech te maken, maar hangt direct samen met een tekort aan betrokkenheid achter de schermen en daarmee een gebrek aan inzet.

Hoofdstuk 7

Wie zit er achter het stuur?

Als Formule 1-coureur heb je het ideaalste leven dat er is. Je verdient miljoenen, hebt fans die je in aanbidding achtervolgen en je mag de meest fantastische wagens op de mooiste plekken ter wereld besturen. En het beste van dat alles is dat je maar zestien of achttien (zoals in 2004) weekenden per jaar op je werk hoeft te verschijnen.

Misschien moet je toch nog even goed nadenken voordat je coureur wordt, want Formule 1-held zijn is iets waar je het hele jaar mee bezig bent. En hoewel de coureurs inderdaad 36 weken van het jaar niet officieel aan het werk zijn, zijn ze toch bijna iedere dag van het jaar met hun werk bezig. Er zijn niet alleen de races, maar ook testsessies, lunches met sponsors, persconferenties en reclamepromoties, waar ze dagen achter elkaar zoet mee kunnen zijn.

Hoe bizar het misschien ook klinkt, een moderne Formule 1-ster moet niet alleen een goed coureur zijn, hij moet ook goed kunnen spreken in het openbaar, een sneldenkende zakenman zijn en hij moet zelfs acteertalent meebrengen (hoewel Hollywood-sterren niet voor hun baan hoeven te vrezen).

Waar moet een coureur aan voldoen

Ja, het klopt dat iedereen die in een Formule 1-wagen stapt, er ook in kan rijden; zolang ze maar de benodigde instructies krijgen. Maar om een Formule 1-wagen te besturen moet je toch over bepaalde kwaliteiten beschikken, en een coureur is dan ook niet zomaar iemand. Dit zijn de eisen waar een succesvol coureur aan moet voldoen:

✔ **Fysieke kracht en behendigheid.** Formule 1-wagens zijn in het grensbereik zeer moeilijk te besturen. De enorme G-krachten die optreden bij het nemen van bochten en het remmen, gecombineerd met de ongelofelijke hitte in de cockpit, vragen om een zeer sterke coureur. Aangezien de races bijna twee uur duren is een flink uithoudingsvermogen dan ook van vitaal belang.

✔ **Mentale snelheid.** Coureurs zijn zich er terdege van bewust dat ze bij een snelheid van ruim 300 km/u geen fractie van een seconde mogen twijfelen, willen ze een crash voorkomen. Formule 1-helden moeten gedurende twee uur volledig geconcentreerd zijn, wat het uiterste van hun hersens vraagt. Tijdens het rijden houden ze veranderingen in de baaneigenschappen in de gaten, letten ze op veranderingen in de wagen en moeten ze ook nog eens zaken als waarschuwingsvlaggen, pitsignalen en tegenstanders in de gaten houden. Je wordt al moe als je eraan denkt!

✔ **Snelle reacties.** Een van de eerste dingen die je rij-instructeur je leert, is dat je een veilige afstand tot de wagen voor je moet houden. Door deze afstand heb je genoeg tijd om met een snelle reactie een aanrijding te voorkomen, mocht er plotseling iemand voor je op de rem trappen. Een Formule 1-coureur die in zijn wagen stapt gooit die regel direct uit het raam, als hij er een zou hebben. Om in te kunnen halen, moet hij zijn wagen bij ruim 300 km/u direct achter de wagen van zijn voorligger plakken. Bij plotselinge problemen, zoals een wagen die spint of er ligt een voorwerp op de baan, kan alleen zijn eigen supersnelle reactievermogen en zijn wagenbeheersing hem voor een crash behoeden. Deze vaardigheden zorgen er niet alleen voor dat zijn wagen op de baan blijft, maar ook dat hij zonder problemen de race kan uitrijden.

✔ **Uithoudingsvermogen.** Ben je een goede Formule 1-coureur, dan betekent dat niet dat je slechts één ronde op de toppen van je kunnen presteert, maar dat je dat in iedere ronde van de race doet. De meeste races duren ongeveer twee uur, en daarin mag de aandacht van de coureur geen moment verslappen; hooguit misschien een paar seconden tijdens een pitstop. Coureurs moeten leren omgaan met de druk die bij een race komt kijken, ongelukken leren voorkomen, op de hoogte blijven van teamstrategieën en in staat zijn de hobbels, kuilen en hitte gedurende de hele race te doorstaan. Dit alles bij elkaar is zo inspannend, dat de meeste coureurs tijdens een gemiddelde race door transpiratie zo'n drie kilo aan lichaamsgewicht verliezen.

✔ **In staat zijn een constante topprestatie te leveren zonder kostbare fouten te maken.** Rijd je in je personenwagen gedachteloos een kruising op en je moet plots remmen, dan heb je kans dat je motor afslaat of erger, dat je een aanrijding veroorzaakt. Coureurs mogen dit soort vergissingen niet maken en ze moeten als ze met duizelingwekkende snelheid over de baan schieten, dan ook echt elk aspect van hun taak goed uitvoeren. Hoewel de semi-automatische versnellingsbakken en elektronica van tegenwoordig het moeilijk maken een wagen af te laten slaan, moeten de coureurs iedere keer dat ze een pedaal intrappen of aan het stuur draaien zeker weten dat ze dat op exact het juiste moment doen. Ze kunnen het zich niet veroorloven tien meter te laat te remmen of het gas in plaats van de rem in te trappen. Het resultaat is dan wellicht niet een onschuldige spin, het zou een crash kunnen zijn die ze het wereldkampioenschap kost. Net zoals de coureur van het team verwacht dat zij geen fouten maken bij het voorbereiden van de wagen, verwacht het team dat de coureur geen fouten maakt tijdens de race. En maakt de coureur een fout waardoor hij de race moet opgeven, reken dan maar dat het hem niet makkelijk wordt gemaakt op zijn wandeling terug naar de garages.

✔ **Een voorkeur voor avontuur en snelheid.** Formule 1-coureurs zijn extreem strijdlustig en dol op de snelheid van het racen. Daarom zijn ook veel coureurs in hun vrije tijd met vrienden op de kartbaan te vinden. Activiteiten waar veel adrenaline vrijkomt, zoals parachutespringen, surfen of wielrennen, zijn favoriet. Uiteindelijk horen ze dan ook bij de dapperste mannen ter wereld.

✔ **Moed.** De Formule 1 is niet geschikt voor verlegen of voorzichtige mensen. Met een snelheid van 300 km/u wiel aan wiel rijden met een andere coureur vraagt enorme moed en lef, zeker als je beseft dat de kleinste vergissing al een crash kan veroorzaken waarbij je gewond kunt raken of misschien zelfs sterft.

Alleen de beste Formule 1-coureurs zijn in staat om slechts een klein deel van hun hersens te gebruiken voor het rijden op topsnelheid, terwijl ze de rest van hun hersens gebruiken om zich te concentreren op andere zaken die tijdens de race gebeuren. Sommige coureurs, zoals Michael Schumacher, beschikken over zo'n concentratiereserve, dat ze op de rechte stukken zelfs nog tijd hebben om op de grote videoschermen te bekijken wat de andere coureurs doen. Of ze bestuderen de wielen van de tegenstanders om zo aanwijzingen te krijgen over de slijtage van de banden. Blindelings over een circuit scheuren levert weinig op, als je je hersens niet tegelijkertijd ook voor andere zaken kunt gebruiken.

Waarom zijn er geen vrouwelijke coureurs?

De Formule 1 is een mannensport. De meeste monteurs, engineers en andere teamleden zijn man en er is geen vrouwelijke coureur meer langsgekomen sinds de Italiaanse Giovanna Amati zich in 1992 probeerde te kwalificeren. Er wordt vaak gezegd dat vooroordelen ervoor zorgen dat vrouwen geen succes kunnen hebben in de Formule 1. Dat is slechts een deel van de oorzaak. Een Grand Prix vraagt om enorme kracht van het bovenlichaam, iets waar het vrouwelijk lichaam niet op is gebouwd. Ook wordt gezegd dat de koelbloedige agressie, die aan de top nodig is wordt versterkt door het mannelijk testosteron van de coureurs.

Een week uit het leven van een Formule 1-coureur

We denken allemaal dat plankgas geven in een Formule 1-wagen simpel is, maar dat is het niet, zelfs niet wanneer je een flinke hoeveelheid talent hebt. Een moderne Formule 1-coureur moet hard werken als hij een race wil winnen. Sommige coureurs werken vijftien uur per dag op het circuit en liggen 's nachts te piekeren over hoe ze hun prestaties nog verder kunnen opschroeven. Formule 1 rijden is geen baan voor mensen met een negen-tot-vijfmentaliteit.

Hier is een voorbeeld van hoe de week rond een Grand Prix er voor een coureur vaak uitziet:

Donderdag. De Formule 1-coureur vliegt naar het circuit en brengt daar tijd door met het team. Terwijl zijn wagen wordt voorbereid op de race, bespreekt hij met zijn team de strategie voor het weekend. Vaak is er ook ten minste één persconferentie waar hij naartoe moet en deelt hij handtekeningen uit aan de vele fans die hem achtervolgen. 's Avonds is altijd wel ergens een sponsordiner waar de coureur verwacht wordt. Tegen tien uur ontsnapt hij daar en gaat hij naar bed.

Vrijdag. De training op vrijdag begint erg vroeg. Meestal gaat de coureur tegen acht uur naar het circuit (nadat hij vaak al een uur heeft gesport in de fitnessclub van het hotel) en neemt met het team het dagprogramma door (kijk in de paragraaf 'Bezig blijven tijdens de training' om te ontdekken wat er allemaal gebeurt tijdens deze sessies). Het grootste deel van de dag brengt de coureur door met het trainen en de technische briefings. Terwijl de coureur rijdt, evalueert het team de afstelling van de wagen en de prestaties. Na deze training zijn er vaak persconferenties. Vaak zijn er 's avonds weer sponsoractiviteiten waar de coureur wordt verwacht. Ondanks dat de coureur de volgende dag vroeg op moet voor de kwalificaties, kunnen deze activiteiten tot laat in de avond doorgaan.

Zaterdag. Dit is een belangrijke dag, want de uitslag van deze dag is beslissend voor de startopstelling van zondag. De coureur heeft in de ochtend twee opeenvolgende trainingssessies en daarna beginnen de twee kwalificatiesessies. Hij moet ervoor zorgen dat zijn wagen perfect in orde is, want hij krijgt slechts één ronde de kans zich te bewijzen. Heeft de wagen een technisch mankement of maakt de coureur in deze ronde een fout waardoor hij van de baan spint, dan is de kans groot dat hij de race achter in het veld start. Als de kwalificatie goed gaat en zijn snelle ronde hem in de topdrie van de startposities plaatst, dan neemt de coureur deel aan een speciale persconferentie, die over de hele wereld wordt uitgezonden. Na deze persconferentie is er een briefing met het team, met aansluitend nog een aantal persconferenties. Soms is er voor de avond nog een sponsoractiviteit gepland waar hij heen moet, maar dan zal hij het vast niet laat maken. Zondag is immers de grote dag waarop hij zeker fit bij de start wil verschijnen.

Zondag. De dag van de race is veruit de belangrijkste en drukste dag van de week. In het verleden konden coureurs enkele minuten voor de start aan komen wandelen, in hun wagen stappen en na afloop van de race gelijk weer naar huis rijden. Nu is dat anders. In de paragraaf 'Rituelen op de dag van de race' lees je meer over wat een coureur allemaal te doen heeft. Vliegt de coureur niet met een helikopter naar het circuit, dan zal hij nog vroeger moeten vertrekken om de files met de vele fans voor te zijn, die allemaal op weg zijn naar het circuit.

Maandag. Als hij geluk heeft wordt een coureur maandagochtend in zijn eigen bed wakker. Maar hij moet hoe dan ook direct aan het werk. Ook al is hij moe en gehavend na de race van zondag, toch moet hij een paar uur de fitnessruimte in om te zorgen dat hij in vorm blijft. Als hij 's middags geen sponsorverplichtingen heeft, vliegt hij naar een van de Europese circuits om zich voor te bereiden op het testprogramma van die week.

Dinsdag. Nog geen 48 uur na de Grand Prix zit de coureur alweer in de cockpit. Hij werkt hard aan ontwikkelingen en verbeteringen voor de volgende race. De teams zullen nieuwe onderdelen proberen of verschillende afstellingen van de wagen testen om de wagen nog sneller te maken. Het testen van een Formule 1-wagen is een tijdrovende klus en het circuit is dan ook meestal open van negen uur 's ochtends totdat het donker wordt. Na afloop hebben de coureur en het team een technische briefing, die vaak een paar uur duurt, wordt er gegeten en geeft de coureur tot slot nog een paar interviews. De meeste coureurs hebben de grote interviews het liefst in deze testperiode, omdat ze dan minder onder tijdsdruk staan. De enige keer dat iemand een exclusief interview met Michael Schumacher krijgt is dan ook op een testdag.

Woensdag. Ook vandaag is er weer een testdag, hoewel sommige coureurs vandaag naar huis vliegen om zich voor te bereiden op de volgende Grand Prix. Grote teams hebben meestal één of twee testrijders die het werk van de coureur dan overnemen. Het heeft immers weinig zin de helden van de Grand Prix al voor het weekend helemaal uit te putten.

Ondanks alle andere verplichtingen die een Formule 1-coureur heeft, zijn de snelheid op het circuit en de samenwerking met zijn team de belangrijkste taken van de coureur. Uiteindelijk is de coureur de enige die ervoor kan zorgen dat zijn team wint of verliest. Hij is degene die beslist wat de afstelling van de wagen is, maar hij is ook degene die op het circuit zijn leven op het spel zet, en die de lof – of de schuld – krijgt voor het resultaat van zondag.

Bezig blijven tijdens de training

De coureur beseft maar al te goed dat het eerste uur van de eerste vrije training bepalend kan zijn voor de uitslag van de race op zondag. De training is namelijk niet alleen een kans om de baan te leren kennen, het is tevens het laatste moment waarop de wagens nog aangepast kunnen worden zodat ze snel genoeg zijn voor de kwalificaties en optimaal kunnen presteren tijdens de race.

Een typische vrije training

Alleen als het team en de coureur tijdens de vrije trainingen nauw samenwerken, kunnen ze zeker weten dat de wagen volledig in orde is voor de race. De coureur moet het team exact op de hoogte houden van hoe de wagen voelt en of de veranderingen die het team heeft voorgesteld effect hebben. In de volgende paragraaf leggen we uit wat er tijdens een vrije training allemaal gebeurt.

Soms rijden de coureurs alleen korte stukken met kleine hoeveelheden brandstof aan boord, om zo de omstandigheden van de kwalificatie bijvoorbeeld na te bootsen. Op andere momenten wordt de wagen helemaal volgetankt en zal de coureur meer dan tien ronden rijden om te ervaren hoe de wagen zich tijdens de race zal gedragen.

Aankomst en eerste ronden

De coureur trekt zijn raceoverall aan en gaat naar de garage, waar hij vlak voor hij in de wagen stapt zijn balaklava en helm opzet. Zodra de sessie start, rijdt hij vaak eerst een verkenningsronde over de baan, waarna hij weer terugkeert naar de pits. In deze eerste ronde hebben de coureur en het team de kans om te controleren of de wagen goed rijdt, er niks kapot is en er ook geen lekkages bij de brandstoftank zijn. Vervolgens rijdt de coureur een aantal ronden om te kijken hoe de wagen op snelheid aanvoelt. Tijdens deze ronden kan hij bijvoorbeeld ontdekken dat de wagen last heeft van onderstuur (in de bochten verliest de voorkant van de wagen eerder grip dan de achterzijde). Bij terugkeer in de pits bespreekt de coureur met zijn team wat hij van de wagen vindt, zoals die nu is afgesteld.

Problemen verhelpen in de garage

Nadat de wagen weer is teruggehaald in de garage, bespreekt de coureur met de leidinggevende engineer wat hij van de wagen vindt (via een speciaal radiosysteem heeft de coureur contact met zijn team). De engineer neemt de mogelijkheden voor het verbeteren van de wagen door met de coureur, en de twee kunnen bijvoorbeeld beslissen dat er meer neerwaartse kracht op de voorkant van de wagen nodig is.

Tijdens de training is er maar weinig tijd en moeten beslissingen snel worden genomen. Het is erg belangrijk dat de coureur tevreden is met de wagen voordat hij de kwalificaties of de race gaat rijden.

Terug de baan op

De coureur gaat met zijn opnieuw ingestelde wagen de baan op. Mocht hij merken dat het probleem toch nog niet is opgelost, dan keert hij terug naar de pits en vraagt om de benodigde aanpassingen. Heeft de coureur bijvoorbeeld last van overstuur, maar een andere instelling van de neerwaartse kracht bracht geen verbetering, dan kan de coureur voorstellen om bijvoorbeeld de voorste schokdempers door andere exemplaren te vervangen, om vervolgens te kijken of dat verschil maakt. Een aantal ronden en pitstops later is de coureur dan eindelijk tevreden met de prestaties van zijn wagen.

De wagen precies goed krijgen

Soms vinden de coureur en het team tijdens de training meteen al de perfecte afstelling voor de wagen, maar dat gebeurt slechts zelden. En zelfs als dit gebeurt, dan betekent dat nog niet dat de coureur en zijn team zich kunnen ontspannen en met een drankje in het zonnetje gaan toekijken hoe alle andere teams nog druk bezig zijn. Er valt nog genoeg te doen. Zo moeten ze bedenken met welke banden er in het weekend gereden gaat worden en moeten er andere voorbereidingen voor de race getroffen worden en zelfs bij de perfecte afstelling moet nog gezocht worden naar mogelijkheden om de wagen toch nog iets sneller te krijgen.

Een van de lastigste situaties die bij de voorbereidingen kunnen voorkomen, is wanneer de coureur weliswaar aangeeft tevreden te zijn met de afstellingen van de wagen, maar dat de wagen tegelijkertijd door die afstelling erg langzaam is. In zo'n situatie zal de coureur toch voor een snellere en dan maar wat minder perfect afgestelde wagen moeten kiezen.

Elkaar een handje helpen: samenwerking tussen teamgenoten

Coureurs moeten goed samenwerken met hun teamgenoot, om zo veel mogelijk werk in zo min mogelijk tijd gedaan te krijgen. Soms werken de teamgenoten aan verschillende afstellingen, testen ze verschillende banden of proberen ze de afstelling van elkaars wagen uit. Hoewel de coureurs meestal grote concurrenten van elkaar zijn, moeten ze op sommige momenten deze strijd even opzij zetten. Alleen door op die momenten samen te werken, helpen ze zichzelf en hun team verder.

Rituelen op de dag van de race

Hier is een overzicht van wat een coureur op de dag van de race in zijn agenda heeft staan.

✔ **Sponsors ontmoeten.** Bij iedere Grand Prix hebben de sponsors van de verschillende teams hun eigen ontvangstruimten. Hier worden tijdens het hele weekend gasten en werknemers ontvangen en vermaakt. Vaak worden de coureurs op zondagochtend vroeg daar ook even verwacht om de gasten te groeten en deel te nemen aan een ronde waarin de aanwezigen vragen mogen stellen aan de coureur. Het ontmoeten en vermaken van de sponsors op de dag van de race klinkt als iets dat de coureurs uit hun concentratie zou halen. Toch is het gewoon een onderdeel van de Formule 1 van tegenwoordig, en past het helemaal binnen het programma.

✔ **In een winkel met promotieartikelen verschijnen.** Hoewel de coureur ondertussen met zijn gedachten helemaal bij zijn wagen en de race is, kan het zijn dat zijn team hem vraagt even bij de kraam of winkel met promotieartikelen langs te gaan. Hierdoor krijgen fans een kans hun held te zien en eventueel een handtekening te bemachtigen. En natuurlijk zullen ze tijdens het wachten op hun held een T-shirt of baseballcap kopen. Dit hoort gewoon bij de zakelijke kant van de Formule 1.

✔ **Aanwezig zijn bij de briefing voor de coureurs.** Nu beginnen zo langzamerhand de verplichtingen waar alle coureurs bij aanwezig moeten zijn. Om te beginnen is dat de officiële Formule 1-coureursbriefing. Tijdens deze briefing neemt de racedirecteur de procedures voor die dag door en wijst hij de coureurs op specifieke problemen op de baan of andere problemen die met de race te maken hebben. Tijdens deze briefing kunnen de coureurs ook antwoord krijgen op de vragen die zij zelf hebben, bijvoorbeeld over de gedragsregels tijdens de race of vragen die betrekking hebben op de veiligheid op het circuit.

Coureurs zijn verplicht bij deze briefings aanwezig te zijn. Iedere coureur die niet komt opdagen, krijgt een flinke boete en loopt het risico uit de race te worden gezet.

✔ **Deelnemen aan de coureursparade.** Na de briefing gaan de coureurs mee naar de pitstraat en klimmen daar op een vrachtwagen met een open laadbak. Deze vrachtwagen rijdt een ronde over het circuit, zodat het publiek hun helden even in het echt en van dichtbij (en zonder helmen) kan zien. Een paar baancommissarissen hebben misschien het geluk een handtekening te krijgen. Deze parade geeft de baancommentator een laatste kans om voor de start nog enkele coureurs te interviewen.

✔ **Een laatste verkenningsronde rijden.** Vlak voor de race worden de wagens uit het parc fermé gehaald, waar ze de hele nacht achter slot en grendel hebben gestaan. Een half uur voor de officiële start van de race wordt de pitstraat geopend zodat de coureurs een laatste verkenningsronde kunnen rijden. Na deze ronde gaan de coureurs op de grid in de juiste startvolgorde staan.

✔ **De race.** Dit is waar het uiteindelijk allemaal om gaat, voor zowel de fans als voor de coureurs. Kijk bij de paragraaf 'Racen zonder pauze', als je wilt weten wat er tijdens de race gebeurt.

✔ **Verplichtingen na de race.** Was de coureur succesvol en is hij in de topdrie geëindigd, dan wordt hij naar het podium gedirigeerd waar een plaatselijke beroemdheid hem de prijs overhandigt en waar hij dan natuurlijk de champagne mag ontkurken. Hierna zijn er twee persconferenties waar de coureurs worden verwacht: een voor de televisie en een voor de schrijvende pers. Als ze terugkeren naar de paddock staan ze daar nogmaals televisieverslaggevers te woord. Ook de coureurs die niet bij de eerste drie zijn geëindigd worden in de paddock door de verslaggevers onderschept om hun mening over de race te geven. Nadat de journalisten weer zijn teruggekeerd naar het perscentrum om daar hun reportages in elkaar te zetten, gaan de coureurs terug naar hun team. Er is nog een laatste briefing waarin besproken wordt hoe de race is verlopen, wat beter had gekund of juist hoe alles mis heeft kunnen gaan!

✔ **Naar huis.** Omdat de agenda van een coureur zo ontzettend vol is en alles strak gepland is, wil een coureur na de race vaak niets liever dan meteen naar huis. Vandaar ook dat ze, zodra het kan, naar het plaatselijke vliegveld rijden en in hun privé-vliegtuig stappen, of eventueel een lijnvlucht nemen. Dit is vaak het eerste moment van de dag dat de coureur zich volledig kan ontspannen, zelfs als hij helemaal uitgeput is van zijn lange werkdag op het circuit.

Psychische voorbereiding op de race

De meeste mensen vinden het lastig om een tijd lang uiterst geconcentreerd te zijn. Denk maar eens aan alle keren dat je begon te dagdromen tijdens een moeilijk examen, of de keren dat je gedachten afdwaalden terwijl je eigenlijk aan het werk was. Formule 1-coureurs kunnen zich deze luxe niet permitteren, zeker niet op het moment dat de lichten uitgaan en de race begint. Dat zijn de momenten dat ze werkelijk hun geld verdienen en ze kunnen het zich niet veroorloven om ook maar de kleinste kans door de vingers te laten glippen.

Zelfs als de coureur ergens over de grid loopt, met alle fans die naar hem roepen, televisieteams die hem willen interviewen en knappe dames die zijn wagennummer op borden in de lucht houden, dan nog denkt hij nauwelijks aan iets anders dan de race. In gedachten gaat hij na hoe hij het beste kan starten, waar de beste plek is om in te halen en wat hij moet doen als zijn wagen slecht wegkomt.

Zodra de race van start gaat, is de coureur alleen nog maar bezig met hoe snel hij moet rijden, op welk moment hij het beste kan inhalen, of hij zijn banden moet controleren en hoe zuinig hij moet zijn met de brandstof, zodat hij beter uitkomt met het aantal pitstops. Bedenk maar eens dat bij de Grand Prix van Monaco meer dan tweeduizend keer geschakeld wordt in de race, en tel daar dan bij op dat dit een smal circuit is langs afzettingen. Geen wonder dat de coureurs na afloop helemaal op zijn. Dan hebben ze wel een slok champagne verdiend!

Het is geen eenvoudige opgave je zo lang te moeten concentreren. Vaak trekken de coureurs zich voor de start even in een rustige kamer terug om zich daar in alle rust te kunnen voorbereiden. Tijdens de race probeert het team de coureur zo goed mogelijk bij te staan. Natuurlijk hebben ze hun eigen taken in de voorbereiding van de wagen, maar daarnaast gebruiken ze tijdens de race de radio die al zo goed van pas kwam bij de trainingen. De beste teams houden hun coureur voortdurend op de hoogte van de positie van de andere wagens, geven hem advies over de snelheid en vertellen hem wanneer hij een pitstop moet maken. Teams maken ook gebruik van pitborden om hun coureur te adviseren. Dit zijn borden met daarop nummers die aangeven hoeveel ronden nog gereden moeten worden, het verschil tussen de coureur en de wagens voor en achter hem en instructies als langzamer rijden of de pit ingaan. Soms leveren deze borden problemen op, wanneer een coureur het pitbord verkeerd leest en te vroeg de pits inrijdt of zonder brandstof komt te staan omdat hij dacht dat hij niet hoefde te tanken.

Het is erg belangrijk dat coureurs niet uit hun concentratie raken, zelfs niet voor een fractie van een seconde. Een van de beroemdste voorbeelden van wat er gebeurt als een coureur zijn aandacht laat verslappen vond plaats tijdens de Grand Prix van Monaco in 1988. Ayrton Senna leidde de race met een flinke voorsprong met nog maar een paar ronden te gaan. Zijn aartsrivaal bij dit kampioenschap, Alain Prost, was zojuist opgeklommen tot de tweede plek. Ondanks zijn behoorlijke voorsprong

---

Concentratie in plaats van fans

Wees niet verbaasd als een coureur je beleefde vraag om een handtekening vlak voor de race gewoon negeert. Het is geen onbeleefdheid van hem, het is pure concentratie. Zo vlak voor de start zijn de coureurs met hun gedachten helemaal bij de race en laten zich door niets of niemand afleiden. Een coureur weet dat wanneer hij stopt om een handtekening te geven er dan binnen de kortste keren tientallen fans om hem heen staan, en hij niet zo makkelijk weer weg kan. Dus wacht tot de spanning weg is, en je zult zien dat coureurs het helemaal niet erg vinden om hun handtekening op petten, T-shirts, foto's en in boeken te zetten. Gewoon even onthouden dat er voor alles een geschikt moment is.

Voormalig wereldkampioen Jacques Villeneuve had een perfecte methode om mensen duidelijk te maken dat hij niet in de stemming was voor het uitdelen van handtekeningen of het maken van een praatje. Voor een race begon zette hij in zijn motorhome alvast zijn helm op en liep daarmee over de paddock. Dankzij de bescherming van zijn helm (en de oordopjes) kon niemand zijn blik vangen en kon hij zich concentreren op wat hij het beste kon: in zijn Formule 1-wagen over het circuit scheuren.

maakte Senna zich flink zorgen. Een fractie van een seconde was hij zijn concentratie kwijt, en gelijk stuurde hij zijn wagen in een van de afzettingen. Senna was zo van streek dat hij niet eens meer terugkeerde naar de pits, maar zich opsloot in zijn appartement om pas de volgende dag weer tevoorschijn te komen!

Racen zonder pauze

Het niveau van concentratie dat bereikt wordt bij het vechten om de leiding bij een Formule 1-race, is waarschijnlijk vergelijkbaar met die van voetballers voordat zij een penalty nemen, of tennissers die een beslissende service opslaan bij Wimbledon. Met één groot verschil: een Formule 1-coureur kan zich tijdens de race geen moment ontspannen.

Voetballers kunnen sinaasappels eten in de pauze, tennissers nemen wat te drinken en gaan tussen twee sets even zitten, maar coureurs kunnen dat niet. Zij kunnen niet halverwege de wedstrijd even snel naar het toilet of kort aan de kant gaan staan om op adem te komen. Als een coureur eenmaal is vast gesjord, blijft hij in zijn wagen tot de zwart-wit geblokte vlag is gevallen.

Hoewel coureurs een fles water in de cockpit hebben, drinken ze ook voor de race veel. Vaak is dat zoveel, dat ze vlak voor de start nog snel even naar de wc rennen. En geloof het of niet, als het nodig is doen ze het ook in de wagen; en denk maar niet dat ze daarna schoonmaken!

Door het heftige zweten tijdens de race, drogen de meeste coureurs zo uit dat ze na een race allereerst een fles water willen. Pas daarna zijn ze bereid hun overwinning vieren.

David Coulthard vertelde in 2002 dat hij na het winnen van de Grand Prix van Monaco pas de volgende ochtend weer naar het toilet hoefde, ondanks dat hij de hele avond op zijn overwinning had gedronken.

Ga naar hoofdstuk 9 om meer te lezen over strategieën die in de race worden toegepast en naar hoofdstuk 11 om te lezen wat er gebeurt als een coureur wint.

Zelfs na de race geen rust

Misschien denk je dat de coureur na het winnen van een Grand Prix direct naar de Middellandse Zee vliegt om daar op zijn jacht tot de volgende race te luieren. De werkelijkheid ziet er wel anders uit.

De inzet van moderne Formule 1-coureurs is enorm. Sommigen schijnen tijdens het seizoen slechts twintig dagen thuis te zijn. De enorme hoeveelheid tests, sponsorverplichtingen, optredens in de media en persoonlijke zakelijke bezigheden, betekent dat ze bijna niet onder hun werk uit kunnen.

Het is een kleine prijs die betaald moet worden om iets te doen wat ze het liefste doen. Hoewel een aantal coureurs liever thuis zou zijn om tijd met hun gezin door te brengen, weten ze dat het belangrijk is op te komen dagen bij de sponsorevenementen. Uiteindelijk zouden ze zonder die sponsors niet kunnen racen.

Fit achter het stuur

Iedereen weet dat luie mensen liever met de auto naar de buurtsuper gaan dan te voet. Het besturen van een Formule 1-wagen is niet echt geschikt voor dat soort mensen. Het is eerder iets dat alleen voor de allerfitste sporters is weggelegd. Formule 1-coureurs zien er misschien niet zo breed en gespierd uit als andere sporters, maar de stress en de inspanning die komt kijken bij een race van ruim 350 km/u op een bloedhete dag, is iets waarbij normale mensen na een paar ronden al door uitputting zouden flauwvallen.

De enorme G-krachten, waardoor het lichaamsgewicht drie tot vier maal zo hoog lijkt als normaal, hebben flinke invloed op het lichaam. De coureurs merken die G-krachten met name in de bochten, waar de lucht letterlijk uit hun longen wordt geslagen. Hoewel Formule 1-coureurs behoorlijk licht moeten zijn (lang en zwaar maakt ze langzaam), moeten ze er tegelijkertijd voor zorgen dat hun bovenlichaam genoeg kracht heeft om de wagen te besturen. Met meer dan 240 km/u is er twintig kilo aan kracht nodig om het stuurtje te draaien. Beduidend meer dus dan bij de auto die op je oprit staat.

Testen hebben uitgewezen dat de hartslag van Formule 1-coureurs tijdens de race op de meest stressvolle momenten kan oplopen tot 185 slagen per minuut. Dit is vergelijkbaar met de hartslag van gevechtspiloten in het heetst van de strijd.

Trainingssessies thuis op de loopband

Er was een tijd dat coureurs er niet over nadachten dat ze rookten of dronken, en ook wat ze aten was niet echt iets waar ze zich mee bezig hielden. De enige training die ze kregen, was 's ochtends opstaan om naar het circuit te gaan. Tegenwoordig is dat toch wel anders. Een van de eerste luxe dingen die een coureur aanschaft als hij beter begint te verdienen, is niet een televisie of stereo, maar een eigen fitnessruimte. Naarmate de strijd in de sport feller wordt, moeten de coureurs ook steeds fitter worden.

Tegenwoordig laten Formule 1-coureurs niets aan het toeval over. Ze hebben vaak hun eigen trainers en diëtisten die ervoor zorgen dat ze in topvorm zijn. Sommigen van de Formule 1-helden, zoals Michael Schumacher en Mark Webber, hebben nauwelijks lichaamsvet en zijn net zo fit als elke andere grote sporter.

Michael Schumacher; de fitste van iedereen

Michael Schumacher wordt gezien als degene die een perfecte conditie tot een eis voor Formule 1-coureurs heeft gemaakt. Toen hij in 1991 voor het eerst in de Formule 1-arena verscheen, was iedereen verbaasd dat hij na afloop van een twee uur durende race uit de wagen klom, zonder dat er ook maar een druppeltje zweet op zijn voorhoofd was te zien.

Schumacher traint zijn lichaam het liefst tussen één en twee uur 's middags (de-zelfde tijd waarop de kwalificaties en de race plaatsvinden), zodat zijn lichaam gewend raakt aan het leveren van inspanning rond die tijd, en niet in plaats daarvan zich voorbereidt op een maaltijd. Nadat hij een test heeft gereden op Ferrari's testcircuit in Fiorano, kijkt hij vaak televisie terwijl hij ondertussen zijn hoofd traint met enorme gewichten die aan een speciale helm zijn bevestigd. Ook speelt hij voetbal op amateurniveau.

Een Formule 1-coureur brengt dagelijks tussen de twee en vijf uur door in de fitnessruimte, soms zelfs nog langer. Ze doen in deze tijd cardiovasculaire oefeningen zoals roeien en fietsen, om zo hun uithoudingsvermogen op te bouwen en de uitputtende Grand Prix vol te kunnen houden. Ook doen ze oefeningen om hun spieren te versterken, zodat ze sterk genoeg worden om een Formule 1-wagen aan te kunnen. Daarbij komt nog dat de beste coureurs moeten leren omgaan met de krachten die zij soms tijdens het rijden ervaren. In een aantal bochten zorgen G-krachten ervoor dat het hoofd vier keer zo zwaar wordt. Vandaar dat coureurs zich vooral richten op de training van hun nek, armen, rug en buik.

Hoe fit ze ook moeten zijn, Formule 1-coureurs mogen niet zo geobsedeerd raken door hun spieren dat ze er als bodybuilders uit gaan zien. Ze moeten lichamelijk redelijk compact blijven, zodat ze in de cockpit passen. Te veel spieren maakt ze bovendien ook te zwaar om snel te zijn.

Ook het dieet van een coureur is belangrijk. Een coureur moet extra voorzichtig zijn met wat hij eet, en dat betekent in ieder geval geen junkfood; alhoewel Michael Schumacher erom bekend staat tijdens het raceweekend af en toe een softijsje te happen. Iedere coureur heeft standaard pasta op het menu staan, een perfecte bron van langzaam verbrandende koolhydraten die lang energie blijven leveren. Ook eten coureurs veel vis, gegrild wit vlees en verse groenten. Natuurlijk betekent dit niet dat ze nooit uit de band springen. Zo genoot oud-wereldkampioen Nigel Mansell graag van een compleet Engels ontbijt op de ochtend van een race.

Een goede lichamelijke conditie helpt de coureur niet alleen bij het racen, maar het helpt ook bij het voorkomen van blessures na ongevallen. Bovendien is een coureur met een goede fysieke conditie beter in staat een slecht te besturen wagen onder controle te houden, bijvoorbeeld omdat de stuurbekrachtiging het heeft begeven, en de coureur zijn wagen alleen nog maar met bovenmenselijke kracht op de baan weet te houden.

Herstellen van blessures

Voor de meesten van ons geldt dat we, zodra we een ziekte of blessure oplopen, zo lang mogelijk niet gaan werken, om op deze manier goed te kunnen herstellen. Maar coureurs zijn geen gewone werknemers. Zodra ze worden gedwongen een pauze te houden, bijvoorbeeld door een blessure, doen ze er werkelijk alles aan om zo snel mogelijk weer terug te komen.

Doordat coureurs fit zijn, genezen hun verwondingen veel sneller dan bij de meeste 'normale' mensen. En omdat hun baan op de allereerste plaats komt, vinden ze het niet erg om een beetje pijn te moeten accepteren in de strijd om de overwinning. Vergeet niet dat iedere coureur zijn eigen fitnesstrainer heeft die als het moet, 24 uur per dag met hem eraan werkt om zo snel mogelijk weer in vorm te zijn.

De gedachte het wereldkampioenschap mis te lopen door een te lange revalidatie is een ware nachtmerrie voor een coureur. Coureurs haten het uit de grond van hun hart om tijdens een race thuis te moeten zitten. Meestal weigeren ze dan ook de race op televisie te bekijken.

Koel blijven

Kijk na afloop van de race eens hoe een Formule 1-coureur eruitziet. Hoogstwaarschijnlijk zie je flink wat zweet op zijn voorhoofd en is zijn overall ook behoorlijk doorweekt. Dit komt niet alleen doordat Formule 1 rijden zo inspannend is, maar ook omdat de temperaturen in de cockpit flink kunnen oplopen.

Omgaan met pijn en het rijden met blessures

Formule 1-coureurs zijn een apart soort mensen. Het enige waar ze aan kunnen denken is het winnen van de race. In de strijd om het behalen van de overwinning gaan ze dan ook vaak over hun eigen pijngrens heen. Als coureurs bang zouden zijn zichzelf pijn te doen, dan zouden ze om te beginnen al nooit in hun wagen zijn gestapt. Zolang het alleen om pijn gaat, zoals flinke blauwe plekken, bulten, pijnlijke armen of verkrampte spieren, dan zal niks hem ervan weerhouden na een flinke crash weer in zijn wagen te stappen. Hooguit een arts kan de coureur ervan weerhouden weer te gaan rijden.

Het beroemdste voorbeeld van het doorzettingsvermogen van coureurs stamt uit 1976. Tijdens de Grand Prix op de Nürburgring in Duitsland kwam wereldkampioen Niki Lauda na een crash bijna door een brand om het leven. Zijn situatie was zo slecht, dat niemand nog op herstel durfde te hopen. In het ziekenhuis werd hem zelfs al het laatste sacrament toegediend. Toch bleef hij vechten en het ongelofelijke gebeurde toen hij een paar weken later aan de start van de Grand Prix van Italië verscheen. Met dikke lagen verband over zijn hele lichaam werd hij die dag vierde.

Met de blaren op de billen

Het ziet er misschien uit alsof de coureur het lekker koel heeft in zijn open wagen, maar niets is minder waar. De temperatuur in de cockpit kan enorm oplopen in de twee uur dat de race duurt. En Formule 1-wagens kennen niet de luxe van airconditioning. Het feit dat de motor zich direct achter de coureur bevindt, gecombineerd met een gebrek aan luchtcirculatie in de cockpit, zorgt ervoor dat de temperatuur in de cockpit vaak tien graden boven de buitentemperatuur ligt. Als je bedenkt dat de meeste Grand Prix midden in de zomer worden verreden, dan kun je je wel voorstellen wat de coureurs allemaal moeten doorstaan in de cockpit.

Naast de warmte van de motor wordt de cockpit ook nog eens extra verwarmd door de hitte die van de voorste remmen afkomt, waar de temperatuur tot duizend graden Celsius kan oplopen. Ook de manier waarop de coureur in de cockpit zit beïnvloedt de temperatuur. Hij zit erg dicht bij de bodem van de wagen, die door het schuren over de grond zelf al erg warm kan worden. McLaren-ster David Coulthard ondervond aan den lijve hoeveel warmte er via de bodemplaat wordt doorgegeven. In 2000 klom hij aan het einde van de Maleisische Grand Prix met een flinke brandblaar op zijn billen uit de cockpit.

Ook de kleding die de coureurs verplicht zijn te dragen maakt het flink warm. In verband met de veiligheidseisen dragen de coureurs brandbestendig ondergoed, een overall van drie lagen brandwerende stof, handschoenen, speciale schoenen, een balaklava en een helm. Al deze dingen bij elkaar maken het nog warmer.

Een beetje frisse lucht

In sommige erg hete races, zoals bij de Maleisische Grand Prix aan het begin van het seizoen, dragen coureurs speciale vesten die met water gekoeld worden. Zo kan er enige verlichting worden geboden tijdens de enorme hitte. Daarnaast doen de teams alles wat ze kunnen om het minder zwaar te maken voor de coureurs. Zodra de coureur in de pits is wordt er een ventilator op hem gericht, zodat hij koele lucht in zijn gezicht en in de cockpit krijgt. En uiteraard vinden Formule 1-coureurs het erg prettig als een aantrekkelijke dame met parasol naast de wagen staat om voor de start wat schaduw te geven.

Ook de helmen zijn zo ontworpen, dat er zo veel mogelijk koele lucht bij de coureur komt. Ook in de helm zitten kleine ventilatiesleufjes. De coureur kan deze zelf openen of sluiten, afhankelijk van wat hij prettig vindt. Coureurs doen tijdens een pitstop graag even hun vizier open, zodat ze frisse lucht krijgen. Soms sluiten ze het vizier niet helemaal tijdens de race, wat ook wel weer risico met zich meebrengt omdat er zo wat vuil naar binnen kan waaien.

Om te voorkomen dat de coureur uitdroogt, is er in de cockpit een waterfles waaruit de coureur via een slangetje door zijn helm kan drinken. Formule 1-coureurs moeten er goed op letten dat ze in het begin van de race niet te veel drinken, om te voorkomen dat ze halverwege de rit zonder water zitten. Soms breken deze flessen, rollen ze los door de cockpit of schieten ze ineens leeg in het gezicht van de coureur; waarmee de coureur dan nog meer problemen heeft om op te lossen.

Thuis in hun motorhome

Met zo'n hectische levensstijl en bijna geen tijd voor ontspanning, is het geen wonder dat een coureur graag thuis is. Hoewel de grote namen zonder problemen de presidentiële suite van het beste hotel in de buurt zouden kunnen krijgen, kiezen sommigen er toch voor om in hun eigen motorhome te verblijven.

Jacques Villeneuve en David Coulthard zijn twee voorbeelden van coureurs die met hun eigen motorhomes alle Grand Prix in Europa afreizen. Natuurlijk zijn dit niet de eenvoudige uitklapbare modellen, maar zijn ze voorzien van alle luxe die ze ook thuis zouden hebben: breedbeeldtelevisie, computerspellen, stereo installaties en grote bedden. Sommige coureurs hebben zelfs hun eigen fitnessapparaten aan boord, zodat ze aan hun conditie kunnen werken als ze zich 's avonds laat vervelen of vroeg wakker zijn.

De coureurs hebben deze motorhomes niet om mee op te scheppen; ze willen gewoon hun leven zo comfortabel mogelijk inrichten. Op deze manier hoeven ze niet bij hotels in te checken, hebben ze geen last van luidruchtige buren en de fans worden op een afstandje gehouden.

Monaco, thuis van de Formule 1-coureurs

Geen enkele andere plek ter wereld is meer verbonden met Formule 1 dan Monaco. De extravagante uitstraling van dit landje, met de beroemde haven en het Casino, past perfect bij de playboyreputatie van coureurs. Waarschijnlijk ben je dan ook niet verbaasd te horen dat ongeveer de helft van degenen die je op de grid ziet, hier hun huis hebben. Maar Monaco biedt naast de glamour nog enkele andere voordelen voor de coureurs.

Belangrijkste reden is natuurlijk het feit dat Monaco geen inkomstenbelasting heft. Coureurs kunnen daardoor zo veel mogelijk van hun inkomen overhouden. De carrière van een coureur is slechts van korte duur, en daarom is het belangrijk dat hij zo veel mogelijk spaart voor de tijd daarna.

Het klimaat is fantastisch. Het hele jaar door is het lekker weer, waardoor je elke dag naar buiten kunt om te gaan hardlopen of te fietsen. Het is een stuk makkelijker een frisse neus te halen als de lucht helder is en de zon schijnt, dan wanneer het regent en koud is in Parijs of Londen.

Deel III

Wat er op (en naast) de baan gebeurt

In dit deel...

Grandprixweekends zijn tot op de minuut georganiseerd. De teams en coureurs moeten de strakke planning van elk evenement exact volgen, en er bovendien op letten dat ze elke beschikbare minuut optimaal benutten en hun wagen zo snel mogelijk maken.

Maar zelfs de snelste wagen biedt nog geen enkele garantie voor succes. We bekijken waarom de coureurs elke ronde van de race optimaal moeten presteren, waarom de teams de pitstops voor brandstof en nieuwe banden perfect moeten uitvoeren, en welke veiligheidsmaatregelen de coureurs beschermen.

En mocht alles perfect verlopen en een coureur winnen, dan vertellen we je ook hoe het is om een race te winnen en hoe het voelt om daar op het hoogste trapje de champagne te ontkurken.

Hoofdstuk 8
Op weg naar de race

De Grand Prix op zondagmiddag is meestal in nog geen twee uur voorbij, maar de voorbereidingen op de twee uurtjes zijn immens. Wordt de race in Europa verreden, de thuisbasis voor alle teams, dan vertrekt er al zes dagen voor de race een konvooi vrachtwagens richting het circuit. Voor het team begint de Grand Prix eigenlijk al op het moment dat de eerste vrachtwagen de poorten verlaat. Wordt de race buiten Europa verreden, dan maakt het luchttransport de voorbereiding alleen maar nog ingewikkelder.

Zodra het materieel op het circuit is aan gekomen, kunnen de teams aan de slag om de garages en de paddock op de eerste vrije trainingen voor te bereiden. De voorbereidingen eindigen eigenlijk pas met de kwalificatiesessie op zaterdag.

Het resultaat van deze enorme troepenbeweging is op zondag in de vorm van twintig brullende motoren in twintig wagens op de startgrid te zien.

In stijl naar het circuit reizen

Bij de voorbereidingen op een Grand Prix kunnen tot wel honderd teamleden betrokken zijn. Hun positie en status binnen het team bepaalt hoe ze zich verplaatsen; Formule 1-teams zijn immers geen egalitaire woongroepen. De meeste monteurs komen met een gewone lijnvlucht of eventueel een charter naar het circuit. Het team stuurt daarom normaal gesproken enkele mensen vooruit die de huurauto's of personenbusjes moeten regelen en die iedereen van het vliegveld halen.

Vliegende coureurs

De absolute topcoureurs geven elk jaar miljoenen uit om in hun eigen privé-jets (meestal Citations) rondgevlogen te worden. De coureurs voor wie dat nog niet is weggelegd, kiezen eerder voor het leasen van de jets. Hoewel enkele coureurs een vliegbrevet hebben, is er tegenwoordig geen enkele coureur meer die zijn eigen vliegtuig van race naar race bestuurt. Hun werkschema zit veel te vol om zich ook nog eens met het plannen van hun vluchten bezig te houden. In plaats daarvan benutten ze de diensten van bedrijven die een complete vliegservice, inclusief piloten, aanbieden.

In de jaren zeventig en tachtig van de vorige eeuw was zelf vliegen een populaire hobby onder de coureurs. Een tijdverdrijf dat vanwege de enorme werkdruk voor hedendaagse coureurs niet meer is weggelegd.

Leidinggevend personeel en andere topmensen van het team reizen meestal samen met de baas business of zelfs first class, tenzij de baas natuurlijk zijn eigen privé-jet pakt. Deze privé-jets zijn ook voor de meeste coureurs het favoriete transportmiddel, al heb je er natuurlijk altijd zo'n rare snuiter tussen zitten, zoals Jaguar-coureur Mark Webber, die het liefst een gewone lijnvlucht neemt. Maar ja, hij is nou eenmaal een nuchtere Australiër.

Eenmaal aangekomen krijgen de coureurs een normale personenwagen tot hun beschikking. Deze wagens worden meestal door de autofabrikant van het team geleverd. De McLaren-coureurs rijden daarom rond in een Mercedes, de Ferrari-coureurs in een Maserati, de Renault-coureurs in een Renault, de Toyota-coureurs in een Lexus enzovoorts.

Is het bijvoorbeeld door het verkeer niet mogelijk de route tussen het hotel en het circuit per auto af te leggen, dan huurt het team helikopters voor het vervoer in. De tophotels waarin de coureurs slapen beschikken zonder uitzondering altijd over een helipad voor de helikopters. Uiteraard zijn er ook op het circuit geschikte landingsplaatsen aanwezig.

Het circuit leren kennen

De meeste coureurs zijn na verloop van tijd wel bekend met de circuits, maar er zitten elk seizoen ook altijd een paar debutanten in het veld. Deze nieuwe coureurs hebben in de andere raceklassen waarin ze uitkwamen misschien al eens kennis gemaakt met een aantal circuits, maar de meeste circuits zijn waarschijnlijk compleet nieuw voor ze. Bovendien worden er regelmatig nieuwe circuits op de kalender geïntroduceerd, zoals in 2004 de circuits van Bahrein en Shanghai. Op deze circuits moeten zelfs de ervaren rotten eerst nog alle bochten leren kennen.

Maar hoe leert een coureur een circuit eigenlijk kennen? Het voor de hand liggende antwoord is natuurlijk door erop te rijden. Met vier wielen op het asfalt kan een coureur het circuit het beste leren aanvoelen. Maar ook de hele gewone Formule 1-computergames worden door coureurs gebruikt voor het verkennen van een nieuw circuit. Zo leren ze in elk geval welke bochten ze waar op het circuit kunnen verwachten. Al komt een computergame lang niet in de buurt van het gevoel dat bij het rondrijden op een circuit hoort.

Een andere populaire methode om een nieuwe baan te verkennen, is door er vroeg te komen en eenvoudig een rondje over het asfalt te lopen. Kom je op de woensdag voor een race naar het circuit, dan is er een goede kans dat je coureurs te voet of op een fiets of motor het circuit ziet verkennen. En het zijn lang niet allemaal nieuwelingen die zo de baan bestuderen. Meervoudig wereldkampioen Michael Schumacher staat bekend om zijn perfecte voorbereiding op elke Grand Prix, en hij zal altijd een rondje over het circuit maken om zijn geheugen weer op te frissen.

De details ontdekken

Een ervaren coureur als Michael Schumacher die op een bepaald circuit misschien al honderden ronden heeft afgelegd, is niet geïnteresseerd in de beste lijn door de bochten. Wat hij wil weten is of er in de tussentijd belangrijke kleine wijzigingen zijn aangebracht, zoals:

- waar de muren en bandenstapels zijn geplaatst;

- hoeveel lagen banden de gevaarlijkste plekken beschermen;

- of het asfalt ergens is vernieuwd en hoe dit de grip op die plek heeft beïnvloed;

- hoe diep de grindbakken zijn (sommige grindbakken zijn zo diep dat de wagen er nooit meer op eigen kracht uitkomt);

- waar de toegangswegen voor de baancommissarissen en hulpwagens zijn (de toegangswegen zijn soms in een noodgeval te gebruiken om weer op de baan te komen);

- waar de baancommissarissen staan (bij elke post staat een medewerker met een motor die de coureur terug naar de pits kan brengen).

Kennis van deze details kan tijdens een race net dat beetje voordeel brengen dat de coureur nodig heeft.

Neem Michael Schumacher bijvoorbeeld. Er zijn maar weinig coureurs met zijn kennis van de verschillende circuits, en toch maakt hij zich er nooit makkelijk vanaf. Hij bestudeert elk detail van elk circuit en gebruikt deze kennis om zijn wagen en rijstijl perfect op de baan af te stemmen. Tijdens vrije trainingen zie je vaak hoe Schumacher bewust de absolute grens van bochten opzoekt. Dit is alleen maar mogelijk omdat hij de grindbak van tevoren heeft bestudeerd en precies weet of hij zijn wagen ook weer uit het grind kan krijgen.

Kennis voor nieuwelingen

Een nieuweling kijkt met heel andere ogen naar een circuit dan een ervaren coureur. Hij is in eerste instantie vooral in het ontwerp van de baan geïnteresseerd en probeert in te schatten welke lijn hij in elke bocht moet nemen. De snelste route door een bocht is de lijn waarvoor het minste gestuurd hoeft te worden. Bij complexe bochten loont het de moeite rustig de tijd te nemen om de ideale lijn te leren herkennen, bijvoorbeeld aan de hand van een herkenningspunt als een reclamebord dat exact het instuurpunt markeert.

Het lage gezichtspunt vanuit de cockpit maakt het voor een coureur onmogelijk de details in de omgeving te herkennen. Om dezelfde reden kan het oppervlak en de glooiing van de baan niet goed bij hogere snelheid vanuit de wagen worden beoordeeld. Een coureur die dankzij zijn wandeling over het circuit weet waar hij op moet letten, heeft een groot voordeel ten opzichte van zijn concurrenten.

Ook de telemetrie kan erg behulpzaam zijn bij het leren kennen van een circuit, maar daarvoor moet je natuurlijk wel eerst een paar ronden hebben gereden. De gemeten waarden maken het mogelijk de gereden lijn en rempunten te vergelijken met die van de teamgenoot. De coureur kan verschillende lijnen in de bocht uitproberen en de resultaten vergelijken met de rondetijden, zodat hij precies weet welke optie de beste is. De volgende keer dat hij op het circuit racet, weet hij precies welke lijn hij moet kiezen.

Vergeleken met de overige opgaven voor een coureur, is het leren van een nieuwe baan meestal niet zo heel erg ingewikkeld. Juan Pablo Montoya stond in zijn eerste jaar in de Formule 1 liefst driemaal op pole en won één Grand Prix. Hij beweerde ooit dat hij negen van de tien circuits binnen drie ronden zou kunnen leren kennen. Coureurs die pas na lang studeren en een flink aantal vrije training op snelheid komen, hebben waarschijnlijk niet zoveel in de Formule 1 te zoeken.

Oefenen, oefenen en nog meer oefenen

Zowel op vrijdagochtend als op zaterdagochtend zijn er vrije trainingen waarin de coureurs de baan kunnen leren kennen. De coureurs mogen in deze vrije trainingen zo vaak als ze willen de baan opgaan en een onbeperkt aantal ronden afleggen.

Waarom de vrije trainingen zo belangrijk zijn

In tegenstelling tot wat de naam doet vermoeden, dient een vrije training niet voor de training van de coureurs. Een vrije training dient er evenmin voor om het publiek alvast aan de racesfeer te laten wennen, ook al komen veel fans speciaal voor de vrije trainingen naar het circuit. Het is veel ingewikkelder.

De tactiek voor de kwalificatie en de race is grotendeels gebaseerd op de informatie die tijdens de vrije trainingen wordt verzameld. Ook tijdens de algemene tests wordt veel bruikbare informatie verzameld, maar deze algemene tests zijn alleen op de daarvoor vrijgegeven circuits toegestaan. Bovendien hebben de weersomstandigheden en de temperatuur op het circuit een grote invloed op de bandenkeuze en de afstelling van de wagen.

De vrije trainingen leveren de gegevens die de teams nodig hebben om hun wagens goed af te stellen, de passende banden en voor de juiste pitstopstrategie te kiezen.

De juiste afstelling van de wagen

Het belangrijkste doel van de vrije trainingen is het vinden van de optimale afstelling van de wagen, onder meer voor de ophanging en de aërodynamische onderdelen. De juiste afstelling van de wagen is onder meer afhankelijk van de aard van het circuit, de temperatuur en de gekozen racestrategie. Een van de belangrijkste beslissingen voor de afstelling is de keuze van de banden voor de race. In de paragraaf 'De bandenkeuze' lees je meer over deze keuze.

Het kwalificatiesysteem dat sinds het seizoen 2003 wordt gebruikt en voor het seizoen 2004 licht is aangepast, maakt het nog moeilijker om een goede afstelling voor de wagen te vinden. Aangezien de coureurs tussen de kwalificatie en de race absoluut niets aan de wagen mogen veranderen, moeten de teams een compromis vinden tussen de optimale afstelling voor de kwalificatie waarin de wagen één enkele ronde zo snel mogelijk moet afleggen, en de afstelling die geschikt is voor het rijden van de eigenlijke race.

De bandenkeuze

De vrije trainingen bieden ook de gelegenheid de verschillende soorten banden te testen, zodat de teams de wagens voor de kwalificatie op zaterdag en de race op zondag met het juiste rubber de baan op kunnen sturen. In de vrije trainingen kan de slijtage van de banden en het verloop van de prestaties gedurende een aantal ronden worden bepaald.

Banden voorbereiden op de perfecte race

De gegroefde droogweerbanden die tegenwoordig verplicht zijn bij Formule 1-wagens, hebben met hun vijf 'schouders' rond de vier groeven meer dan slicks last van wat bekend staat als *graining*. Graining is een slijtagepatroon van de band dat vooral de eerste ronden optreedt en in deze 'grainingsfase' voor duidelijk slechtere prestaties zorgt. De prestaties van de band stabiliseren zich meestal na een ronde of tien. Om te voorkomen dat de coureur na elke pit-stop de eerste tien ronden slechtere prestaties neerzet, bereidt hij tijdens de trainingen verschillende sets banden voor, door alvast enkele ronden op deze banden te rijden.

De mate van graining is niet alleen afhankelijk van het asfalt en de baantemperatuur, maar wordt ook door de wagen en zelfs de coureur beïnvloed. Nieuwe banden hoeven overigens lang niet altijd eerst ingereden te worden.

Tijdens de vrije trainingen kunnen de teams volgen hoe de prestaties van elk type band in de loop van een aantal ronden verandert. Zachtere banden zijn bijna altijd in eerste instantie sneller, maar ze zullen ook harder slijten en dus eerder vervangen moeten worden. Deze zachtere banden hebben bovendien duidelijk meer last van graining, wat je op de banden aan de kleine 'druppeltjes' langs de randen van de groeven kunt herkennen. De graining zorgt ervoor dat de wagen minder grip heeft en hierdoor minder kan versnellen. Hoewel de grainingsfase van een band hooguit tien ronden aanhoudt, zijn de zachte banden na deze fase vaak nauwelijks sneller dan de harde banden, terwijl ze tijdens de grainingsfase wel voor meer snelheidsverlies zorgden. In de vrije trainingen kunnen het team en de coureur samen beslissen wat het beste compromis is.

Veel coureurs kiezen ondanks al het cijfermateriaal toch voor de band die ze eenvoudigweg het prettigst vonden rijden. Zachtere banden leveren meer grip en daarmee in elk geval in theorie betere rondetijden, maar ze voelen door het zachtere rubber vooral in de bochten minder stabiel. Soms merkt een coureur dat hij ondanks de slechtere grip op harde banden toch sneller is, eenvoudig omdat de stabielere wegligging hem meer vertrouwen geeft en hij zo de bochten toch sneller durft te nemen. De coureur kan in de vrije training langzaam wennen aan het zachtere rubber of snel tot de conclusie komen dat de hardere banden deze keer beter geschikt zijn.

De optimale hoeveelheid brandstof

De teams gebruiken de vrije trainingen ook voor het bepalen van het brandstofverbruik en de exacte relatie tussen de rondetijden en de hoeveelheid brandstof aan boord. Dit verschilt namelijk van baan tot baan.

De wagen zal op een circuit met veel langzame bochten en grote snelheidsverschillen duidelijk meer brandstof gebruiken dan op een circuit dat een vloeiender verloop kent. Er zijn echter exacte gegevens nodig om de wagens exact de benodigde hoeveelheid brandstof mee te geven, zodat ze geen kilo te zwaar de baan op gaan.

Met minder benzine in de tank is de wagen weliswaar lichter, maar hij zal ook eerder terug naar de pits moeten om bijgetankt te worden. Het team kan aan de hand van de metingen beslissen of de snelheidswinst per ronde opweegt tegen de tijd die met de pitstop wordt verloren.

In de loop van een aantal ronden wordt de wagen door het brandstofverbruik lichter en daarmee sneller, maar tegelijkertijd worden de banden slechter en daarmee langzamer. Er komt echter een punt waarop de wagen meer tijd door de slechtere banden verliest dan dat hij door zijn gewicht goed kan maken. De trainingen maken het mogelijk dit punt te vinden, en aan de hand daarvan de juiste strategie te kiezen.

Wat je tijdens de vrije trainingen in de gaten moet houden

Er zijn twee belangrijke dingen die je voor het volgen van een vrije training moet weten.

Allereerst zeggen rondetijden tijdens de training bijna niets. Ook al worden deze rondetijden bijgehouden en bestudeerd, ze zeggen maar weinig over de toestand en kansen van de wagens. Elk team werkt op zijn

---

Waarom de coureurs na de vrije trainingen verdwenen zijn

Het team en de coureurs hebben na een vrije training een ongelofelijke hoeveelheid informatie die ze moeten analyseren en doorspreken. Daarom zul je de coureurs in de regel pas enkele uren na een vrije training weer in de paddock of de pits aantreffen. In de tussentijd zitten ze met z'n allen gezellig bij elkaar in hun motorhome, de resultaten van de vrije training te bespreken.

Tijdens deze briefings kijkt het team gedetailleerd naar alle verzamelde elektronische gegevens en vergelijkt deze informatie met de subjectieve beleving van de coureur. De voor- en nadelen van een bepaalde afstelling, bandenkeuze of strategie kunnen tot in het oneindige worden besproken. En hoe slechter het team er voor staat, des te langer de bespreking duurt.

De technici van het team hechten veel waarde aan deze bijeenkomsten, aangezien het verreweg hun beste kans is alle verzamelde informatie vers van de baan bij elkaar te brengen en te analyseren. Maar lang niet elke coureur deelt dit enthousiasme van de technici. Na de spanning en kick op de baan, is al dat gepraat maar een ontnuchterende koude douche. Topcoureurs hebben deze besprekingen echter leren waarderen als een perfecte gelegenheid om het maximale uit hun eigen prestaties te halen, en ze zullen dan ook met de nodige toewijdingen aan de analyses meewerken.

eigen wijze het testprogramma door. Pas bij de eerste kwalificatiesessie krijg je een idee van de onderlinge krachtsverhoudingen tussen de wagens. Hecht dus niet al te veel waarde aan die trainingstijden.

Ten tweede krijgen sommige mensen meer trainingstijd. Kom je op vrijdagochtend heel vroeg naar het circuit, nog voor de eerste officiële vrije trainingen, dan zie je een aantal teams hard in de weer op de baan, terwijl bij andere teams de wagens gewoon binnen blijven staan.

Sinds 2004 mogen de teams op plaatsen vijf tot en met tien uit de eindrangschikking van het vorige seizoen op vrijdag met drie coureurs rijden. De teams die op de eerste vier plaatsen in het constructeurskampioenschap zijn geëindigd, moeten het met hun twee vaste coureurs doen.

Op weg naar de perfecte start: de kwalificatie

Een grandprixweekend omvat twee kwalificatiesessies, sinds het seizoen 2004 beide op zaterdag. In beide kwalificatiesessies krijgt elke wagen de gelegenheid om één vliegende ronde af te leggen, uiteraard zo snel mogelijk.

Twee keer kwalificeren

De resultaten van de eerste kwalificatiesessie bepalen de volgorde van de wagens in de tweede kwalificatiesessie. De snelste wagen uit de eerste sessie start als laatste in de tweede sessie. Het voordeel hiervan is dat de coureur precies weet wat zijn concurrentie heeft gedaan en de baan heeft door de voorgaande wagens de beste grip. De tijden van de tweede kwalificatiesessie zijn bepalend voor de startvolgorde van de race.

De kwalificatie aan de hand van de tijd van één vliegende ronde is in 2003 ingevoerd en legt een grote druk op de coureurs. De kleinste fout in deze ronde is al voldoende om een aantal plekken terug te vallen op de startgrid. In de praktijk blijkt lang niet elke coureur tegen deze spanning opgewassen.

Spint een coureur tijdens zijn vliegende ronde of schiet hij ergens van de baan, dan kan hij zijn kwalificatie wel vergeten. Hij krijgt geen tweede kans, maar kan wel kiezen tussen het voortzetten van de ronde (als dat mogelijk is) of het afbreken van de ronde. Breekt hij de ronde af, dan scheelt dat weer een ronde brandstof, maar hij zal wel achteraan op de startgrid moeten staan.

Het probleem voor de teams is dat de beide kwalificatiesessies vlak achter elkaar worden verreden, zodat er tussen de beide sessies nauwelijks tijd is voor grotere wijzigingen aan de wagens. Het enige voordeel dat een coureur uit de eerste sessie kan halen, is een wat gunstiger startnummer in de tweede sessie. Maar dit voordeel is lang niet groot genoeg om alleen hiervoor de wagen compleet anders af te stellen.

Bovendien moet de wagen na de tweede kwalificatiesessie direct in het parc fermé worden geplaatst. Tot aan de eigenlijke race op zondag, is er geen enkele aanpassing van de wagen toegestaan. Ook het verwisselen van de banden of het bijtanken van de wagen zijn verboden.

Het resultaat is dat de coureurs de beide kwalificatiesessies met de raceafstelling rijden, en de tweede sessie bovendien genoeg brandstof aan boord moeten hebben tot aan de eerste geplande pitstop in de race. De racestrategie begint dus al tijdens de kwalificatie: kiest de coureur voor een zwaardere wagen met meer brandstof aan boord, dan levert hem dat een slechtere startpositie op, maar hij hoeft pas later in de race voor de eerste pitstop binnen te komen. Een lichte wagen met weinig brandstof kan daarentegen betekenen dat de coureur zijn goede startpositie al direct in de eerste ronden door een pitstop weer verliest.

Om de kwalificatie nog ingewikkelder te maken, is er sinds het seizoen 2004 met het oog op de kostenbesparing een regel ingevoerd die de teams verbiedt gedurende het weekend de motor van een wagen te vervangen. Alle vrije trainingen, kwalificatiesessies en de race zelf moeten met dezelfde motor worden verreden. Is het om de een of andere reden nodig of wenselijk om deze motor te vervangen, dan zal de coureur tien plaatsen op de startgrid worden teruggeplaatst. Voor kleine teams die toch al vrijwel achteraan op de grid stonden, is dit nadeel vaak nog wel te overzien. Voor de topteams betekent het verlies van tien startplaatsen echter een behoorlijke tegenslag.

Pole is de hoofdprijs

De snelste ronde tijdens de kwalificatie op zaterdag levert de pole position op. Aangezien inhalen in een moderne Formule 1-wagen bijzonder moeilijk is, kun je het belang van deze eerste startplek nauwelijks overschatten.

Hoe smaller het circuit, des te groter het voordeel dat de pole oplevert. Inhalen is op circuits als Monte Carlo of de Hungaroring (zie hoofdstuk 13) eigenlijk alleen maar mogelijk als de koploper ergens een fout maakt. De coureur die de pole position op deze circuits weet te bemachtigen, heeft de overwinning al bijna in handen.

In 2002 bracht Michelin superzachte kwalificatiebanden mee naar Monte Carlo, om daarmee alle Michelin-teams zo ver mogelijk naar voren op de startgrid te krijgen. Het was onbelangrijk dat het zachte rubber in de race zelf maar middelmatig presteerde. David Coulthard wist op het Michelin-rubber Bridgestone-rijder Michael Schumacher de hele race achter zich te houden, ook al liet Schumacher zien dat hij ruim een seconde per ronde sneller was dan Coulthard. Had hij de race vanaf de start kunnen leiden, dan had Schumacher met bijna een ronde voorsprong kunnen winnen. Helaas veroordeelde zijn kwalificatie hem tot de tweede plek.

Gelukkig is inhalen niet op alle circuits zo moeilijk. Op plekken als Interlagos in Brazilië of Hockenheim in Duitsland, zie je dat teams zich minder zorgen maken over de startposities en zich meer concentreren op de optimale raceafstelling.

Coureurs in de bocht

De ware kwaliteiten van een coureur komen bij het aanremmen en nemen van de bochten naar boven. Iedereen kan een gaspedaal indrukken en hard over het rechte stuk scheuren. Het zijn de bochten die de kampioenen van de anderen onderscheiden.

Een perfecte kwalificatieronde neerzetten is een ongelofelijke balanceeract van de coureur. Voor elke bocht moet hij grotendeels op gevoel het ultieme rempunt, de beste aanvangssnelheid en het punt waarop hij weer vol gas kan geven vinden. De afstelling van de wagen tijdens de vrije trainingen (zie de paragraaf 'Oefenen, oefenen en nog meer oefenen') draait grotendeels om de karakteristiek van de wagen in deze bochten.

Elke coureur heeft zijn eigen unieke rijstijl en techniek, en hij moet de wagen zo goed mogelijk op deze rijstijl afstemmen.

Bij het nemen van een bocht heb je te maken met drie verschillende momenten: de ingang, de eigenlijke bocht en de uitgang. Op dit niveau mag je ervan uitgaan dat elke coureur de bochten op de juiste manier aansnijdt en neemt. Wil je voordeel halen in een bocht, dan gaat het om het vinden van de kleinste marges. Of dat nou bij de ingang of bij de uitgang van de bocht is.

De kunst is het vinden van de perfecte balans: ga je een bocht te snel in, dan ben je trager bij het uitkomen van de bocht. Een coureur die erin slaagt de bocht net wat sneller dan zijn collega's aan te remmen, het liefst op de limiet van de grip van de wagen, zonder daarbij meer snelheid in de bocht zelf te verliezen, kan veel tijd in een ronde goedmaken. En dat kunstje moet hij voor elke bocht in zijn kwalificatieronde herhalen.

Elke coureur heeft zo zijn eigen voorkeuren wat de handling aangaat. Sommige coureurs kunnen van een wagen die overstuurt (de achterzijde breekt het eerste uit) erg nerveus en onzeker worden. Een wagen is met onderstuur (de voorzijde van de wagen verliest eerder grip dan de achterzijde) veel stabieler en geeft deze coureurs meer vertrouwen zodat ze meer risico's durven te nemen, ook al is de wagen zelf eigenlijk trager. Over het algemeen hebben coureurs met een voorkeur voor

Supermannen met superkrachten?

Er zijn veel fabels over wat een coureur nou zo bijzonder maakt. Het zal je verbazen, maar supergoede ogen en snelle reflexen spelen daarbij geen grote rol. Zo blijkt Michael Schumachers reactiesnelheid in metingen maar heel gewoontjes te zijn. Wat vooral een verschil maakt, is het vermogen van de coureur om via zijn handen en zitvlak het gedrag van de wagen aan te voelen, en hoe goed zijn evenwichtsorgaan in staat is richtingsveranderingen waar te nemen.

Deze natuurlijke vaardigheden geven hem een racevoordeel dat hij nooit van de dataregistratie of telemetrie had kunnen krijgen. In het verleden hebben Michael Schumachers teamgenoten wel geprobeerd aan de hand van zijn telemetrie eenvoudigweg zijn rijstijl te kopiëren. Ze eindigden keer op keer in de grindbak. Alleen het natuurlijke balansgevoel van de grote coureurs kan een wagen van begin tot einde op de rand van het mogelijke door de bocht sturen. Uiteindelijk is deze supertechnologische sport nog steeds afhankelijk van de menselijke prestaties.

overstuur wat voordeel bij het neerzetten van snelle rondetijden. Bochten kunnen met overstuur wat efficiënter worden genomen.

Weer of geen weer, er wordt geracet

Een coureur kan zomaar de pech hebben dat hij een ronde op een droge baan begint, om hem in de regen op een natte baan te eindigen. Op dezelfde manier kan een vochtige baan tijdens de kwalificatie opdrogen en zo de coureurs die later op de baan komen een enorm voordeel geven. De opwarmtraining van de Grand Prix van Engeland moest een aantal jaar geleden door de slechte weersomstandigheden meermaals worden verschoven, en de Grand Prix van Brazilië in 2003 werd vanwege de regen achter de safety car gestart, maar de kwalificatie zal ongeacht het weer nooit worden aangepast. Deze toevalsfactor hoort nou eenmaal bij het kwalificatiesysteem dat sinds 2003 wordt gebruikt.

Startposities opgeven

Een team kan ervoor kiezen tevreden te zijn met een lagere startplek. Er zijn twee mogelijke situaties waarin dit de beste optie is:

✔ Het team kan de race met veel brandstof aan boord starten, in de wetenschap dat de slechtere startpositie die dit extra gewicht met zich meebrengt wordt goedgemaakt door een latere eerste pitstop in de race. Uiteraard heeft deze strategie alleen maar kans van slagen op circuits waar het relatief makkelijk is om andere wagens in te halen.

✔ De kwalificatie van een coureur is zo slecht verlopen, dat het beter is hem uit de pitstraat te laten starten. Een coureur die uit de pitstraat start, sluit zich zodra alle wagens de eerste bocht hebben bereikt, achter aan het veld bij de race aan. Het grote voordeel is dat het team in deze situatie de wagen nog voor de start mag bijtanken of juist lichter maken. Hebben al de teams bijvoorbeeld met het oog op de kwalificatie voor drie stops gekozen, dan zou een strategie met slechts twee stops een duidelijk voordeel kunnen opleveren. Deze optie is uiteraard alleen maar interessant als je toch al rekening moest houden met een slechte kwalificatie, en er geen goede startplek voor hoeft op te geven.

Klaar voor de start: de startposities voor de race

Aan het einde van de kwalificatie wordt er een voorlopige startopstelling bekend gemaakt. Pas als alle wagens door de FIA op hun conformiteit zijn gecontroleerd, is deze startopstelling ook de definitieve startopstelling.

Voor de coureurs is het inmiddels al bijna avond. Ze bespreken de laatste details met hun technici en nemen de racestrategie nogmaals met hun team door. Een paar uur later liggen ze onder de wol, klaar om zich de volgende dag in het hoogtepunt van het weekend te bewijzen; de race zelf.

Hoofdstuk 9
Strategie op de grote dag

*V*oor het winnen van een Grand Prix is het bij lange na niet voldoende om de snelste coureur te zijn of de snelste wagen te hebben. Formule 1 is bovenal een verraderlijk tactisch spel waarin een betere strategie je een winnend voordeel over een snellere rivaal kan geven. Michael Schumachers prestaties in 1995 zijn een perfect voorbeeld. In zijn Benetton wist hij de snellere Williams van Damon Hill liefst negen keer achter zich te houden en zo het wereldkampioenschap in de wacht te slepen.

Een goede strategie betekent altijd een gezonde combinatie van een goede planning en een flinke scheut opportunisme. De planning van het team voor een race is altijd gebaseerd op de specifieke kenmerken van de wagen en het circuit, gecombineerd met bekende omstandigheden zoals het resultaat van de kwalificatie. Deze planning moet tijdens de race keer op keer door onvoorziene omstandigheden als een safety car-situatie of de invloed van achterliggers worden aangepast. Alleen de teams die deze gelegenheden het snelst herkennen en er het beste op reageren, zullen er voordeel uit kunnen halen. In dit hoofdstuk laten we zien hoe deze complexe strategische acties beslissen over winst en verlies van een Grand Prix.

Hoe belangrijk strategie ook is, denk niet dat je een Grand Prix zonder talent of een perfecte wagenbeheersing kunt winnen. In dat seizoen van 1995 waarin Michael Schumacher de Williams van Damon Hill telkens kon voorblijven, kreeg Patrick Head, de technische man van Williams, de vraag wat hij te zeggen had op Hills klacht over de 7 seconden die hij in de pits had verloren. Head antwoordde: 'Goed, maar hoe zit het met die andere 43 seconden?'

Een strategie kiezen

De twee pilaren waarop iedere strategie rust zijn de bandenkeuze en de timing van de pitstops. De keuze tussen harde of zachte banden en tussen één, twee of drie pitstops en hun onderlinge afstanden, is afhankelijk van twee factoren:

BELANGRIJK

✔ **Je positie in het veld.** De laatste seizoenen tekent er zich steeds meer een driedeling in het veld af: de topdrie, het middenveld en de achterhoede. Uitzonderlijke omstandigheden daargelaten, zal een team uit de middenmoot of een achterhoedeteam nooit meestrijden om de winst, hoe goed hun strategie ook is.

Een team dat het heeft over 'de concurrentie', doelt daarmee meestal op de teams uit dezelfde groep. Een team dat een startplek in het middenveld heeft weten te veroveren, zoekt normaal gesproken naar een strategie om in deze groep vooraan te eindigen. Niet naar een mogelijkheid om met Ferrari, Williams of McLaren mee te strijden om de winst. De doelen die een team zich stelt, zijn altijd gebaseerd op de gegeven mogelijkheden. Dat is geen fatalisme, maar gewoon een gezonde dosis realisme.

✔ **Hoeveel tijd je voor een pitstop kwijt bent.** Uit veiligheidsoverwegingen is de hoeveelheid brandstof die door de tankinstallaties in de wagens wordt gepompt, beperkt tot 12 liter per seconde. Aangezien de banden van een Formule 1-wagen in ongeveer vijf seconden verwisseld kunnen worden, bepaalt het bijtanken van de wagen de duur van de pitstop. Terwijl de wagen wordt bijgetankt, zouden de bandenjongens rustig een sigaretje kunnen opsteken. Alhoewel.

Ross Brawn: de strategiegrootmeester

Ross Brawn, door velen als de grootste strateeg in de Formule 1 gezien, was bij alle zes de wereldtitels van Michael Schumacher betrokken.

Ook al was Brawn zelf een begaafd ontwerper, zijn grootste successen behaalde hij pas nadat hij technical director bij Benetton werd en het ontwerpen overliet aan Rory Byrne. Brawn nam steeds meer een leidende en organiserende rol op zich, waarbij zijn technische achtergrond het mogelijk maakte nauw met Byrne samen te werken. Brawns nieuwe positie bij Benetton viel samen met de herintroductie van het bijtanken. Iets dat daarvoor verboden was. Brawn wist de vele nieuwe tactische mogelijkheden van het bijtanken met zijn briljante inzicht uit te buiten, daarbij uiteraard flink geholpen door Schumachers verblindende snelheid.

Toen Brawn en Schumacher Benetton voor Ferrari inruilden, duurde het slechts één jaar voordat Byrne hun voetstappen volgde. De komst van dit trio luidde Ferrari's comeback in, met eerst de wereldtitel voor teams voor Ferrari in 1999 en in 2000 voor teams én coureurs als bekroning.

De juiste banden kiezen

Teams kunnen een klein vermogen (in de praktijk meestal een enorm groot vermogen) investeren in nieuwe technologie en nog betere wagens, maar uiteindelijk zijn het de banden die ervoor zorgen dat die technologische wonderen op de baan bewegen. Het zal je dus niet verwonderen dat er steeds meer aandacht is voor de ontwikkeling van nieuwe en betere banden. De teams krijgen van hun bandenleveranciers altijd de keuze tussen twee soorten droogweerbanden. Het verschil tussen deze twee soorten banden zit in het soort rubber waaruit de band is opgebouwd. De keuze is meestal tussen:

- ✔ een hardere band die langer goed blijft en minder slijt;

- ✔ een zachtere band die meer grip levert en sneller is, maar ook meer zal slijten.

Indien het mogelijk is de wagen zo af te stellen dat de slijtage van de banden binnen de perken blijft, zal een team altijd de voorkeur geven aan het zachtere rubber. Lukt dit niet, dan is het team gedwongen voor de hardere banden te kiezen.

De bandenkeuze heeft alleen betrekking op de droogweerbanden. De bandenleveranciers leveren ook regenbanden, maar daarbij heeft het team geen keuze tussen verschillende soorten rubber.

De teams moeten hun keuze voor het harde of zachte rubber voor de kwalificatie maken. Ze zitten voor de rest van het weekend aan deze keuze vast, dus enige planning is onontbeerlijk. De keuze voor hard of zacht rubber hangt af van de volgende factoren:

- ✔ **De vrije trainingen.** De gegevens die de teams in de vrije trainingen verzamelen, geven belangrijke informatie over de rondetijden die met bepaald rubber mogelijk zijn en de slijtage van deze banden.

- ✔ **Informatie van de bandenleveranciers.** De bandenleveranciers adviseren de teams bij de bandenkeuze. Ze bestuderen de resultaten van de vrije trainingen aan de hand van de rondetijden en het performanceverloop van de banden. Op sommige circuits is er bijna geen afname van de bandenprestaties te bekennen, terwijl op andere circuits, zoals Suzuka in Japan met zijn lange snelle bochten, er sprake is van een duidelijke achteruitgang van de rondetijden.

- ✔ **De pitstopstrategie.** De bandenkeuze is ook afhankelijk van de gekozen strategie voor de pitstops. Zachte banden kunnen bijvoorbeeld zo sterk slijten door de extra brandstoflading die voor een race met slechts één stop nodig is, dat het team gedwongen wordt voor de duurzamere, maar langzamere, harde banden te kiezen.

Een fraai staaltje bandenkeuze

Tijdens de Grand Prix van Monaco van 2002 werd het belang van een goede racestrategie op wel een heel erg fraaie wijze gedemonstreerd. Michelin; Monaco 2002, de bandenleverancier van Williams en McLaren, voorzag beide teams voor deze race van een superzachte band, die perfect geschikt was voor de kwalificatie, maar minder zou presteren over een volledige raceafstand. Het idee was dat als ten minste een van de Michelin-wagens de dominante Ferrari's op het Bridgestone-rubber in de kwalificatie voor zou kunnen blijven, de nauwe bochten van het circuit ze dan zouden helpen om de rode wagens ook in de race achter zich te houden.

Het werkte perfect en de Ferrari's moesten vanaf de tweede startrij starten. In de race wist David Coulthard de Ferrari van Michael Schumacher continu ach-ter zijn McLaren te houden. Ook al was de Ferrari per ronde meer dan een seconde sneller dan de McLaren, er was eenvoudigweg geen manier om erlangs te komen. Ferrari besloot ten einde raad Schumacher een paar ronden te vroeg binnen te halen, in de hoop dat hij zijn snelheid zou kunnen gebruiken om Coulthard bij diens stop voor te blijven. Toen Schumacher na zijn stop vrij baan had, zette hij meteen de snelste raceronde neer.

McLaren was gewaarschuwd en realiseerde zich dat Schumacher met deze snelheid inderdaad in staat zou zijn om Coulthard voorbij te komen. Ze wachtten niet tot het te laat was en brachten Coulthard direct naar binnen, zodat hij voor Schumacher weer de baan op kwam. Coulthard kon vanaf daar de race op eigen kracht winnen.

> ✔ **De rijstijl van de coureur.** Veel hangt ten slotte van het gevoel en de rijstijl van de coureur af. Slaagt hij erin de zachte banden in de eerste ronden van de race ondanks zijn zwaardere wagen te sparen, dan kan hij in de latere ronden met zijn lichtere wagen veel voordeel van de zachte banden hebben.

Je weet voor de race eigenlijk nooit voor welke banden een team gekozen heeft. Deze informatie wordt zo goed mogelijk geheim gehouden voor de concurrentie. Natuurlijk kun je het altijd vragen, maar de kans is groot dat ze je alleen maar voorliegen.

Het aantal pitstops kiezen

Pitstops zijn geen verplicht onderdeel van de Formule 1. In theorie is het geen enkel probleem voor een team om een wagen te bouwen waarvan de tank groot genoeg is om de race in één keer uit te rijden, net zoals bandenfabrikanten zonder moeite een band kunnen ontwikkelen die sterk genoeg is om de race mee uit te rijden. Een dergelijke wagen zou in een normale race hopeloos presteren. De wagen zou met zijn gewicht, de harde banden en de slechte aërodynamica alleen maar nut hebben als komisch vermaak voor de andere teams. Alle moderne Formule 1-wagens zijn ontworpen voor races met een of meer pitstops, met tanks die brandstof voor hooguit een halve race kunnen bevatten.

Op de meeste circuits verliest een team door een pitstop, inclusief het afremmen, bijtanken en het doorrijden van de pitstraat, rond de 30 seconden. De lengte van een Grand Prix is vastgelegd als het minimumaantal ronden dat nodig is om minimaal 305 km af te leggen. Later in dit hoofdstuk komen we terug op deze minimumafstand. In het verleden was het gezien dit tijdverlies en deze raceafstand meestal niet zinnig om meer dan twee keer te stoppen. Sinds 2003 is het echter niet meer toegestaan de wagen tussen de kwalificatie en de race bij te tanken (zie hoofdstuk 8). Drie stops gedurende een race zijn sindsdien een realistisch alternatief geworden. Nog maar weinig teams kiezen voor een strategie met twee stops, laat staan een strategie met slechts één enkele pitstop.

De extra pitstop biedt op sommige circuits een duidelijk voordeel. Magny Cours, in Frankrijk, met zijn zeer korte pitstraat en de hoge slijtage van de banden, is een goed voorbeeld van een circuit waarop de 30 seconden die door de pitstop worden verloren, door de snellere rondetijden gemakkelijk weer kunnen worden goed gemaakt. Er zijn echter ook circuits, zoals Silverstone in Groot-Brittannië, waar de banden minder last van slijtage hebben en er door de langere pitstraat bij een pitstop meer tijd wordt verloren. Waar de meeste teams op Magny Cours voor drie stops kiezen, is op Silverstone een strategie met twee stops het populairst.

Maar nog los van het gedrag van de banden, de keuze voor een bepaalde strategie heeft alles te maken met het brandstofverbruik van de wagen en het tijdverlies dat de grotere hoeveelheid brandstof aan boord oplevert. Met andere woorden: een team moet weten hoe gevoelig de rondetijden van een wagen zijn voor de gewichtsveranderingen en hoe snel dit gewicht door het brandstofverbruik afneemt.

Beide factoren verschillen van baan tot baan. De teams baseren hun keuze op de volgende gegevens en omstandigheden:

- **De kwalificatiestrategie.** Aangezien de wagens tussen de kwalificatie op zaterdag en de race niet bijgetankt mogen worden, moeten ze zich met voldoende brandstof aan boord kwalificeren. Een team dat voor een strategie met drie stops kiest, beschikt in de kwalificatie over lichtere en snellere wagens. Het team moet naar de juiste balans tussen de kwalificatiepositie en de optimale racestrategie zoeken.

- **Het gewicht van de brandstof.** Het reglement schrijft voor dat de brandstof tussen de 0,725 en de 0,77 kilo per liter moet wegen. De grootste brandstoftanks in de wagens kunnen ongeveer 150 liter bevatten, wat neerkomt op een gewicht van ongeveer 120 kilo.

✔ **De invloed van dit extra gewicht op de rondetijden op het des-betreffende circuit.** Een wagen met een halfvolle tank is op Suzuka ongeveer 2,4 seconden per ronde sneller dan een volgetankte wagen. De wagens leggen op Monza ongeveer dezelfde afstand per ronde af, maar door de lange rechte stukken op dit circuit bedraagt het verschil tussen de wagens daar slechts 1,6 seconden. Op Suzuka kiezen de teams daarom eerder voor drie stops en op Monza twee stops.

✔ **Het brandstofverbruik.** Op circuits met veel bochten waar veel versneld, geremd en geschakeld wordt, zullen de wagens meer brandstof verbruiken en dus ook zwaarder moeten vertrekken. Op geen enkel ander circuit verbruiken de wagens zoveel brandstof per ronde als op het in 2002 aangepaste circuit Hockenheim. Ook al zijn de rondetijden op dit circuit vrij ongevoelig voor de gewichtsverandering, het hoge brandstofverbruik zorgt toch voor een aanzienlijk effect op deze rondetijden. Het resultaat is een voorkeur voor een strategie met drie stops. Op dezelfde manier levert de Nürburgring met zijn lage brandstofverbruik maar grote invloed van het gewicht op de rondetijden, eveneens een voorkeur voor een driestopsstrategie op.

✔ **De kwalificatiepositie.** Ben je door de slechtere kwalificatie gedwongen aanvallend te rijden om veel wagens in te halen, dan zul je eerder voor een agressieve driestopsstrategie kiezen. Zelfs als de tweestopsstrategie in theorie sneller is. Weet je zeker dat de meeste teams dezelfde strategie kiezen, dan is er een tactische keuze mogelijk: of je kiest voor een start met weinig brandstof aan boord, zodat je vroeg in de race je concurrenten kunt inhalen en een voorsprong kunt opbouwen die groot genoeg is om ze ondanks je vroegere pitstop voor te blijven, of je tankt de wagen zo vol mogelijk als maar verantwoord is, met de hoop dat je de lichtere wagens vroeg in de race bij kunt houden en later met een of twee kortere pitstops, waarin minder brandstof getankt hoeft te worden, kunt inhalen.

✔ **Andere wagens en inhaalmogelijkheden.** Hoe meer pitstops je maakt, des te meer je bent overgeleverd aan het verkeer op de baan. Na elke pitstop kun je achter langzamere wagens terecht komen die nog niet voor hun stop binnen zijn gekomen. Vooral op circuits met weinig inhaalmogelijkheden, zoals Monaco, kan dit voor flink wat problemen zorgen. Op dezelfde manier wordt de timing van de pitstop afgestemd op het overige verkeer. Een team kan een wagen bijvoorbeeld eerder binnenhalen om te voorkomen dat hij achter een aantal langzamere wagens komt te zitten.

✔ **De slijtage van de remmen.** Een aantal circuits, zoals Imola, Montreal en Monza, zijn extreem zwaar voor de remmen. Deze remmen worden door een volle tank extra belast.

> ✔ **De rijstijl van de coureur.** Tussen twee pitstops is er een duidelijke verandering van de balans en handling van de wagens. Deze verandering zal bij een race met minder pitstops door de gewichtsverandering extra merkbaar zijn. De teams moeten er rekening mee houden dat lang niet elke coureur goed met deze veranderingen overweg kan.

De start

Echte inhaalacties op de baan zijn in de moderne Formule 1 vrij zeldzaam geworden. Op de smalste circuits, zoals Monaco en Hongarije, zie je met geluk zes inhaalacties per race. In de paragraaf 'Waarom inhaalacties zo zeldzaam zijn', later in dit hoofdstuk, lees je waarom inhalen zo moeilijk is op deze banen. Voor de meeste coureurs zijn de momenten direct na de start en de eerste bocht van de race daarom de beste gelegenheid die ze in de race zullen krijgen om de voorliggende wagens in te halen.

De start is hierdoor niet alleen het spannendste onderdeel van de race, maar heeft ook belangrijke consequenties voor de te kiezen strategie.

Een wagen met een halfvolle tank is ongeveer 60 kilo, bijna 10 procent van het totale gewicht, lichter dan een compleet volgetankte wagen. Dit gewichtsverschil heeft tijdens de start een enorme invloed op het acceleratievermogen van de wagen. Op dezelfde manier komt een coureur op zacht rubber meestal veel beter weg dan een coureur die voor de hardere banden heeft gekozen.

Op circuits waar het moeilijk kiezen is tussen twee of drie stops, kan het voordeel van de snelle start net de balans in de richting van de drie stops laten doorslaan. Zelfs wanneer het duidelijk is welke strategie de snelste is, kan een team ervoor kiezen om met een lichte wagen te vertrekken en de minder optimale timing van de latere pitstops voor lief te nemen. Dit is exact de tactiek waarmee de Ferrari-coureurs Michael Schumacher en Eddie Irvine in 1999 de snellere McLarens op Monaco konden voorblijven.

De start van de race

Alle voorbereidingen, van de eerste ontwerpen in de fabriek tot de laatste besprekingen voor de race, leiden naar het grote moment waarop de race daadwerkelijk start. Een Australische coureur drukte het ooit zo uit: 'When the flag drops, the bullshit stops.' Ook al is er geen startvlag meer, hij heeft nog steeds gelijk.

De startprocedure is als volgt:

1. De wagens worden dertig minuten voor de start vanuit de pits naar hun posities op de startgrid gereden.

2. Vijftien minuten voor de start wordt de pitstraat gesloten. Alle wagens die zich op dat moment nog in de pits bevinden, moeten vanuit de pits starten. Dit zou niet bepaald een goed begin van je race zijn!

3. Al het personeel (uiteraard met uitzondering van de coureurs) moet vijf minuten voor de start de startgrid vrijmaken.

4. Het groene licht geeft het begin van de opwarmronde (de 'formation lap') aan. Een wagen die niet direct wegkomt, mag alleen maar terugrijden naar zijn eigen startplek als hij nog niet door alle andere wagens is gepasseerd. Is dit wel het geval, dan moet hij achteraan op de grid vertrekken. Los van het inhalen van wagens met een duidelijk probleem of van het terugrijden naar de oorspronkelijk startpositie na een traag vertrek bij het begin van deze opwarmronde, is het niet toegestaan andere wagens in deze ronde in te halen.

5. De wagens rijden aan het einde van de opwarmronde naar hun eigen plek op de startgrid. Zodra de laatste wagen op zijn plek stilstaat, geeft een official achter aan de grid met een vlag aan dat de race gestart kan worden. De starter van de race zet daarop de startprocedure met de startlichten in werking.

6. Een reeks van vijf rode lampen boven de start gaat één voor één aan (zie figuur 9.1). Zodra de vijfde lamp aan is, gaat de race tussen de 0,2 en de 3 seconden later van start. Deze pauze is door de starter voor de race gekozen, maar is voor de coureurs uiteraard geheim.

En ze zijn weg! Zodra de lichten uit zijn, gaat de race van start.

De beste start neerzetten

De tijden dat een coureur voordeel van een valse start zou kunnen hebben, zijn inmiddels lang voorbij. De elektronische sensoren op de startgrid vertellen de raceleiding precies welke coureur te snel weg was. Het resultaat is een stop-and-go penalty van 10 seconden of een drivethrough penalty (naar keuze van de raceleiding) voor de desbetreffende coureur. Deze coureur heeft na de race een hoop aan zijn teambaas uit te leggen.

Formule 1-wagens gebruiken een combinatie van verschillende technische hulpmiddelen om zo snel mogelijk bij de start weg te komen. Tot 2004 mocht er gebruikgemaakt worden van de 'launch control'. Zodra de coureur de startknop losliet, nam deze launch control een groot deel van de taken van de coureur over. Het was nog steeds de coureur die op de startlichten moest reageren, maar elk ander aspect van de start,

Waarom geen groen licht?

Het groene licht wordt alleen gebruikt om het begin van de opwarmronde aan te geven. Het kan voorkomen dat deze opwarmronde, bijvoorbeeld na een probleem met een wagen op de grid, wordt herhaald. In dit geval wordt opnieuw het groene licht gebruikt. Door voor de eigenlijke start van de race een compleet ander signaal te gebruiken, worden eventuele misverstanden voorkomen. Zodra de lichten uit zijn, gaat de race van start.

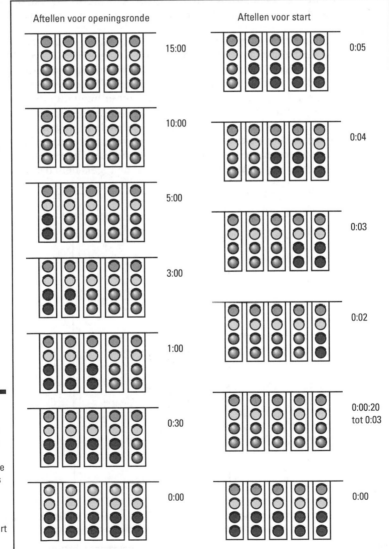

Aftellen voor openingsronde

15:00
10:00
5:00
3:00
1:00
0:30
0:00

Aftellen voor start

0:05
0:04
0:03
0:02
0:00:20
tot 0:03
0:00

Figuur 9.1: Hoe ingewikkeld de startsignalen ook lijken, voor de coureurs is het even eenvoudig als 'klaar voor de start – AF!'

zoals het aantal toeren dat de motor maakt en de controle over de koppeling, werd door de software van de boordcomputer geregeld. Maar zelfs de launch control kon alleen maar uit de wagen halen wat er gezien de motorkracht, het gewicht, de versnellingen en de tractie al in zat. Een zware wagen met veel brandstof aan boord zal ook met launch control langzamer zijn.

Coureurs met een zwaardere wagen zullen er bij de start veel aan gelegen zijn om hun rivalen achter zich te houden. Kunnen ze de lichtere wagens achter zich houden, dan verpesten ze daarmee de strategie van deze lichtere wagens. Dezelfde start vormt voor de coureurs met een lichtere wagen echter een van de beste gelegenheden om langs de zwaardere wagens voor hen te komen. De bestuurders van de zwaardere wagens moeten vaak veel risico nemen om hun plek te verdedigen.

Het sportieve reglement legt precies vast wat een coureur wel en niet mag doen om zijn plek te verdedigen. Zo mag de verdedigende coureur maar één keer van zijn lijn afwijken (van de ene zijde van de baan naar de andere zijde), terwijl er voor de aanvallende coureur geen beperking bestaat (zie figuur 9.2). Michael Schumacher heeft inmiddels een reputatie opgebouwd met de felle verdedigingen van zijn plek. Na een slechte start probeert hij bijna altijd direct de snellere wagens achter zich te blokken. Dit ontlokt aan coureurs als David Coulthard en Juan Pablo Montoya telkens felle kritiek. Kritiek die Schumacher wegwuift met de opmerking dat hij alleen maar doet wat de regels hem toestaan.

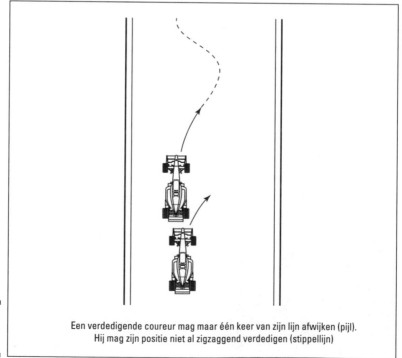

Figuur 9.2: De lijnafwijkingsregel

Een verdedigende coureur mag maar één keer van zijn lijn afwijken (pijl). Hij mag zijn positie niet al zigzaggend verdedigen (stippellijn)

Launch control; starten was niet altijd moeilijk

Vanaf de Grand Prix van Spanje in 2001 tot het seizoen 2004 hoefden coureurs zich bij de start geen zorgen meer te maken over toerentallen, wielspin of de optimale momenten om te schakelen. Een hele trits aan elektronische hulpmiddelen stond de coureur bij. Zo hoefde hij voor de start alleen maar launch control in te schakelen, de startknop ingedrukt te houden en deze op het juiste moment als de lichten uitgingen weer los te laten. De software zorgde voor de optimale versnelling.

Elektronische hulpmiddelen als launch control en traction control (waarmee doorslippende wielen worden voorkomen) waren sinds 1994 in de Formule 1 verboden, maar de naleving van dit verbod bleek in de praktijk nauwelijks te controleren. De FIA besloot dit verbod daarom op te heffen, maar is wat betreft de launch control daar al weer op teruggekomen.

De raceleiding let bij de start met name op wat er vooraan in het veld gebeurt. Verder naar achteren, uit de spotlights, vinden alle mogelijke overtredingen van de race-etiquette en de regels plaats. In de hectische openingsronde zou je iemand daar achter in het veld ongestraft de muur in kunnen rijden.

Mocht je vinden dat al die elektronica niets in de Formule 1 te zoeken heeft, dan ben je zeker niet de enige. De discussie over traction control laait elk jaar weer op en de launch control is nu verboden. Voorlopig zijn elektronische hulpjes echter nog steeds onderdeel van de sport.

Aanvallen blokkeren

Maar als de verdediger maar één keer van lijn mag veranderen (zie eerder in dit hoofdstuk), waarom passeert de aanvaller hem dan niet eenvoudig langs de andere zijde? Het hangt allemaal van de timing van de verdediger af. Als hij het goed doet, wacht hij met blokkeren totdat de aanvaller zijn neus naast de achterwielen heeft. De aanvaller moet zijn voet van het gas halen en verliest de snelheid die nodig was voor de inhaalactie.

De verdedigende coureur moet dus erg koel blijven en niet te vroeg opzij gaan. De aanvaller zou hem dan immers zonder enige moeite al wuivend langs de andere zijde kunnen passeren.

Waarom inhaalacties zo zeldzaam zijn

Zijn de wagens eenmaal voorbij de eerste bocht van de race, dan is het ongelofelijk moeilijk hen nog op de baan in te halen. We zullen je vertellen waarom.

✔ **Op het rechte stuk inhalen.** Zelfs het verschil tussen de snelste en de langzaamste wagen in het veld is meestal niet voldoende om er eenvoudig op het rechte stuk langs te rijden. Wil een coureur er op het rechte stuk langs, dan moet hij dat voor de bocht hebben gedaan. In tegenstelling tot een oval is er op een Formule 1-circuit namelijk maar één snelle lijn door de bocht. De aanvaller moet dus volledig langs de tweede wagen zien te komen. Krijgt hij alleen zijn neus langs de andere wagen, dan moet hij zijn positie in de volgende bocht alweer opgeven. Meestal is dit alleen bij een technisch defect van de andere wagen mogelijk.

✔ **Tijdens het remmen inhalen.** Dit is het gebruikelijke moment voor de inhaalacties op de baan, maar het is allesbehalve eenvoudig. De meer dan 2000 kilo neerwaartse kracht die op de wagens drukt maakt het mogelijk soms met meer dan 5 G af te remmen. Alleen al je voet van het gas halen, zelfs zonder dat je het rempedaal aanraakt, levert in een Formule 1-wagen rond de 1 G aan afremming op; vergelijkbaar met een noodstop in een normale personenwagen! De remafstanden voor de bochten zijn dan ook extreem kort, met extreem weinig speelruimte voor een succesvolle inhaalactie.

✔ **Slipstreaming.** Achterliggende wagens kunnen voordeel hebben van de slipstream die achter de wagen van de voorligger ontstaat. De voorligger duwt als het ware een gat in de lucht, wat de luchtweerstand voor de wagens direct achter hem sterk reduceert. Een coureur kan dit extra zetje gebruiken om net iets sneller te zijn dan zijn voorligger, zodat hij er met wat geluk net voorbij kan komen. Wil de aanvaller succesvol zijn, dan zal hij zijn actie vlak voor het rempunt langs de binnenzijde van de bocht moeten sturen. De verdediger kan met zijn ene toegestane richtingsverandering de aanvaller achter vrij eenvoudig blokkeren, wat deze dwingt het langs de lange buitenzijde te proberen.

Desondanks is het bij sommige bochten vrij goed mogelijk om in te halen:

✔ Een korte links/rechts- of rechts/links-combinatie waarbij de buitenste lijn van de eerste bocht direct overgaat in de voordelige binnenzijde van de tweede bocht, biedt een zeer goede inhaalmogelijkheid voor de wagens. Deze opwindende bochten kom je bijvoorbeeld op de aangepaste Nürburgring in Duitsland tegen.

✔ Een lang recht stuk gevolgd door een langzame haarspeldbocht, waarmee de remafstand voor de bocht wordt verlengd, biedt eveneens een goede inhaalgelegenheid. Je vindt deze combinatie bijvoorbeeld op het circuit van Hockenheim in Duitsland en het circuit van Sepang in Maleisië.

De Senna S-bocht van Interlagos (zie figuur 9.3) combineert beide mogelijkheden en biedt zo een klassieke inhaalplek. In pas zijn derde Grand Prix maakte Juan Pablo Montoya zich in 2001 onsterfelijk door letterlijk band tegen band in deze bocht de leiding van de Grand Prix van Brazilië van Michael Schumacher over te nemen.

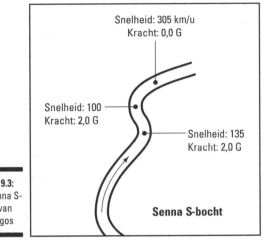

Snelheid: 305 km/u
Kracht: 0,0 G

Snelheid: 100
Kracht: 2,0 G

Snelheid: 135
Kracht: 2,0 G

Figuur 9.3:
De Senna S-
bocht van
Interlagos

Senna S-bocht

Aangezien dergelijke circuits voldoende inhaalmogelijkheden bieden, loont een agressievere strategie met bijvoorbeeld drie in plaats van twee stops vaak de moeite.

Er bestaan nog steeds geweldige inhaalacties

Dat de kunst van het inhalen niet helemaal verloren is gegaan in de Formule 1, bewijst een van de mooiste inhaalacties ooit, tijdens de Grand Prix van België van 2000.

De race was van begin tot einde een titanenstrijd tussen twee coureurs die om de wereldtitel streden: Michael Schumacher en Mika Häkkinen. Schumacher had het grootste deel van de race in zijn Ferrari geleid, maar werd in het laatste deel van de race snel bijgehaald door de McLaren van Häkkinen.

Schumacher had zijn wagen met meer vleugel afgesteld en was daardoor langzamer de heuvel omhoog die volgt op de Eau Rouge, misschien wel de mooiste bocht uit de Formule 1. Hij wist dat hij daardoor kwetsbaar was voor een inhaalactie in de nauwe rechtsbocht Les Combes, direct aan het einde van het rechte stuk omhoog.

Enkele ronden voor het einde wist Häkkinen zijn wagen in precies deze bocht naast de Ferrari te brengen. Terwijl beide wagens meer dan 300 km/u reden, begon Schumacher Häkkinen langzaam richting het gras te dwingen. Häkkinen moest geschrokken van het gas, maar kon daarbij niet voorkomen dat zijn voorvleugel de achterzijde van de Ferrari raakte. Nu was Häkkinen kwaad.

In de volgende ronde kwamen beide coureurs in dezelfde bocht de BAR van Ricardo Zonta tegen. Schumacher koos ervoor om Zonta langs de linkerzijde te lappen. Häkkinen reageerde razendsnel en zette zijn wagen rechts langs de verstijfde Zonta en kon Schumacher zo vervolgens in de aansluitende bocht uitremmen en de leiding in de race nemen. Na deze fraaie overwinning was te zien hoe de Fin kort maar streng enkele woorden met Schumacher wisselde.

Er zijn genoeg Formule 1-puristen die je vertellen dat juist omdat de inhaalacties zo zeldzaam zijn, ze de Formule 1 tot iets speciaals maken. Te veel inhaalacties zouden uiteindelijk net zo saai zijn. Het spreekt in je voordeel als je dit maar een vreemde bewering vindt. Misschien moet je gewoon een antwoord geven als: 'Dat is een gevaarlijke instelling waarmee de Formule 1 veel fans kan verliezen. De Formule 1 zou moeten beseffen hoe belangrijk dit onderdeel van het racen voor het kijkplezier is!'

Zowel de FIA als de teams besteden veel aandacht aan het inhaalprobleem in de Formule 1. De populairste aandachtspunten zijn een vermindering van de toegestane neerwaartse kracht en een inhaalvriendelijker ontwerp van de circuits. In de Formule 1 gaat echter veel tijd over elke beslissing heen. Reken dus niet op al te snelle veranderingen.

Laat je niet verrassen

Wat onder normale omstandigheden een perfecte racestrategie zou zijn geweest, kan door onvoorziene omstandigheden plotseling op een ramp uitlopen. Tijdens de Grand Prix van Duitsland van 2000 liep een voormalig Mercedes-medewerker uit protest over de baan. Deze totaal onvoorziene gebeurtenis kostte McLaren (met Mercedes -motoren!) de overwinning. De safety car die vanwege de demonstrant op de baan werd gebracht, kwam voor McLaren precies op het verkeerde tijdstip. Rubens Barrichello wist de situatie in zijn Ferrari perfect te benutten en won daarmee voor de allereerste keer in zijn carrière een Grand Prix.

Op dezelfde manier kan een verkeerde strategie door onvoorziene incidenten of wisselvallig weer plotseling worden gered. Soms bieden zulke situaties prachtige mogelijkheden voor de oplettende teams.

Afgebroken race

Is het vanwege een ernstig ongeval op de baan niet meer mogelijk verantwoord de race voort te zetten, dan wordt deze met rode vlaggen door de baancommissarissen afgebroken. Gebeurt dit nadat er meer dan 2 ronden van de race, maar minder dan 75 procent van de raceafstand zijn afgelegd, dan wordt de race 20 minuten later herstart. De startopstelling is daarbij gelijk aan de racevolgorde in de ronde voorafgaande aan de ronde waarin de race werd afgebroken. De wagens worden op de grid opgesteld en mogen niet naar de pits. Bovendien is het verboden de wagens op de grid bij te tanken.

Aangezien de race gewoon daar wordt voortgezet waar hij was afgebroken, is er voor de meeste teams geen reden hun racestrategie te wijzigen. Maar ook al zijn de onderlinge posities gelijk gebleven, op de baan kan er veel zijn veranderd. Stel bijvoorbeeld dat een McLaren-coureur voorlag op een coureur van Williams, en vlak voor de onderbreking in de pits kwam voor brandstof en nieuwe banden. Alle wagens zijn door de herstart weer bij elkaar gebracht. De McLaren-coureur moet de race hierdoor starten achter de langzamere Saubers en Jordans, terwijl zijn concurrent van Williams op een vrije baan eerder binnen gebracht kan worden en dankzij de vertraging van de McLaren toch voor kan blijven. Feest bij Williams, zure gezichten bij McLaren.

Races die worden afgebroken nadat 75 procent van de raceafstand is afgelegd, kunnen om een heel andere reden voor een verrassende uitslag zorgen. In deze situatie wordt de race namelijk als beëindigd beschouwd, waarbij de racevolgorde in de ronde voorafgaand aan de ronde waarin de race werd afgebroken, de uitslag van de race bepaalt. Slecht nieuws dus voor de topcoureur die vlak voor het race-einde binnen was gekomen en nu vijfde lag. Maar wie zei dat het leven eerlijk is?

Safety car

De safety car, tegenwoordig een opgevoerde Mercedes SL die door een ervaren coureur wordt bestuurd, neutraliseert de race als er door een ongeval of door de raceomstandigheden een gevaarlijke situatie voor de coureurs of de baancommissarissen is ontstaan. De safety car houdt de snelheid van het veld beperkt, zodat de veiligheid van de betrokkenen gegarandeerd is. De safety car wordt bijvoorbeeld naar buiten gebracht als de baancommissarissen de baan vrij van brokstukken moeten maken of als een plotselinge wolkbreuk de baan te gevaarlijk heeft gemaakt. In hoofdstuk 12 lees je meer over de rol van de safety car.

Aangezien de safety car het hele veld weer samenbrengt, gaat de voorsprong die een coureur op zijn rivalen had opgebouwd, weer verloren. De achtervolgende coureur zou zo zomaar een tweede kans kunnen krijgen in een race die hij eigenlijk al had opgegeven.

Was je net van plan een pitstop te maken als de safety car op de baan komt, dan mag je in je handjes knijpen. In deze situatie halen de teams hun coureurs meestal direct naar binnen. Door de lagere snelheid van de safety car verliest het team uiteraard veel minder tijd dan gedurende een normale raceronde. Het voordeel kan zo groot zijn, dat sommige teams er zelfs voor kiezen beide wagens tegelijkertijd binnen te halen, ook al mogen ze maar aan één wagen tegelijk werken. Ondanks het wachten verliest de tweede coureur zo nog steeds minder tijd dan wanneer hij nog een ronde achter de safety car had moeten rijden.

De teams moeten ook de lengte van de safety car-periode proberen in te schatten. Gaat het om een serieus ongeval dan mag je ervan uitgaan dat de safety car meerdere ronden op de baan zal blijven. Deze langzame ronden tellen echter gewoon mee voor de raceafstand, zij het dat het brandstofverbruik van de wagens in deze ronden beduidend lager is. Afhankelijk van het stadium van de race, zou het team zomaar kunnen beslissen om van een driestopsstrategie op twee stops over te stappen.

De safety car kan de race soms flink overhoop gooien. Tijdens de Grand Prix van Maleisië in 2001 schoven de Ferrari-coureurs Michael Schumacher en Rubens Barrichello door de spekgladde en verregende baan in de tweede ronde beide van het asfalt. Ze lagen op dat moment respectievelijk eerste en tweede in de race, maar konden pas als elfde en twaalfde weer invoegen. De nieuwe raceleider David Coulthard spinde eveneens in de tweede ronde, maar besloot in plaats van door te rijden, direct binnen te komen om regenbanden onder zijn wagen te laten zetten. Even later werd het de raceleiding te gek en de safety car werd naar buiten gebracht. Ferrari benutte de gelegenheid om beide coureurs direct naar de pits te roepen. Het Ferrari-team kon dankzij de safety car langer over de bandenkeuze nadenken; zolang ze de beide wagens maar voor de eerstvolgende doorgang van de safety car weer naar buiten brachten. Ferrari redeneerde dat de safety car pas naar binnen zou worden gehaald als de ergste regen voorbij was, en koos daarom niet voor de echte regenbanden maar voor intermediates. Het was de juiste keuze en ze wonnen de race.

Hoofdstuk 10
Met pit in de pits

*P*itstops zijn in de loop der jaren uitgegroeid tot de spannendste en opwindendste momenten van een Grand Prix, vaak met een beslissende invloed op de race-uitslag. In deze sport waarin alles draait om snelheid, zal het je misschien verbazen dat een wagen die een seconde of zeven stilstaat in de pits, belangrijker is dan alles wat er verder op de baan gebeurt.

Bovendien zetten pitstops het team achter de coureur in de schijnwerpers. Individuele leden van een team, zoals de mannen die verantwoordelijk zijn voor de bandenwissel, zijn tijdens een pitstop plotseling een wezenlijk onderdeel van de race. Maar misschien is nog wel het belangrijkste dat pitstops de intellectuele uitdaging van de Formule 1 onderstrepen. De racestrategie die een coureur naar de overwinning moet brengen, staat of valt met de timing en de uitvoering van de pitstops.

Een pitstop voor beginners

Pitstops zijn een wezenlijk onderdeel van de hedendaagse Formule 1. Ook al zijn pitstops niet verplicht, de race in enkele kortere stukken verdelen die telkens met minder brandstof aan boord afgelegd kunnen worden, is verreweg de snelste manier om de wagen naar de geblokte vlag te brengen. Dit voordeel wordt nog eens benadrukt door de nieuwe banden die bij elke pitstops op de wagen worden gezet. Geen enkel team zal zich de vraag stellen óf ze een pitstop zullen maken. De enige vraag is hoevéél pitstops.

Wat is de 'pits'?

De pits is het gebied tussen de eigenlijke baan en de pitboxen waarin de teams hun werk doen. De naam 'pits' is uit een lang vervlogen tijd afkomstig. Ooit was het namelijk gebruikelijk dat er naast de baan een langwerpige kuil was gegraven, een *pit* in het Engels, van waaruit de teamleden de hun coureurs konden toeseinen.

Deze kuil scheidde het werkgebied van de teams af van het eigenlijke circuit. Het duurde niet lang voordat de pitkuil een pitmuur werd, en langzaam door de teambazen werd ingenomen als de perfecte basis voor het overzien en controleren van de race. De rest van het team, zoals de technici en de pitcrew, zit aan de andere kant van de pitmuur in de pitboxen van het team.

De pitcrew

Tijdens een pitstop mogen er maar liefst twintig teamleden tegelijkertijd aan een wagen werken. Normaal gesproken tref je bij een pitstop in elk geval de volgende mensen rond de wagen aan:

- Twee personen bij elk wiel die samen de banden vervangen.

- Een persoon die de voorzijde van de wagen oplift.

- Een persoon die de achterzijde van de wagen oplift en wanneer nodig de motor herstart.

- Een persoon die met de lollipop aangeeft waar de wagen moet stoppen en wanneer hij weer mag wegrijden.

- Drie personen (inclusief een reserveman) voor het bijtanken van de wagen.

- Twee personen die klaarstaan met brandblussers voor het geval er een brand optreedt.

- Wanneer de coureur er geen bezwaar tegen heeft, maakt er ook nog iemand zijn vizier tijdens de pitstop schoon.

De hele operatie wordt door de teammanager in goede banen geleid, zodat er altijd een paar reservekrachten zijn voor zaken als het bijstellen van de vleugels.

Met uitzondering van de teammanager, zijn alle leden van de pitcrew meestal opgeleid als monteur, ook al zijn er verder geen formele eisen voor wie wel of geen lid van een pitcrew mag zijn. De man met de lollipop is meestal de hoofdmonteur.

Maar ik dacht dat we vrienden waren! Rivaliteit binnen het team

De pitcrew werkt maar voor een van de coureurs. Het is helemaal niet ongebruikelijk dat ze de crew van de andere coureur als rivalen zien, ook al werken ze uiteindelijk voor hetzelfde team. Aan de teammanager de zware opgave om deze rivaliteit in een positieve motivatie om te zetten en te voorkomen dat beide crews elkaar daadwerkelijk zouden gaan tegenwerken. Niemand zit er uiteindelijk op de wachten dat het ene deel van het team het andere deel voor de voeten loopt.

Al deze mensen moeten tijdens een pitstop snel en bovenal zeer betrouwbaar hun werk doen. In de paragraaf 'De anatomie van een pitstop' vertellen we je meer over de taken van al deze mensen.

De tijd tussen de pitstops brengt de pitcrew in de pitbox door, terwijl ze de race op de monitors volgen. Doet hun coureur het niet goed genoeg of maakt hij een stomme fout, dan is het gevloek niet van de lucht, maar de meeste tijd wordt al vriendelijk kletsend doorgebracht. Dit is een van de weinige momenten in het weekend waarin ze de kans krijgen zich te ontspannen.

Veiligheid en gevaar in de pits

In een hectische omgeving vol gestreste teamleden en wagens die met roodgloeiende motoren naast de brandstofvoorraad staan, ligt er altijd gevaar op de loer.

Maar ook al is er niemand die dit gevaar ontkent, dankzij de strikte veiligheidsvoorschriften zijn ernstige ongevallen in de pits zeer uitzonderlijk. De veiligheidsvoorschriften voor de pits omvatten onder meer:

- **Een begrensde snelheid in de pitstraat.** De maximumsnelheid in de pits is tijdens de trainings- en kwalificatiesessies 60 km/u en tijdens de race meestal 80 km/u (60 km/u in Monaco). Deze regel is ingevoerd nadat een monteur in de pitstraat van Imola in 1994 gewond raakte.

- **Een verbod op achteruitrijden in de pitstraat.** Moet een wagen achteruit worden bewogen, dan mag dat uitsluitend door de crew met de hand worden gedaan.

- **Een beperking van het aantal personeelsleden in de pitstraat.** De crew mag pas in de ronde voorafgaande aan de pitstop uit de garage komen en zich voorbereiden op de pitstop. Naast de race-officials zijn zij de enige personen die zich tijdens de race in de pitstraat mogen bevinden. De crew moet zich na de pitstop weer in hun pitbox terugtrekken.

✔ **Verplichte brandwerende kleding.** Alle crewleden moeten net als de coureurs brandwerende Nomex-overalls dragen. Deze overalls kunnen gedurende 12 seconden temperaturen tot 800 graden doorstaan. Daarnaast is ook voor de pitcrew een volledige integraalhelm verplicht, voor nog meer bescherming tegen vuur en ongelukken.

✔ **Begrensde tanksnelheid.** De tankinstallaties mogen niet meer dan 12 liter brandstof per seconde in de wagen pompen. De hoge-druktankinstallaties die ooit voor het bijtanken werden gebruikt, zijn niet meer toegestaan. De begrensde druk van de brandstof voorkomt gevaarlijke situaties bij een eventueel defect aan de tankinstallatie.

✔ **Gestandaardiseerde veiligheidskleppen voor de tankinstallatie en de tankslang.** Naast de dodemanshendel op de tankslang waarmee de brandstoftoevoer bij een probleem direct kan worden afgesloten, zorgt een apart systeem van kleppen ervoor dat er geen ontvlambare dampen kunnen ontsnappen. De brandstofdampen van de tank worden weer uit de wagen afgezogen.

Ondanks alle veiligheidsmaatregelen kan er nog steeds veel misgaan, zoals Michael Schumacher tijdens de Grand Prix van Australië van 2003 demonstreerde. Tijdens een routinepitstop sloegen plotseling de vlammen uit de tankslang. Later bleek een defecte afdichting schuld aan het ongeval.

Waarom coureurs pitstops maken

Het doel van een geplande pitstop is het bijtanken van de wagen en het vervangen van de banden. De wagen is op deze manier altijd zo licht mogelijk onderweg (voor betere prestaties), met nieuw rubber voor de beste grip op het asfalt.

Geplande pitstops

Een Formule 1-wagen met een benzinetank die groot genoeg is om de complete raceafstand van een Grand Prix (305 kilometer) af te leggen, zou tijdens de race hopeloos slecht presteren. De wagen zou door de hoeveelheid brandstof (rond de 330 liter) veel te zwaar en langzaam zijn bij de start. Bovendien zou de wagen door de enorme brandstoftank een zeer ongunstige gewichtsverdeling en aërodynamische karakteristiek krijgen.

Sneller door te stoppen

Een coureur verliest inclusief het afremmen en bijtanken tijdens een pitstop ongeveer 30 seconden. Een wagen die slechts genoeg brandstof voor de halve raceafstand aan boord heeft, kan de tijd voor deze pitstop met gemak door zijn betere rondetijden goedmaken. Zelfs als je de aërodynamische inefficiëntie van een wagen die de complete raceafstand in één keer kan afleggen even vergeet, dan nog zal een wagen die de raceafstand in tweeën splitst, over de hele raceafstand ongeveer 54 seconden sneller zijn. Houd je rekening met de 30 seconden voor de pitstop, dan wint de wagen met de eenstopsstrategie de race met een voorsprong van ongeveer 24 seconden.

Deze cijfers zijn gebaseerd op een verlies van 0,3 seconden per ronde voor elke 10 kilo brandstof aan boord (meestal een vrij goede schatting), en een totale hoeveelheid benodigde brandstof van 240 kilo (zoals bijvoorbeeld voor Montreal). De wagen met de eenstopsstrategie is gedurende de eerste helft van de race gemiddeld 1,8 seconde per ronde sneller. In de tweede racehelft zijn beide wagens even snel. Tel daarbij op dat de wagen met de eenstopsstrategie zachtere banden kan gebruiken die niet de hele race mee hoeven te gaan, en het voordeel van de pitstop zal nog duidelijker zijn.

Het belangrijkste doel van een pitstop is het bijtanken van de wagen, al worden vrijwel altijd ook de banden vervangen. De pitstop geeft het team bovendien de gelegenheid andere, kleine dingen aan de wagen te veranderen.

Het is bijvoorbeeld goed mogelijk dat de handling van de wagen sinds de kwalificatie van zaterdag achteruit is gegaan. Misschien vindt de coureur bijvoorbeeld dat de wagen nu te veel onderstuurt. Het team kan dit probleem verhelpen door de voorvleugel van de wagen tijdens de pitstop iets schuiner in te stellen, zodat de extra druk het ondersturen compenseert.

Op dezelfde manier kan een coureur die voor een wagen met veel neerwaartse kracht heeft gekozen, tijdens de race merken dat hij hierdoor nauwelijks nog in staat is zijn positie te verdedigen. Wederom kan het team tijdens de pitstop de voor- en achtervleugels wat bijstellen. Tijdens het bijtanken is er genoeg tijd voor deze aanpassingen.

De belangrijkste vraag die een team zich moet stellen, is hoeveel pitstops de coureurs voor het beste resultaat moeten maken. Het antwoord op deze vraag is onder meer afhankelijk van de aard van het circuit en de invloed van het gewicht van de brandstof op de rondetijden. In het verleden gaven de teams op de meeste circuits de voorkeur aan een strategie met twee stops. Sinds 2003 is het echter niet meer toegestaan de wagens tussen de kwalificatie en de race bij te tanken. Om de wagens toch zo licht mogelijk te houden, kiezen veel teams tegenwoordig daarom op deze circuits voor een driestopsstrategie.

Ongeplande pitstops

Komt een coureur binnen voor een pitstop zonder dat de wagen wordt bijgetankt, dan weet je zeker dat er iets mis is. Of hij heeft een of ander technisch probleem dat direct moet worden verholpen, of hij heeft van het sportieve reglement een straf voor een overtreding gekregen. De milde variant van deze straf is de drive-through penalty waarbij de coureur één keer met de voorgeschreven snelheid van 80 km/u (60 km/u in Monaco) door de pitstraat moet rijden, waarna hij direct weer aan de race mag deelnemen. De zwaardere straf is de stop-and-go penalty waarbij de coureur niet alleen door de pitstraat moet rijden, maar daarbij ook nog eens 10 seconden stil moet staan, voordat hij weer aan de race mag deelnemen. Inhalen op plekken van de baan waar een gele vlag werd getoond en een valse start zijn de typische vergrijpen die met deze straffen worden beboet.

De anatomie van een pitstop

Ook al duurt een pitstop maar een paar seconden, de pitcrew moet in deze enkele seconden een hele reeks taken afhandelen. We zullen alle taken afzonderlijk aan je voorstellen. In figuur 10.1 vind je een schematisch overzicht van deze taken.

Inprogrammeren bijtanken. Het team kan aan de hand van de ronde waarin de coureur binnenkomt en het aantal ronden tot de volgende pitstop de tankinstallatie zo programmeren, dat deze exact de benodigde hoeveelheid brandstof in de wagen pompt.

Timing. Meestal krijgt de coureur de ronde voorafgaande aan de pitstop te horen wanneer hij in de pits wordt verwacht. Op hetzelfde moment trommelt de teammanager de pitcrew van de coureur op, die zich met hun gereedschap en de banden voor de garage verzamelt. De lollipopman, het crewlid met het lollyvormige bord, positioneert zichzelf exact ter hoogte van de plek waar de neus van de wagen moet komen te staan, en wijst de coureur met de lollipop naar de juiste stopplek.

Binnenrijden pitstraat. Voordat de coureur de witte lijn die het begin van de pitstraat markeert passeert, brengt hij zijn snelheid terug tot de voorgeschreven 80 km/u (60 km/u in de krappe pitstraat van Monaco). De snelheidsbegrenzer ('limiter') die hij bij het inrijden van de pitstraat inschakelt, zorgt er automatisch voor dat hij onder deze snelheid blijft. Met het inschakelen van de snelheidsbegrenzing wordt ook automatisch de klep van de brandstoftank geopend.

Hoe goed de snelheidsbegrenzing ook zijn werk doet, uiteindelijk is de coureur de enige die verantwoordelijk is voor het kiezen van de juiste snelheid bij het binnenrijden van de pitstraat. De begrenzer voorkomt alleen maar dat hij daarna per ongeluk weer te hard gaat.

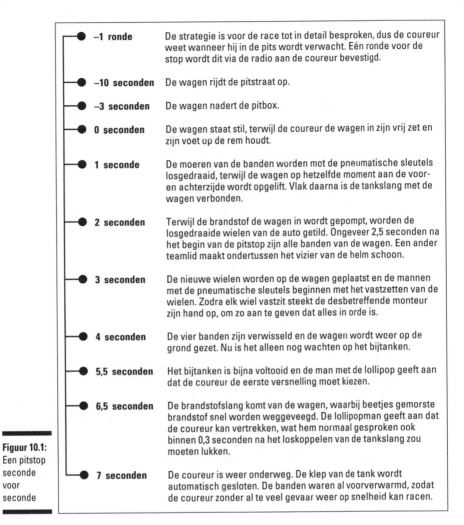

−1 ronde	De strategie is voor de race tot in detail besproken, dus de coureur weet wanneer hij in de pits wordt verwacht. Eén ronde voor de stop wordt dit via de radio aan de coureur bevestigd.
−10 seconden	De wagen rijdt de pitstraat op.
−3 seconden	De wagen nadert de pitbox.
0 seconden	De wagen staat stil, terwijl de coureur de wagen in zijn vrij zet en zijn voet op de rem houdt.
1 seconde	De moeren van de banden worden met de pneumatische sleutels losgedraaid, terwijl de wagen op hetzelfde moment aan de voor- en achterzijde wordt opgelift. Vlak daarna is de tankslang met de wagen verbonden.
2 seconden	Terwijl de brandstof de wagen in wordt gepompt, worden de losgedraaide wielen van de auto getild. Ongeveer 2,5 seconden na het begin van de pitstop zijn alle banden van de wagen. Een ander teamlid maakt ondertussen het vizier van de helm schoon.
3 seconden	De nieuwe wielen worden op de wagen geplaatst en de mannen met de pneumatische sleutels beginnen met het vastzetten van de wielen. Zodra elk wiel vastzit steekt de desbetreffende monteur zijn hand op, om zo aan te geven dat alles in orde is.
4 seconden	De vier banden zijn verwisseld en de wagen wordt weer op de grond gezet. Nu is het alleen nog wachten op het bijtanken.
5,5 seconden	Het bijtanken is bijna voltooid en de man met de lollipop geeft aan dat de coureur de eerste versnelling moet kiezen.
6,5 seconden	De brandstofslang komt van de wagen, waarbij beetjes gemorste brandstof snel worden weggeveegd. De lollipopman geeft aan dat de coureur kan vertrekken, wat hem normaal gesproken ook binnen 0,3 seconden na het loskoppelen van de tankslang zou moeten lukken.
7 seconden	De coureur is weer onderweg. De klep van de tank wordt automatisch gesloten. De banden waren al voorverwarmd, zodat de coureur zonder al te veel gevaar weer op snelheid kan racen.

Figuur 10.1:
Een pitstop
seconde
voor
seconde

De juiste stopplek. De coureur zet de wagen op exact de juiste plek neer. Terwijl de wagen stopt, houdt de lollipopman de lollipop voor de coureur. Het woord 'brakes' op de lollipop helpt de coureur eraan te herinneren dat hij zijn voet op het rempedaal moet houden, zodat de wielen bij het los- en vastdraaien van de wielmoeren niet mee gaan draaien. Bovendien moet de coureur voorkomen dat hij zijn motor per ongeluk laat afslaan, wat maar al te gemakkelijk kan gebeuren.

Het is belangrijk dat de coureur exact op de aangegeven plek stopt. De monteurs zouden kostbare seconden verliezen als ze hun apparatuur en de banden eerst een paar meter moesten verslepen. De exacte stop-plek voor de wagen is met markeringen op het asfalt aangegeven.

Krik voorzijde. Direct naast de lollipopman staat het crewlid dat verantwoordelijk is voor het liften van de voorzijde van de wagen. Zodra de wagen stilstaat, schuift hij zijn krik onder de neus van de wagen. De krik is opgebouwd uit stalen buizen met een ontgrendelingsmechanisme om de wagen direct weer op zijn wielen te zetten.

Meestal is het voldoende om de wagen ongeveer vijf centimeter te liften. Op circuits met een licht aflopende pitstraat zorgt een krik met grotere wielen voor net wat meer speelruimte onder de wagen. Aangezien de neus van elke wagen anders ontworpen is, moet de krik altijd op maat voor de wagen worden gemaakt.

Krik achterzijde. De persoon die de achterzijde van de wagen moet liften, kan zijn positie pas innemen als de wagen hem is gepasseerd. Hij schuift zijn krik onder de wagen en lift de achterzijde van de wagen.

Startmotor. De krik voor de achterzijde van de wagen is zo ontworpen, dat de wagen nog op de krik met de externe startmotor kan worden gestart. Er staat altijd een crewlid klaar om een afgeslagen motor weer snel te starten. De motor kan zowel door een fout van de coureur als door een technisch probleem met de versnellingsbak, koppeling of hydraulische systemen afslaan. Voor het geval dat de motor pas na een paar meter afslaat, is de startmotor met extra lange kabels uitgerust.

Bandenwissel. Elk wiel wordt door twee crewleden verwisseld. Terwijl een teamlid de pneumatische sleutel bedient waarmee de centrale wielmoer wordt los- en vastgedraaid, zorgt het tweede teamlid ervoor dat de oude band door een nieuwe wordt vervangen. De pneumatische sleutel zorgt daarbij zelf voor exact de juiste kracht, zodat beschadigingen worden voorkomen. De wielmoer en de dop van de pneumatische sleutel zijn bovendien magnetisch, zodat de wielmoer niet per ongeluk op de grond kan vallen. Het hele proces neemt niet meer dan drie seconden in beslag.

Om te voorkomen dat de wielmoeren zichzelf tijdens de race loswerken, loopt de draad van de moeren aan de rechterzijde van de wagen rechtsom en aan de linkerzijde van de wagen linksom. De pneumatische sleutels aan beide zijden van de wagen werken dus precies in spiegelbeeld. Om verwisselingen uit te sluiten, zijn ze elk met hun eigen kleur gemarkeerd. Voor elk wiel zijn er voor de zekerheid nog een tweede pneumatische sleutel en enkele reservewielmoeren beschikbaar.

Bijtanken. Een transparante kunststof afscherming voorkomt tijdens de pitstop dat gemorste brandstof bij de hete uitlaat kan komen. De afscherming is transparant, zodat de lollipopman nog steeds kan zien wanneer de rechterachterband is vervangen. De tankslang wordt door twee mensen op de wagen gedrukt: een om de slang zelf vast te houden en een om de dodemanshendel ingedrukt te houden, zodat de brandstof de tank in kan vloeien. Zodra deze hendel wordt losgelaten, bijvoorbeeld omdat de tankman wegrent, kan er geen brandstof meer vloeien.

De boordradio: in contact blijven met je team

De goede communicatie tussen de coureur en het team is essentieel voor een succesvolle pitstop. De coureur is dankzij de radio continu op de hoogte van de laatste strategieveranderingen. Sommige race-engineers hebben in de loop der jaren zo'n sterke band met hun coureur opgebouwd, dat je ze zelfs aanmoedigingen over de radio kunt horen roepen. Zit een coureur net op een punt waarop zijn concentratie het langzaam begint af te laten weten, dan kan dit beetje extra ondersteuning erg welkom zijn.

De tankinstallatie levert met 12 liter per seconde exact de vooraf ingestelde hoeveelheid brandstof.

Zoals elke andere vloeistof, neemt het volume van brandstof met de temperatuur af. Door de brandstof te koelen, bevat elke liter meer brandstof en kan het team meer brandstof per seconde in de wagen pompen. Het reglement staat een koeling tot 10 graden onder de omgevingstemperatuur toe.

De tankinstallatie is gestandaardiseerd en wordt door de FIA geleverd. De teams mogen de installatie op geen enkele manier aanpassen. Aan de tankslang of aan de helm van de tankman is een indicator bevestigd die hem precies vertelt wanneer de brandstof in de wagen wordt gepompt en wanneer het tanken is voltooid. Zodra deze indicatoren aangeven dat de ingestelde hoeveelheid brandstof in de wagen is gepompt, kan hij de tankslang ontgrendelen en deze met een tweede hendel van de wagen losmaken. Twee crewleden, beiden met een 60-liter brandblussers, houden daarbij goed in de gaten of er niets misgaat. In het geval van ernstige calamiteiten, is er in de pitboxen ook nog een krachtiger blussysteem aanwezig. De aarding bij het tanken van zowel de tankinstallatie als de wagen voorkomt dat er door eventuele statische elektriciteit vonkjes en daarmee een brand ontstaat.

Lollipop omhoog. De lollipopman houdt de hele pitstop goed in de gaten en brengt zodra de coureur kan vertrekken, de lollipop omhoog. Dit doet hij echter alleen als hij zeker weet dat alle vier de wielen goed zijn bevestigd, de tankslang weer van de wagen is en er bovendien geen andere wagens in de weg rijden. Alleen dan mag de coureur wegrijden.

Uitrijden pitstraat. De coureur heeft bij het wachten op zijn pitcrew de launch control startklaar gemaakt. De launch control zorgt in combinatie met de snelheidsbegrenzer voor het wegrijden van de wagen. Zodra de coureur de lijn die het einde van de pitstraat aangeeft passeert, kan hij de snelheidsbegrenzing uitschakelen en het gas weer diep indrukken. Hij moet alleen opletten voor de witte lijn die de uitgang van de pitstraat van de rest van de baan afscheidt. Komt hij met zijn banden over deze lijn, dan levert dat altijd een straf op.

Races winnen of verliezen in de pits

Races kunnen door de timing van de pitstop, door de prestaties van de crew of gewoon door domme pech gewonnen of juist verloren worden. De timing van de pitstop wordt door de gekozen strategie gedicteerd; de duur van de pitstop door de hoeveelheid brandstof die moet worden getankt en de efficiëntie van de pitcrew. Als er vertragingen optreden, dan is dat vrijwel altijd door technische problemen.

De timing van de pitstops

De tactische mensen van het team hebben voor de race de koppen bij elkaar gestoken en gezamenlijk een optimale strategie uitgestippeld. Deze strategie is gebaseerd op de kenmerken van de baan, de positie op de startgrid en de startplekken van de belangrijkste rivalen (zie ook hoofdstuk 9). Maar de strategie moet ook tijdens de race continu worden bijgesteld door het team.

Een coureur die door een rivaal wordt opgehouden, kan er bijvoorbeeld voor kiezen om vroeger binnen te komen, in de hoop dat hij daarna genoeg tijd kan winnen om de rivaal tijdens diens pitstop te passeren. Aan de andere kant is het vaak juist een voordeel als je langer dan je directe concurrentie buiten kunt blijven. In je lichtere wagen ben je duidelijk sneller dan je rivaal die net bijgetankt op de baan komt. De seconden die je in deze ronden kunt pakken, zouden je later wel eens de winst kunnen opleveren.

Ook veranderende weersomstandigheden bieden alle mogelijke kansen voor het ontplooien van een winnende strategie (zie hoofdstuk 9).

Prestaties van de pitcrew

Uiteraard staat of valt de hele pitstop met de stressbestendigheid van de pitcrew. Alles moet zelfs onder de meest extreme druk perfect verlopen. Scheef opgezette wielmoeren, verwisselde banden of een slechte timing van de lollipopman kunnen alles verpesten.

Maar hoe snel en goed alle teamleden hun werk ook doen, de snelheid waarmee de wagen kan worden bijgetankt, is uiteindelijk de bepalende factor voor de totale duur van de stop. Aangezien de brandstof met een vaste snelheid de wagen in wordt gepompt en voor het verwisselen van de banden maar een paar seconden uitgetrokken hoeven te worden, hangt alles af van de snelheid waarmee de tankslang op de wagen kan worden gezet en weer kan worden losgekoppeld. In sommige races kan dat het verschil tussen winst of verlies betekenen.

Technische problemen

Typische dingen die tijdens een pitstop mis kunnen gaan zijn klemmende of defecte wielmoeren en problemen met de tankinstallatie. De voorgeschreven tankinstallaties hebben de afgelopen jaren bewezen soms erg nukkig te kunnen zijn, bijvoorbeeld door minder dan de ingestelde hoeveelheid brandstof te leveren. Daarom zie je in de pits dat de teams tijdens een stop bijna altijd de tankinstallatie van de tweede coureur direct bij de hand houden.

Zelfs zoiets eenvoudigs als een defect contactje bij de knop op het stuur waarmee de launch control wordt bediend, kan de wagen laten afslaan. Jacques Villeneuve moest in de Grand Prix van Oostenrijk in 2003 persoonlijk ondervinden hoe zo een kans op een finish in de punten aan je neus voorbij kan gaan.

Hoofdstuk 11

De hoofdprijs binnenhalen

*W*elke coureurs je ook vraagt naar hun belangrijkste drijfveer in de Formule 1, telkens zul je te horen krijgen dat ze rijden omdat ze willen winnen. Op de startgrid weet iedere coureur dat hij een kans maakt op de overwinning, zelfs als hij in een langzame wagen achter aan het veld moet starten. Het is immers altijd mogelijk dat zijn concurrenten hun wagens in de bandenstapels parkeren of dat ze hun motor met een fraaie plof opblazen. Zo vlak voor de start zit menig coureur al duimend in zijn wagen op net dat beetje extra geluk te hopen.

Helaas kan elke race maar door één coureur worden gewonnen, en slechts enkele coureurs hebben het geluk om een keer een Grand Prix te mogen winnen. Talloze anderen beginnen een carrière als coureur, maar komen nooit in de buurt van welke overwinning dan ook. In dit hoofdstuk laten we zien wat er gebeurt als een coureur wint; en waarom winnen zo speciaal voelt.

Coureurs die zo een flink aantal races hebben weten te winnen, gaan vanzelf over de volgende stap nadenken: het wereldkampioenschap van de Formule 1. En voor iedereen die nooit zover zal komen, zijn er altijd nog de Bernie Awards, zeg maar de Oscars van de Formule 1.

De race winnen en wat er daarna gebeurt

Het maakt niet uit hoe snel een coureur is, hoe goed zijn wagen is of hoeveel sponsorgeld er is om het team naar de top te helpen; een grand-prixoverwinning krijg je nooit cadeau. Elke overwinning is het resultaat van een ongelofelijke hoeveelheid moeite en toewijding. Zelfs met een flinke technische voorsprong op de concurrentie, zal een coureur zichzelf en zijn team tot het uiterste moeten motiveren om de overwinning daadwerkelijk binnen te halen.

Probeer eerst de finish te bereiken

Er is een veelgehoorde uitdrukking binnen de autosport: om als eerste te kunnen finishen moet je eerst finishen. En reken maar dat iedere coureur die regel kent. Het zal niet de eerste keer zijn dat alles op een spectaculaire overwinning wijst en er dan in de laatste fase van de race van alles misgaat. Coureurs horen in de laatste ronden van een race plotseling overal vreemde geluiden en zijn als de dood dat ze door een of ander technisch defect de finish niet zullen halen.

Elke oudere Formule 1-fan kan zich de Grand Prix van Canada in 1991 herinneren. Nigel Mansell leidde de race en was dolgelukkig met wat zijn eerste overwinning van het seizoen zou worden. In de laatste ronde van de race, met geen enkele tegenstander in de buurt begon hij alvast naar het hem toejuichende publiek te zwaaien. Iets te enthousiast vergat hij daarbij echter terug te schakelen voor de haarspeldbocht die nog kwam. Zijn motor sloeg af (en je kunt een Formule 1-motor niet zelf herstarten). Zijn team was niet bepaald blij met deze actie. Met dit voorbeeld in gedachten wachten de meeste coureurs tot ze de geblokte vlag passeren, voordat ze hun arm uit de cockpit steken en de overwinning vieren. Tot op het laatste moment houden ze er rekening mee dat er nog iets mis kan gaan.

Zodra de zwart-wit geblokte vlag voor een coureur valt (waarover meer in de volgende paragraaf) is de race afgelopen. Maar het spektakel gaat nog even door!

Schumacher over zijn liefde voor het hoogste trapje

Michael Schumacher heeft meer races gewonnen dan welke andere coureur ook. Maar elke keer weer kijkt hij bij het beklimmen van het podium alsof hij zojuist zijn allereerste Grand Prix heeft gewonnen. Zijn zesde wereldtitel in 2003 voor Ferrari leverde bijna dezelfde emotionele plaatjes op als toen hij in 1992 in België zijn allereerste Grand Prix won. Hij vertelde later dat bij het zien van de zwart-wit geblokte vlag hem de tranen over zijn wangen stroomden.

Waarom de geblokte vlag aan het eind van de race?

Formule 1 is tegenwoordig zo populair, dat over vrijwel elk detail van de sport hele boeken worden volgeschreven. Het zal je dan ook verbazen dat eigenlijk niemand goed kan uitleggen waarom er een zwart-wit geblokte vlag wordt gebruikt om het einde van de race aan te geven. Er zijn verschillende theorieën in omloop. Zo wordt beweerd dat de vlag uit de zeevaart afkomstig is en gebruikt werd door coureurs die tevens zeeman waren. Andere theorieën zeggen dat de vlag afkomstig is van het paardrijden of het Romeinse wagenrennen, hondenraces, de spoorwegen of atletiek. Geen van deze beweringen is ooit bewezen en wellicht is het juiste antwoord ook minder romantisch. De eerste foto waarop te zien is dat de race met een geblokte vlag wordt afgevlagd, is gemaakt tijdens de eerste Vanderbilt Trophy race op Long Island, in de Verenigde Staten in 1904. Het is heel goed mogelijk dat de organisatie van deze drukbezochte race alleen maar vanwege de zichtbaarheid voor de zwart-wit geblokte vlag heeft gekozen. Tegen een achtergrond vol kleuren en toeschouwers zou elke andere vlag bijna onzichtbaar zijn.

Als eerste bij de geblokte vlag

De coureur die als eerste de finish passeert en als winnaar wordt afgevlagd, zie je vaak plotseling zijn wagen richting de pitmuur sturen. Niks aan de hand! De coureur probeert echt niet de man met de vlag bang te maken. Integendeel, hij wil juist direct na het passeren van de finish langs zijn teamgenoten rijden die bij de pitmuur opeengepakt staan en hen toejuichen. Het is een heel speciaal moment, het winnen van een race, en waarschijnlijk ook het enige moment waarop het team en de coureur zich even kunnen ontspannen.

De uitlooprronde

Na de zwart-wit geblokte vlag moet de coureur nog een volledige ronde rijden, voordat hij naar de pit mag en zijn overwinning kan gaan vieren. Deze ronde wordt de uitloopronde genoemd. Het maakt niet uit of de coureur in deze ronde wordt ingehaald, want zodra er is afgevlagd is de race beëindigd.

De uitloopronde krijgt een extra feestelijk tintje door de baancommissarissen die naast de baan met hun vlaggen staan te zwaaien. De coureur steekt uit waardering voor het werk van de commissarissen zijn duim op of applaudisseert. Hij zal zeker ook zwaaien naar alle fans die hem onderweg hebben aangemoedigd.

Jammer genoeg kunnen Formule 1-coureurs zich niet al te veel laten gaan bij het vieren van de overwinning. In andere raceklassen zie je de

coureurs na hun overwinning nog speciaal voor het publiek met rokende banden een paar rondjes draaien. Binnen de Formule 1 is het niet
toegestaan om zo je overwinning te vieren. In het reglement staat namelijk dat een coureur tijdens de uitlooprondе niet mag stilstaan. Dit om te
voorkomen dat teams zouden kunnen valsspelen, bijvoorbeeld door de
coureur nog snel wat extra ballast te geven, om de auto zo weer op het
verplichte minimumgewicht te krijgen.

De coureur mag nog zo blij zijn, veel meer dan met rokende banden
even de achterzijde van de auto uit te laten breken, zit er niet in.

Parc fermé: controles na de race

De winnaar van een Formule 1-race is die dag weliswaar de belangrijkste persoon op het circuit, maar ook deze coureur zal zich aan de regels
moeten houden. Het liefst zou de coureur gelijk doorrijden naar de pitbox, een fles champagne ontkurken en vervolgens met zijn team de hele
nacht doorfeesten. Maar hij weet dat hij eerst nog even geduld zal moeten hebben, want er wachten een flink aantal verplichtingen op hem.

Na het voltooien van de uitlooprondе rijdt de winnaar via de pitstraat
naar een apart gedeelte van het circuit, het parc fermé. De naam geeft
al aan dat het hier om een gesloten, omheind gebied gaat, waar alleen
raceofficials en coureurs toegang tot hebben. Alle wagens worden hier
na de race gecontroleerd op de naleving van alle voorschriften en het
reglement.

De teamleden van de winnaar en van de coureurs die tweede en derde
geëindigd zijn, verzamelen zich bij het parc fermé om hun helden toe te
juichen. Dit is de eerste keer na de race dat de coureur zijn team van
dichtbij ziet, en vaak ook het moment waarop alle emoties die de coureur de hele uitlooprondе onder controle kon houden, plotseling de
vrije loop krijgen.

De winnaar en de mannen op de tweede en derde plek worden in het
parc fermé snel gewogen en direct naar het podium voor de prijsuitrei-
king geleid. Toch zie je ze vaak even naar een aantal mensen rennen om
zich met omhelzingen, en misschien een kus, te laten feliciteren. De
coureur doet vaak wat extra moeite om de volgende mensen te zien:

- ✔ zijn vrouw of vriendin
- ✔ zijn teambaas
- ✔ zijn manager
- ✔ zijn race-engineer
- ✔ zijn beste vriend

Eerst wegen

De coureur wordt vrij snel door de wedstrijdleiding uit het parc fermé weggeleid en gewogen. Aan de hand van het gewicht van de coureur en het gewicht van de wagen zelf, kan de raceleiding bepalen of de wagen aan het verplichte minimum racegewicht voldeed. Na het wegen ruilt hij zijn helm in voor een aparte baseballcap met daarop de naam van de bandenfabrikant en beklimt hij het podium.

Feest op het podium

Er was een tijd dat de coureurs alleen op het podium verschenen als ze daar zin in hadden. In de moderne Formule 1 is deze ceremonie echter met militaire discipline georganiseerd. Dat kan ook niet anders, wanneer je bedenkt dat miljoenen mensen over de hele wereld op dit moment de vreugde met de coureurs willen delen.

Het podium bevindt zich meestal hoog boven de pits en tegenover de hoofdtribune, zodat zo veel mogelijk fans de coureurs kunnen zien. Op de meeste circuits mogen de fans, nadat de wagens in de pits zijn teruggekeerd, de baan op om zo dicht mogelijk bij de actie te komen.

Iedereen op de plaats

Het podium heeft drie treden, voor elk van de eerste drie coureurs één. De middelste trede is het hoogst en is uiteraard bedoeld voor de winnaar. Rechts van de winnaar is een iets lagere trede voor de coureur die als tweede over de finish kwam. Degene die derde is geworden komt op de overblijvende laagste trede te staan, links van de winnaar.

Op het moment dat de ceremonie begint, stappen de drie coureurs het podium op, gevolgd door een vertegenwoordiger van het winnende team. Op het podium zijn ook nog één tot vier vip's aanwezig, die de prijzen mogen uitreiken.

Een bonte combinatie van volksliederen

Het eerste volkslied dat wordt gespeeld is dat van de winnende coureur, gevolgd door het volkslied van het winnende team. Hierna krijgen de winnaar en de teamvertegenwoordiger elk hun prijs, gevolgd door de coureurs die tweede en derde zijn geworden.

De champagne ontkurken

Uiteindelijk volgt het moment waarop iedereen heeft zitten wachten: de champagne. Elke podiumklant krijgt zijn eigen fles, dus is er meer dan voldoende. Meestal krijgt de winnaar van de race het het zwaarst te

---

Waarom wordt de champagne niet *gedronken*?

De podiumceremonie van een Grand Prix zou lang niet zo leuk zijn zonder de coureurs die de champagne in de rondte spuiten. Het is dan ook moeilijk te geloven dat deze traditie pas eind jaren zestig van de vorige eeuw in een opwelling is ontstaan. En denk nou niet dat het een Franse winnaar was die wilde opscheppen met deze elegante drank uit zijn geboortestreek ... want het was een Ameri-kaan die het bedacht. Dan Gurney, een succesvol Formule 1-coureur had in 1967 zojuist voor Ford de 24 uur van Le Mans gewonnen, toen hij een fles champagne kreeg aangereikt om te toosten. Zijn emoties hadden de overhand en in een opwelling besloot hij de champagne over zijn team en fans leeg te gieten, niet beseffend dat hij hiermee een trend in de Formule 1 zou zetten.

---

verduren. Zijn rivalen spuiten de champagne over zijn hoofd, zijn overall en in zijn nek. Je moet wat voor zo'n overwinning over hebben!

Persconferenties

Ook al is de winnaar moe van de race en doordrenkt met champagne, nog steeds mag hij niet terug naar de garage om zich om te kleden. Eerst moet hij de media te woord staan. Zoals alles in deze sport, gebeurt ook dat volgens een strikt gepland tijdschema.

Eerst een televisie-interview

Zodra de coureurs klaar zijn op het podium en nog snel even de prijzen en champagneflessen aan teamleden hebben afgegeven, worden ze meegevoerd naar een aparte ruimte voor het vaste televisie-interview. Voor de kijkers thuis op de bank zijn dit de eerste woorden die ze van de winnaar zelf over de race krijgen te horen, en ze hechten er dan ook veel waarde aan. Dit is het enige interview dat altijd rechtstreeks en direct na afloop van de podiumceremonie op iedere zender wordt uitgezonden.

Aan de coureurs worden altijd in het Engels twee vragen over de race gesteld. Vervolgens wordt de winnaar kort in de schijnwerpers gezet als hem gevraagd wordt hoe hij zijn kansen op het kampioenschap ziet of wat hij van de volgende race verwacht. Tot slot wordt de coureurs waarvan Engels niet de moedertaal is, de gelegenheid gegeven om nog iets in hun eigen taal tegen de fans thuis te zeggen.

Dan een persconferentie

Na dit televisie-interview worden de coureurs naar een andere persruimte gebracht om daar de radio en de schrijvende pers te woord te staan. Circuitcommentator Bob Constanduros leidt het eerste deel van deze persconferentie, waarna de aanwezige pers zelf vragen mag stellen.

Een van de opvallendste persconferenties na afloop van een race was na de Grand Prix van Oostenrijk in 2002. Ferrari had voor opschudding gezorgd door van Rubens Barrichello te eisen dat hij de overwinning aan Michael Schumacher zou laten. Beide coureurs waren op het podium al uitgejouwd en kregen vervolgens van de pers exact dezelfde ontvangst!

Dan nog meer vragen van nog meer mensen

Zelfs na afloop van de tweede persconferentie, die soms langer dan een halfuur duurt, kunnen de coureurs nog niet terug naar hun team. In de paddock, net buiten het mediacentrum, hebben officials een speciaal omheind gedeelte voor de coureurs gecreëerd, waarin televisieteams de coureurs gedurende een paar minuten vragen kunnen stellen. Pas daarna mogen de coureurs dan eindelijk terug om met hun team de overwinning te gaan vieren.

Terug naar het team

De coureur die als winnaar terugkeert naar de pitboxen van zijn team, wordt daar als een echte held ontvangen. Het team heeft vaak al een paar flessen champagne ontkurkt (dit keer om te drinken) en blijft elkaar trots op de schouders slaan vanwege hun prestatie.

De coureur, nog steeds gekleed in zijn bezwete en met champagne doorweekte overall, schudt de handen van al zijn teamleden en technici. Hij houdt een overwinningstoespraak waarin hij iedereen bedankt voor het harde werk. Dan, eindelijk, rent hij naar zijn motorhome om te douchen en gewone kleren aan te trekken, voor hij nog een laatste keer met zijn team de race gaat doornemen.

Oude en jonge winnaars

Formule 1-coureurs winnen hun eerste Grand Prix meestal pas als ze al wat verder in de twintig zijn, en kunnen daar dan een jaar of tien mee doorgaan. Er zijn echter ook coureurs die al veel vroeger of juist later succes kregen. Het zijn de beroemde uitzonderingen op de regel.

De jongste coureur die ooit een Grand Prix heeft gewonnen is sinds augustus 2003 de Spanjaard Fernando Alonso. Net vier weken na zijn tweeëntwintigste verjaardag won hij de Grand Prix van Hongarije, waarmee hij Bruce McLaren van de troon stootte als de jongste racewinnaar ooit. Bruce McLaren won in 1959 de Grand Prix van de Verenigde Staten en was op dat moment 22 jaar en 104 dagen oud. De oudste winnaar ooit was Luigi Fagioli, die in 1951 de Grand Prix van Frankrijk won en toen 53 jaar en 22 dagen oud was.

Deze briefing na afloop van de race is de laatste kans voor het team om precies te analyseren en bespreken hoe zij die dag de race hebben gewonnen, zodat ze de volgende race op exact dezelfde manier kunnen aanpakken. Soms duren deze briefings langer dan de race zelf!

Eindelijk is de coureur na afloop van de briefing dan vrij om te doen en laten wat hij wil. Als zijn vliegtuig vroeg vertrekt, gaat hij alvast op weg naar het vliegveld; anders blijft nog een tijdje met het team meefeesten. Meestal zijn er nog verschillende interviews die gegeven moeten worden en wachten er honderden fans bij zijn motorhome in de hoop op een handtekening van de belangrijkste man op het circuit.

Het kampioenschap winnen

Is een Grand Prix winnen al mooi, Formule 1-wereldkampioen worden is altijd nog een stapje mooier. Je zult dan ook regelmatig coureurs zien die ervoor kiezen het om tactische redenen rustiger aan te doen. Soms is het verstandiger om tevreden te zijn met de punten voor de tweede plek, dan om alles op alles te zetten om te winnen, met het risico helemaal geen enkel punt te scoren.

In het verleden werden coureurs door hun teamgenoten geholpen om zeker te zijn van een stevige positie binnen het wereldkampioenschap. Soms gebeurde het bijvoorbeeld dat een coureur tijdens de race inhield om zijn teamgenoot te laten winnen. Of een coureur met een snellere wagen hield in om de tweede plaats te verdedigen tegen een rivaal, waardoor de teamgenoot met een langzamere wagen de race kon winnen. Deze van tevoren gemaakte afspraken worden teamorders genoemd.

Deze teamorders zijn met ingang van het seizoen 2003 verboden. Dit verbod was het resultaat van een aantal incidenten rond het team van Ferrari tijdens het seizoen 2002. Ferrari koos er in dat jaar voor teamorders aan hun coureurs op te leggen, zelfs op momenten dat de andere teams niet echt een bedreiging vormden. Deze teamorders haalden veel spanning uit de race en de FIA was dan ook van mening dat ze medeverantwoordelijk waren voor de afnemende belangstelling in de sport. Ook al overtrad het team van Ferrari geen enkele regel met wat het op de baan deed.

De puntenverdeling in de Formule 1

In tegenstelling tot bijvoorbeeld kunstschaatsen kun je in de Formule 1 met mooi rijden niet winnen. Er is geen jury die de prestaties van de coureurs beoordeelt. In de Formule 1 gaat de titel naar de coureur die aan het einde van het seizoen de meeste punten heeft verzameld.

Soms, zoals in 2002 gebeurde, zetten coureurs het wereldkampioenschap lang voor het einde van het seizoen al op hun naam. De puntenvoorsprong die ze hebben opgebouwd kan dan door geen enkele coureur nog worden ingehaald. Zelfs wanneer ze de rest van de races niet meer mee zouden rijden, zouden ze nog winnen. Meestal is het echter tot de laatste race van het seizoen spannend naar wie de titel gaat. Als het kampioenschap in de laatste race van het seizoen moet worden beslist, zitten de fans op het puntje van hun stoel. Vooral als er meer kanshebbers zijn kan de spanning flink oplopen.

De huidige puntentelling is voor het seizoen van 2003 ingevoerd, met als belangrijkste doel voorkomen dat de coureur met de snelste wagen meteen al de meeste kans op het kampioenschap maakt. Met dit nieuwe systeem hebben ook de teams achter in het veld een kans op punten. En deze punten zijn niet alleen sportief gezien interessant. De wereldkampioenschapspunten spelen een belangrijke rol in de onderhandelingen van een team met een sponsor.

De volgende tabel toont hoeveel punten elke finishplek oplevert. De coureurs die als negende of lager eindigen krijgen geen punten.

Plaats	*Punten*
1	10 punten
2	8 punten
3	6 punten
4	5 punten
5	4 punten
6	3 punten
7	2 punten
8	1 punt

Eer voor het team: de constructeurstitel

Hoewel een coureur zich helemaal richt op het winnen van het wereldkampioenschap, moet hij ook rekening houden met zijn team. Het team neemt namelijk deel aan een eigen competitie, die om de constructeurstitel.

Voor de constructeurstitel worden dezelfde punten voor dezelfde raceresultaten toegekend als voor de rijderstitel. Alleen gaan deze punten nu naar het team en niet naar de rijder. Wint een coureur een race en finisht zijn teamgenoot als tweede, dan scoort het team daarmee dus achttien punten.

Veel teambazen vinden deze constructeurstitel nog belangrijker dan de rijderstitel voor een van zijn coureurs. De constructeurstitel draait namelijk niet alleen om prestige, maar vooral ook om geld:

✔ Het bedrag dat een team krijgt van de televisierechten voor de Formule 1, is direct afhankelijk van de plaats van het team in het constructeurskampioenschap. Het verschil tussen de posities, en dan met name tussen de eerste vijf, kan enkele miljoenen euro's bedragen.

✔ Hoger eindigen binnen het constructeurskampioenschap betekent dat de teams de beste pitboxen van de pitstraat krijgen toebedeeld. Dat betekent meestal meer ruimte en betere voorzieningen.

✔ Bovendien krijgen teams met een hogere positie in het constructeurskampioenschap, meer reiskosten voor mensen en materieel vergoed, wat ook flink kan schelen op de totale kosten.

Het is dus geen wonder dat de strijd om de punten voor het constructeurskampioenschap tegen het einde van het seizoen behoorlijk heftig kan worden.

De beker ontvangen

Ongeacht het exacte moment waarop een coureur of een team in elk geval rekentechnisch het kampioenschap wint, zullen ze tot begin december moeten wachten voordat ze ook daadwerkelijk de beker in handen krijgen.

Jaarlijks worden in december door de overkoepelende organisatie voor autosport, de FIA (Federation Internationale de l'Automobile), in Monte Carlo de onderscheidingen uitgereikt. Op dit gala ontvangen alle winnaars van de kampioenschappen in de verschillende raceklassen hun trofeeën.

Van alle uithoeken van de wereld komen verslaggevers voor deze avond aangereisd. Het is voor een coureur de perfecte afsluiting van het seizoen; helemaal natuurlijk als hij wereldkampioen is geworden.

De Bernie Awards, de Oscars van de Formule 1

Zelfs als het seizoen van een coureur totaal mislukt is, maakt hij toch nog kans het jaar met een prijs af te sluiten. Formule 1-opperhoofd Bernie Ecclestone heeft recentelijk een serie onderscheidingen in het leven geroepen met de naam 'The Bernie's'. Dit zijn de Oscars van Formule 1.

Een jury van deskundigen en coureurs beslist naar wie deze onderscheidingen in de verschillende categorieën gaan. Deze categorieën omvatten onder meer het beste circuit, de beste debutant en de beste coureur. Misschien wel de belangrijkste categorie voor de coureurs is echter de 'Drivers' Driver', waarbij de coureurs en testrijders zelf beslissen wie ze uit hun midden als grootste zien. Het mooie aan deze onderscheiding is dat ook de coureurs die niet voor de beste teams rijden, er een kans op maken.

Winnen brengt geld in het laatje? Reken maar!

Winnen in de Formule 1 betekent meer dan alleen maar aanzien krijgen; ook de financiële beloningen in de sport zijn niet mis te verstaan. Michael Schumacher is niet alleen de beste coureur van de afgelopen jaren, maar ook een van de best betaalde sportmannen ter wereld. Zijn jaarlijkse inkomen wordt geschat op dertig miljoen euro. Dat betekent dat terwijl jij deze zin leest, hij alweer zes euro heeft verdiend! En nog eens, en nog eens!

Coureurs zijn voor hun inkomen niet alleen afhankelijk van het salaris dat ze voor hun diensten van het team krijgen. Tijdens hun carrière kunnen zij op vele manieren wat bijverdienen. Het inkomen van een coureur is uit de volgende bedragen opgebouwd:

- **Salaris.** Het salaris van een team is tijdens de onderhandelingen voor het contract overeengekomen. Meestal gaat het om een vast bedrag per seizoen, waarvoor de coureur niet alleen moet racen, maar ook een vastgesteld aantal dagen moet testen of voor sponsors beschikbaar moet zijn.

- **Bonussen.** Van sommige coureurs blijft het inkomen gelijk, ongeacht hoe goed ze ook rijden. Anderen krijgen op basis van de behaalde resultaten betaald. Deze bonus is vaak op het aantal gewonnen punten gebaseerd, wat betekent dat de coureur tot 150.000 euro per gewonnen race extra kan bijverdienen.

- **Bonussen voor de kampioenschapstitel.** Het kampioenschap winnen is het doel van iedere coureur. Vanwege de financiële voordelen voor het team, krijgen sommige coureurs een extra bonus als zij wereldkampioen worden.

- **Promotieartikelen.** Fans staan te springen om T-shirts en petten met de afbeeldingen van hun favoriete coureur. Coureurs geven, in ruil voor een klein percentage van de winst, kledingfabrikanten toestemming om deze artikelen te produceren. Op deze manier verdienen sommige coureurs alleen al aan de verkoop van deze rechten miljoenen euro's per jaar.

✔ **Naamsverbinding.** Bedrijven willen graag dat hun producten gekoppeld worden aan een wereldberoemde naam, en Formule 1-coureurs zijn daar prima voor geschikt. Coureurs kunnen meerdere duizenden euro's verdienen door hun naam te lenen aan wat voor producten dan ook, van brandstof tot shampoo.

✔ **Persoonlijke sponsoring.** Sommige teams geven hun coureurs toestemming voor contracten met eigen persoonlijke sponsors, die verder niks te maken hebben met het team. In ruil voor het dragen van een logo van de sponsor op zijn overall of helm kan een coureur zijn inkomen al snel met honderdduizenden euro's opschroeven.

Wint een coureur, dan nemen zijn mogelijkheden om goed te verdienen enorm toe. Een coureur die net begint met zijn Formule 1-carrière mag voor zijn eerste seizoen rekenen op een jaarinkomen van een paar honderdduizend euro. Zodra hij echter naam gemaakt heeft als een goede coureur, kan hij makkelijk met miljoenen euro's per seizoen thuiskomen.

In tegenstelling tot andere raceklassen, vooral die in de Verenigde Staten, doen Formule 1-teams en -coureurs erg geheimzinnig over wat ze precies verdienen. Alle details zijn genoteerd in de supergeheime Concorde-overeenkomst. Dit is een overeenkomst die door alle teams ondertekend is en waarin de details zijn opgenomen over hoeveel een team verdient aan de verkoop van televisierechten en andere commerciële activiteiten van de Formule 1, zoals computerspellen. Hoe dit geld precies wordt verdeeld is onbekend, maar aangenomen wordt dat de teams onderling 47 procent van de televisiegelden verdelen. Een bedrag dat wordt geschat op ongeveer 300 miljoen euro in totaal.

Hoofdstuk 12

Veiligheid in de Formule 1

- -

In dit hoofdstuk:

▶ De gevaren van de Formule 1 minimaliseren

▶ Begrijpen waarom Formule 1-wagens zo veilig zijn

▶ Ontdekken hoe coureurs zichzelf beschermen

- -

De Formule 1 dankt zijn aantrekkingskracht voor een groot deel aan de titanenstrijd die door de coureurs bij snelheden ver boven de 300 km/u wordt gevoerd. Toch valt niet te ontkennen dat autoraces gevaarlijk zijn. Botsingen, spins en crashes liggen in een race constant op de loer. Dankzij de vele verbeteringen aan de wagens en de beschermende kleding van de coureurs, is de sport de laatste jaren duidelijk veiliger geworden.

Bij het begin van het wereldkampioenschap, in 1950, droegen de coureurs weinig meer dan leren veiligheidshelmen en katoenen kleding. Dit bood eigenlijk alleen maar goede bescherming tegen het weer. Combineer dit met de vrij eenvoudige wagens, en je snapt waarom coureurs van veel geluk konden spreken als ze een crash levend en wellicht zelfs zonder al te grote verwondingen doorstonden.

In de Formule 1 wordt op drie manieren aan de veiligheid gewerkt:

✔ De Formule 1-wagens moeten niet alleen zo zijn gebouwd dat ze de technische controles doorstaan, ze moeten ook voldoen aan strenge veiligheidseisen.

✔ Brandwerende kleding, inclusief helm en overall, beschermen de coureur zo goed mogelijk tegen de gevolgen van een ongeluk.

✔ Geschoold medisch personeel zorgt er in samenwerking met de andere officials voor dat de coureurs na een eventueel ongeval zo goed mogelijk worden verzorgd.

De extreme veiligheidsvoorschriften voor Formule 1-wagens, de beschermende kleding van de coureurs en de verbeterde veiligheidsprocedures op de circuits zorgen er samen voor dat de coureurs van nu veiliger zijn dan ooit. In dit hoofdstuk bespreken we de verschillende maatregelen die zijn bedacht om de coureurs tegen verwondingen te beschermen.

Stijl is ook niet alles: de kleding van de coureurs

Al in de beginjaren van de Formule 1 werd duidelijk dat de veiligheid van de coureurs niet alleen afhing van het ontwerp van wagens en de circuits. Coureurs beseften dat zij met de juiste shirts met lange mouwen, beschermende helmen en veiligheidsbrillen bij een ongeval minder risico liepen op verwondingen.

De helm: voor wie er een hard hoofd in heeft

De helm is het meest zichtbare veiligheidsattribuut van een coureur. Het is ook het enige onderdeel van zijn uitrusting waar een coureur absoluut niet buiten kan.

De technologische ontwikkelingen in de Formule 1 zijn niet voorbij gegaan aan de helmen. De versies die de coureurs tegenwoordig dragen, zijn het resultaat van een jarenlange intensieve ontwikkeling. Veiligheid, comfort en gebruikersgemak zijn de belangrijke eisen voor moderne helmen. Kijk maar eens naar de volgende kenmerken:

- **Het gebruikte materiaal.** De helmen zijn gemaakt van hetzelfde ultrasterke materiaal als de teams gebruiken voor hun wagens. Het moet aan zeer strenge veiligheidseisen voldoen, zodat gegarandeerd is dat de helm de klap van een ongeval zonder problemen kan opvangen. De tests die voor de controle van de helm worden gebruikt, zijn vergelijkbaar met die waaraan de wagens worden onderworpen.

  Als de helm tijdens de race ook maar een minuscule beschadiging oploopt, wordt hij daarna niet meer gebruikt. Een gemiddelde coureur jaagt er zo tijdens een seizoen al snel vijftien helmen doorheen. Interessant voor de fans, want die beschadigde helmen zijn ware collectors items.

- **De pasvorm.** Elke coureur heeft een op maat gemaakte helm. De perfecte pasvorm vergroot uiteraard het draagcomfort. Tegelijkertijd schiet de helm niet van het hoofd bij een ongeluk en zijn er geen openingen waardoor vlammen of gassen de helm binnen kunnen dringen.

- **De functionaliteit en sterkte van het vizier.** Het vizier van de helm moet even sterk zijn als de rest van de helm en tegelijkertijd moet het de coureur een onbelemmerd zicht bieden. Sommige

Helmtechnologie: van een F15 in de F1

Misschien dat de coureurs al binnenkort de beschikking krijgen over de geavanceerde Heads Up Display-technologie (HUD) waarmee tegenwoordig straaljagerpiloten van de benodigde informatie worden voorzien. Hoe effectief de combinatie van radio en pitbord ook is, er is nog meer dan voldoende ruimte voor verbeteringen. De Duitse autofabrikant BMW zoekt momenteel naar mogelijkheden om de helmen van hun coureurs te voorzien van deze displaytechnologie, waarmee alle belangrijke informatie direct transparant door de coureur in zijn vizier kan worden gezien. Op deze manier zou de coureur continu op de hoogte kunnen zijn van de racesituatie en van eventuele gevaren op de baan.

Een andere technologie die door de FIA wordt onderzocht, is automatische controle over de wagens waarmee in geval van gevaar direct ingegrepen kan worden, bijvoorbeeld door de wagens af te laten remmen of zelfs te laten stoppen. Voordat deze technologie ooit ingezet kan worden, zijn eerst echter enkele zeer grondige tests nodig.

coureurs rijden met een getint vizier om beschermd te zijn tegen de zon. Op het vizier zijn altijd meerdere lagen beschermfolie aangebracht. Wanneer het vizier bedekt is met olie of vuil kan de coureur deze laag gemakkelijk lostrekken en heeft hij weer een schoon vizier. Bij 300 km/u wil je immers wel een helder beeld hebben.

✔ **De schuimvoering.** De binnenkant van de helm is bekleed met een schuimvoering. Hierdoor wordt het dragen van de helm zo comfortabel mogelijk en biedt hij tegelijkertijd optimale bescherming bij een ongeluk.

✔ **Het mondstuk.** In het mondstuk van de helm zit een opening voor een slangetje waardoor de coureur tijdens de race kan drinken. Omdat het tijdens de race bloedheet is in de cockpit, is het van levensbelang dat de coureur voldoende vocht binnenkrijgt. Zo voorkomt hij dat hij moe wordt, minder geconcentreerd is en daardoor fouten gaat maken met alle gevolgen van dien.

✔ **De oordopjes.** Voordat een coureur zijn helm opzet, doet hij oordopjes in. Deze oordopjes beschermen hem tegen het enorme volume dat de motor van een Formule 1-wagen produceert. De herrie kan met gemak het aantal decibels van een rockconcert of een opstijgende straaljager overtreffen. In de oordopjes is ook het radiosysteem verwerkt waarmee de coureur contact heeft met zijn team in de pit.

✔ **De balaklavas.** Coureurs dragen onder hun helm een vuurvaste muts om hun hoofd en gezicht bij brand te beschermen.

Racekleding: goed genoeg voor Monaco

Formule 1-coureurs zien er vaak uit als wandelende reclamezuilen. Hun veelkleurige overalls zijn overladen met logo's van de sponsors en ieder laatste stukje stof wordt gebruikt voor de namen van de bedrijven die het team steunen.

Toch zijn de overalls die de coureurs aanhebben niet louter bedoeld als reclamebord, ze hebben nog een veel belangrijkere functie. De uit één deel bestaande raceoverall moet om veiligheidsredenen worden gedragen. Geen coureur zal het in zijn hoofd halen zonder zijn overall in zijn wagen te stappen. De dagen dat een coureur in zijn shirt en broek achter het stuur zat, met een wapperende zijden sjaal om, zijn al tientallen jaren voorbij. De coureurs zijn tegenwoordig in veiligheidskleding als overalls, raceschoenen en handschoenen gestoken (zie figuur 12.1). In de volgende alinea's vertellen we je meer over de speciale racekleding van de coureurs.

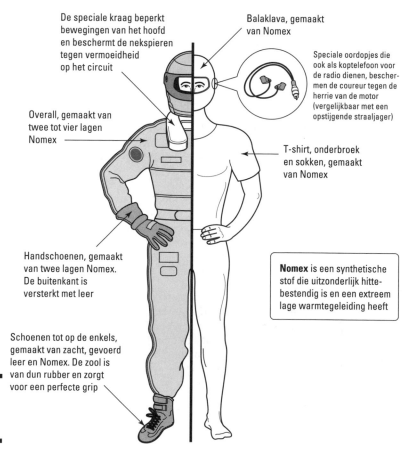

De speciale kraag beperkt bewegingen van het hoofd en beschermt de nekspieren tegen vermoeidheid op het circuit

Balaklava, gemaakt van Nomex

Speciale oordopjes die ook als koptelefoon voor de radio dienen, beschermen de coureur tegen de herrie van de motor (vergelijkbaar met een opstijgende straaljager)

Overall, gemaakt van twee tot vier lagen Nomex

T-shirt, onderbroek en sokken, gemaakt van Nomex

Handschoenen, gemaakt van twee lagen Nomex. De buitenkant is versterkt met leer

Nomex is een synthetische stof die uitzonderlijk hittebestendig is en een extreem lage warmtegeleiding heeft

Schoenen tot op de enkels, gemaakt van zacht, gevoerd leer en Nomex. De zool is van dun rubber en zorgt voor een perfecte grip

Figuur 12.1: Wat coureurs dragen

Overalls en ondergoed

De overalls van de coureurs hebben veel weg van trappelpakjes. Ze worden aan de voorkant dichtgeritst en bedekken armen en benen. De overalls worden gemaakt van Nomex, een speciaal ontwikkeld, vuurwerend materiaal. De FIA, de regelgevende organisatie van de sport, stelt hoge eisen aan het gebruikte materiaal. Zo moet het materiaal minstens twaalf seconden lang een coureur kunnen beschermen tegen vuur met een temperatuur tot 700 graden. Ook de opgenaaide logo's van de sponsors moeten deze test doorstaan.

Voor een nog betere bescherming draagt de coureur ook een T-shirt, ondergoed en sokken die gemaakt zijn van Nomex. Dit alles bij elkaar maakt het in de zomer behoorlijk benauwd voor de coureurs, maar aangezien het om hun eigen veiligheid gaat, zijn er maar weinig coureurs die je daarover hoort klagen.

Schoenen, handschoenen en andere accessoires

Het gebruik van Nomex blijft niet beperkt tot de racekleding. Ook de schoenen en handschoenen die de coureur draagt, zijn van deze moderne stof gemaakt. Al wordt er hierbij wel meer aandacht aan gebruiksgemak besteed. De handschoenen worden bekleed met leer zodat de coureur niet bij een snelheid van 300 km/u van het stuur afglipt. De zolen van de schoenen zijn erg dun en gemaakt van rubber, zodat de coureur precies voelt wat hij met de pedalen doet.

De overall beschermt de coureur bij een flinke brand, maar helpt niets tegen al het gebonk en de hitte in een cockpit. Sommige topcoureurs dragen knie- en enkelbeschermers om zich tegen bulten en blauwe plekken te beschermen. Het contact van de bodemplaat met het asfalt kan voor zoveel warmte zorgen, dat sommige coureurs na afloop van de race met brandblaren uit hun auto stappen.

Van het Formule 1 rijden word je vies. Raceoveralls zien er na afloop van de race dan ook niet bepaald uit alsof ze zojuist uit de stomerij komen. Zweet, olie en vuil bedekken de overall van onder tot boven. Had de coureur een goede dag, dan kun je ook nog eens van de champagne nagenieten. Er zijn teams die hun coureur na afloop van de race een jack geven dat eruitziet als de bovenste helft van een overall. Zo kunnen ze toch nog fatsoenlijk voor de camera's verschijnen. Deze jacks zijn voor de beste zichtbaarheid van de sponsorlogo's zo stijf gemaakt, dat ze door de coureurs 'kogelvrije vesten' worden genoemd.

Veiligheidskenmerken van Formule 1-wagens

Dat een coureur na een ongeval nog gewoon van zijn totaal vernielde wagen kan weglopen, lijkt soms een regelrecht wonder. Moderne Formule 1-wagens zijn in beginsel ontworpen met de veiligheid van de bestuurder als hoofdgedachte. Deze extreme veiligheid is te danken aan verschillende zaken:

- ✔ De wagens zijn van een extreem sterk materiaal gebouwd, om ze zo veilig mogelijk te maken.

- ✔ Ze zijn ontworpen met veiligheid als belangrijkste doel. Dat betekent dat er ook aandacht is geschonken aan zaken als veiligheidsconstructies, speciale brandstoftanks en ingebouwde brandblussers.

- ✔ De hightechcockpits bieden de coureur maximale bescherming.

Hoewel Formule 1-wagens natuurlijk in eerste instantie ontworpen zijn om mee te racen, moeten ze ook zo veilig mogelijk zijn. Gelukkig hebben veel ontwikkelingen die gericht waren op het winnen van races, ook bijgedragen aan het vergroten van de veiligheid van de wagens.

Veilig in de cockpit

De coureur zit in een cockpit (zie figuur 12.2) die zich binnen een extra verstevigd gedeelte van de wagen, de overlevingscel, bevindt. Bij een crash blijft dit gedeelte intact.

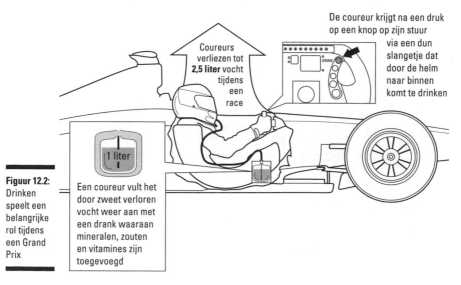

De coureur krijgt na een druk op een knop op zijn stuur via een dun slangetje dat door de helm naar binnen komt te drinken

Coureurs verliezen tot **2,5 liter** vocht tijdens een race

1 liter

Figuur 12.2: Drinken speelt een belangrijke rol tijdens een Grand Prix

Een coureur vult het door zweet verloren vocht weer aan met een drank waaraan mineralen, zouten en vitamines zijn toegevoegd

Voordat de coureur in of uit de wagen kan stappen, moet hij altijd eerst het stuurtje weghalen. De coureur zit in een speciaal stoeltje dat precies naar de vorm van zijn lichaam is gemaakt. Hoe de coureur in de cockpit zit is ook weer strikt omschreven. Zo mag zijn hoofd niet te veel boven de wagen uitsteken, wat natuurlijk alles te maken heeft met bescherming op het moment dat hij in een ongeluk over de kop gaat. Verder moeten zijn benen goed in de cockpit passen, zodat medisch personeel hem veilig uit de wagen kan halen als zijn benen bij een ongeluk verwond zijn. Zijn voeten mogen niet voor de as van de voorste wielen uitkomen, zodat hij beschermd is als hij recht op een muur inrijdt.

Jaarlijks wordt voor de start van het seizoen bij iedere coureur gecontroleerd of de cockpit van zijn wagen groot genoeg is. Hiervoor moet de coureur terwijl de wagen stilstaat het stuurtje verwijderen, uit de wagen stappen en het stuurtje weer terugzetten. En dat alles binnen tien seconden. Lukt dit niet, dan mag de coureur niet deelnemen aan de races.

In de cockpit zit een aansluitpunt voor het radiosysteem van de coureur. Hij gebruikt de radio voor nauwkeurige informatie over de race; en dus niet voor een lekker muziekje onderweg! Ook is er in de cockpit een fles met vloeistof waaruit de coureur via een slangetje drinkt. Een speciale brandblusinstallatie beschermt bij een ongeluk de cockpit en de coureur tegen brand.

Een modern Formule 1-stoeltje is zodanig ontworpen dat het na een ongeval in zijn geheel uit de wagen kan worden gehaald. Deze ontwikkeling betekende een grote stap voorwaarts in de veiligheid. Op deze manier kan een gewonde coureur uit de wagen worden gehaald, terwijl zijn nek en rug niet hoeven te bewegen. In het stoeltje is zelfs een speciale gleuf aangebracht, waarin na een ongeval een nekkraag voor de ondersteuning van het hoofd van de coureur kan worden geschoven.

Ook buiten de cockpit dragen verschillende onderdelen van de wagen bij aan de veiligheid van de coureur. De speciale hoofdsteunen naast de cockpit beschermen de coureur na een ongeval niet alleen tegen gevaar van buiten, maar het speciale schokdempende materiaal helpt ook het hoofd van de coureur op te vangen tijdens een crash.

De gordels: vastgesnoerd in de cockpit

Coureurs worden in de cockpit met speciale gordels stevig op hun plek gehouden. Deze gordels hebben nog maar weinig te maken met de comfortabele gordels die je in je eigen personenwagen tegenkomt. De Formule 1-gordels zijn gemaakt van een ultrasterk materiaal en ze verbinden de coureur op vijf punten met de wagen, vandaar dan ook de naam vijfpuntsgordel (zie figuur 12.3). Een coureur zou zonder deze gordels weinig overlevingskansen hebben bij een zware crash.

Over beide schouders komt een riem, vanaf de zijkanten komt een riem om de schoot van de coureur en tot slot is er een riem voor tussen zijn

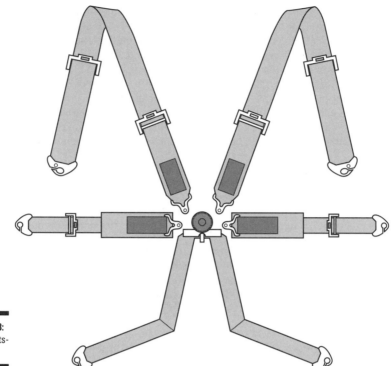

Figuur 12.3:
De vijfpunts-
gordel

benen. Deze riemen worden vastgezet met een centrale gesp, die de coureur met een simpele handeling kan ontkoppelen, zodat hij bijvoorbeeld na een ongeval snel de wagen kan verlaten. Ook het medisch personeel kan op deze manier snel en probleemloos een coureur bevrijden.

De gordels zitten vast aan het speciale stoeltje van de coureur. Veel speling is er niet; de coureur zit de hele race stevig vastgesnoerd. Het is dus niet zoals bij personenwagens dat de gordels pas bij een ruk met een bepaalde snelheid blokkeren en hun werk doen. De gordels worden voor de start door iemand van het team strak rond de coureur aangetrokken.

HANS

De coureurs zitten niet alleen door hun vijfpuntsgordel stevig in hun wagen, sinds het seizoen 2003 zorgt een apart veiligheidssysteem ook voor een goede bescherming van hun nek en schouders. Door de enorme schouderbescherming zien de coureurs eruit als American football-spelers of modieuze types uit de jaren tachtig van de vorige eeuw. Desondanks is HANS (Head and Neck Support) een van de grootste ontwikkelingen van de laatste jaren op het gebied van de veiligheid en de letselbeperking. In het laatste deel van hoofdstuk 5 (pagina 75) vind je een afbeelding van HANS in detail.

De mythe van de airbag in de Formule 1

Fabrikanten van personenwagens zijn niet bang om op te scheppen over hoe veilig hun producten zijn, en daarbij gaat veel aandacht uit naar het aantal airbags in hun producten. Vrijwel elk nieuw automodel is tegenwoordig uitgerust met airbags in het dashboard en soms ook in de deuren.

Hoewel airbags in een gewone personenwagen prima functioneren, hebben ze in een Formule 1-wagen absoluut geen nut. Alle verwoede pogingen ten spijt blijkt het onmogelijk een systeem te maken dat niet per ongeluk afgaat wanneer de coureur over de kerbs rijdt of plotseling hard remt. Zelfs het schakelen is soms al voldoende om de airbag te activeren.

Dezelfde airbags zullen bij een echte crash daarentegen niet snel genoeg reageren. De coureur heeft hierdoor niet alleen weinig profijt van de airbags, hij loopt zelfs het gevaar dat de airbag iets later alsnog tevoorschijn schiet. Race-ongelukken bestaan vaak uit meerdere klappen terwijl airbags slechts één keer benut kunnen worden. Aangezien dit dus geen bruikbare oplossing is concentreert de FIA zich nu op een optimale bescherming van het hoofd van de coureur, onder meer via het gebruik van HANS.

HANS is ontwikkeld door professor Bob Hubbard van de Michigan State University. Hoewel HANS oorspronkelijk bedoeld was voor speedbootraces, werd het door Mercedes-Benz aangepast voor gebruik in de Formule 1, en is het sinds 2003 een verplicht onderdeel van de veiligheidsmaatregelen.

Dit systeem voorkomt dat het hoofd en de nek te veel bewegen bij een crash. Sinds de introductie in het Amerikaanse racen heeft HANS al een paar levens gered, met name bij de Champ Cars.

Waar het chassis van gemaakt is en hoe het gebouwd wordt

Moderne Formule 1-wagens bestaan grotendeels uit een materiaal dat koolstofvezel heet. Dit lichtgewicht materiaal is afkomstig uit de ruimtevaartindustrie. Het is niet alleen zeer licht, maar ook ijzersterk en biedt de coureurs enorm veel bescherming bij een crash.

Niet alleen het gebruik van koolstofvezel komt de veiligheid ten goede. Ook de manier waarop de hele Formule 1-wagen gebouwd is heeft voor een veiligere situatie gezorgd:

> ✔ Wagens zijn zo ontworpen dat de sterkste delen van de wagen de overlevingscel van de coureur (dat deel van de wagen waar hij in zit) omsluiten. Elke Formule 1-wagen ondergaat enkele crashtests die zonder problemen moeten worden doorstaan.

✔ Op de wagen zijn twee rolbeugels bevestigd. Eén bevindt zich voor de coureur, op de neus van de wagen en de ander is op de cockpit, achter de coureur geplaatst. Mocht de wagen door een crash ondersteboven terecht komen, dan vangen deze beugels het gewicht van de wagen op, zodat het hoofd van de coureur beschermd is.

✔ De wielen zijn met staalkabels aan de wielophanging bevestigd. Deze staalkabels voorkomen in het geval van een crash dat de wielen als een projectiel worden weggeschoten. Hoewel deze kabels niet altijd bestand bleken tegen de enorme krachten die bij een crash vrijkomen, hebben ze hun nut bewezen en is hun effectiviteit de afgelopen jaren duidelijk verbeterd.

✔ Daarnaast zijn er op een Formule 1-wagen vele kleinere veiligheidsvoorzieningen te vinden. Zo zorgt een goed zichtbaar waarschuwingslicht achter op de wagen voor een betere zichtbaarheid in de regen, is de brandstoftank tegenwoordig beter beschermd tegen een crash en heeft de motor een eigen ingebouwd blussysteem.

Officials op de baan en de procedures die ze volgen

Een enorme verzameling officials, baancommissarissen en andere mensen achter de schermen zorgt ervoor dat een Formule 1-race in goede banen wordt geleid en niet uitmondt in een aflevering van *Te land, ter zee en in de lucht*. Hun inzet voorkomt dat de races telkens in één grote crash eindigen.

Baancommissarissen: de veldwachters van de Formule 1

De Formule 1 zou niet kunnen bestaan zonder de honderden medewerkers van het circuit die tijdens het grandprixweekend de veiligheid in de gaten houden. Meestal zijn deze mensen herkenbaar aan de fel oranje overalls die ze dragen.

Het grootste gedeelte van deze speciaal opgeleide baancommissarissen werkt als vrijwilliger. Ze waarschuwen voor gevaarlijke situaties na bijvoorbeeld een crash, zorgen ervoor dat van de baan gespinde wagens geen obstakel vormen en zien erop toe dat toeschouwers tijdens de race in de veilige zones blijven.

Baancommissarissen worden tijdens de race via een radiosysteem op de hoogte gehouden van de situatie. Ze vallen onder de leiding van de *racedirecteur*, de persoon die de leiding over de race heeft en verant-woordelijk is voor de veiligheid tijdens de Grand Prix. Hij is degene die onder meer beslist of de race afgebroken wordt of dat er een safety car wordt ingezet. Ook beoordeelt hij of een nieuw circuit veilig genoeg is voor een Grand Prix.

Als jonge ganzen achter de safety car

Wees niet verbaasd als je plotseling een personenwagen de leiding in de race ziet nemen. Nee, het is niet iemand die een verkeerde afslag heeft genomen en per ongeluk het circuit op is gereden; wat je ziet is de safe-ty car die is ingezet om de race tijdelijk te neutraliseren, zodat baan-commissarissen en medisch personeel snel en veilig naar een gecrashte wagen kunnen gaan.

De Formule 1 kent twee speciale wagens:

- ✔ de *safety car*, die de race neutraliseert bij een gevaarlijke situatie op de baan

- ✔ de *medical car*, die gebruikt wordt om zo snel mogelijk artsen naar een coureur te rijden, mocht deze bij een crash gewond zijn geraakt.

Beide wagens worden geleverd door Mercedes-Benz. De motor en de versnellingsbak zijn nog hetzelfde, maar voor de rest zijn de wagens flink aangepast, onder meer met krachtiger remmen, speciale gordels, zwaailichten, radio en een televisiescherm waarop de situatie op het circuit gevolgd wordt. Mercedes-Benz brengt van iedere wagen twee exemplaren naar het circuit, voor het geval een van beide uitvalt. Bij een training voor de Grand Prix van Brazilië in 2002 werd de normale medical car bijvoorbeeld aangereden door een coureur die de macht over het stuur had verloren.

Is de safety car op de baan, dan moet het veld vertragen en achter deze wagen blijven, met de leider van de race voorop. Zolang er een safety car op de baan rijdt, mogen de coureurs niet inhalen. Het is wel toege-staan een pitstop te maken, maar de coureur moet daarna weer achter in de rij aansluiten.

Zodra de safety car zijn zwaailichten uitzet, weten de coureurs dat de race hervat gaat worden. De safety car rijdt door tot hij in de volgende ronde de pits induikt. Zodra de wagens weer over de start/finish-lijn ko-men, is de race formeel hervat en mag er ook weer worden ingehaald.

En mocht je het je afvragen: nee, een safety car wint niet als hij als eer-ste de finish passeert!

Medische faciliteiten op het circuit

Er was een tijd dat coureurs die een crash overleefden, door de gebrekkige medische behandeling alsnog kwamen te overlijden. Gelukkig horen die situaties tot het verleden.

Op elk Formule 1-circuit is verplicht een medisch centrum aanwezig, dat voor het behandelen van elke denkbare verwonding is uitgerust met de modernste apparatuur. Soms zijn de voorzieningen zelfs beter dan die van het plaatselijke ziekenhuis.

Tevens moet er op ieder circuit een helikopter paraat staan om, wanneer dat nodig is, coureurs naar het ziekenhuis te vervoeren. Wordt een race uitgesteld wegens slecht weer, dan is dat zelden omdat het te gevaarlijk zou zijn om te racen. Meestal is het probleem dat de helikopter door het slechte weer niet kan landen.

Formule 1-artsen

De tijden dat het leven van een coureur in handen lag van artsen die uit verschillende landen kwamen en niks van de specifieke verwondingen van de autosport afwisten, zijn lang voorbij. De sport heeft met Professor Sid Watkins, een van de meest gerespecteerde personen binnen de Formule 1, altijd zijn eigen gespecialiseerde arts op het circuit.

Watkins checkt de medische faciliteiten van het circuit en gaat na of het medisch centrum op het circuit over alle noodzakelijke apparatuur beschikt. Dit medisch centrum is de plek waar de coureur naartoe gebracht wordt als hij na een crash behandeld moet worden. Ook een transport per helikopter naar een ander ziekenhuis is geen enkel probleem. Zolang er op het circuit met Formule 1-wagens wordt gereden, zal Watkins namelijk eisen dat er een helikopter voor het transport van gewonden klaarstaat.

Bij de start van de race zie je altijd achter in het veld de medical car van Watkins. Juist bij de start en in het begin van de race is de kans op ongevallen groot. Coureurs vechten in deze ronde op het scherpst van de snede en nemen veel risico voor de beste plekken. Na de eerste ronde wordt de medical car in de pitstraat gereden, klaar om in actie te komen bij een eventuele crash. In de tijd dat hij niet ergens ter wereld op een Formule 1-circuit te vinden is, werkt Watkins als neurochirurg in Londen.

Deel IV
Formule 1-circuits begrijpen

The 5th Wave   By Rich Tennant

Door een ballonfiguur in de luchtinlaat liggen we nu een ronde achter. Ik noem geen namen, maar Flappie, zou ik je na de race even kunnen spreken?

In dit deel...

Dit deel is bestemd voor de racefans die meer willen weten over de circuits waarop de races worden verreden. We vertellen je over de verschillende circuits en over wat de coureurs doen om hun wagens zo snel mogelijk over het asfalt te sturen.

We kijken naar de eigen unieke uitdagingen van elk circuit en leggen uit hoe de circuits voor het kampioenschap worden gekozen. In dit deel lees je ook welke circuits bijzonder de moeite waard zijn en hoe je ze kunt bezoeken. We geven je tips over de hoogtepunten van elk circuit, hoe je een onderkomen voor de overnachting regelt en, zeer belangrijk, we vertellen wat je vooral niet moet doen als je een Grand Prix bezoekt.

Hoofdstuk 13

Het circuit: meer dan een decor

In dit hoofdstuk:
▶ Ontdekken waarom elk circuit anders is
▶ Begrijpen hoe een circuit wordt gekozen
▶ De verschillende typen circuits in de Formule 1

*E*en Formule 1-coureur heeft de makkelijkste baan ter wereld. Tenminste, zo lijkt het misschien als je de Formule 1 niet het hele seizoen volgt. Een coureur gaat naar het circuit, laat zich in zijn wagen vastgorden en gaat vervolgens op een eenvoudig circuit hard rondjes rijden. Net zolang totdat iemand met een geblokte vlag zwaait. Als je denkt dat het echt zo gaat, is het misschien verstandig even verder te lezen.

De uitdaging van de Formule 1 zit in het bouwen van een wagen die het tegen de concurrenten op kan nemen. Tegelijkertijd moet deze wagen bestuurd worden door een coureur die het uiterste uit de wagen weet te halen (kijk in hoofdstuk 5 en 7 voor informatie hierover). Het feit dat elk circuit op de kalender uniek is en een hele eigen benadering vraagt, maakt de uitdaging voor zowel het team als de coureur alleen maar groter.

Maar ook al is elk circuit uniek, er is een aantal kenmerken die alle circuits met elkaar delen en die hoge eisen stellen aan zowel de wagens als de coureurs. Binnen de Formule 1 weet je nooit of een wagen die wendbaar genoeg is voor de krappe bochten van Monaco, even goed uit de voeten komt op een snel circuit als Monza, waar de coureurs continu vol gas moeten geven. Dit is precies wat elke race spannend en onvoorspelbaar maakt.

Dit hoofdstuk geeft je een overzicht van de verschillende soorten circuits die het Formule 1-circus aandoet. Kijk in hoofdstuk 15 voor specifiekere informatie over de verschillende circuits die tijdens het seizoen worden bezocht.

De verschillende soorten circuits

Elk circuit is uniek en iedere coureur kan aan de hand van een kort videofragment of een foto direct herkennen welk circuit het is. Toch zijn de circuits op de kalender in een aantal categorieën in te delen: stratencircuits, snelle circuits, langzame circuits en gemengde circuits.

Teams gebruiken deze indeling om te bepalen met welke onderdelen ze op pad gaan en hoe ze de wagen afstellen voor de trainingen op vrijdag en zaterdag. Ze houden bij de voorbereiding ook rekening met eventuele crashes, de mogelijkheid om aan reserve-onderdelen te komen en de racestrategie.

Hier volgt een overzicht van de verschillende soorten circuits.

Stratencircuits

Stratencircuits vormen voor alle raceklassen, inclusief de Formule 1, een van de grootste race-uitdagingen. Stratencircuits zijn gewone stukken openbare weg die voor de Grand Prix tijdelijk worden afgesloten. Op dezelfde wegen waar de rest van het jaar forenzen bumper aan bumper naar hun werk rijden, strijden nu twintig coureurs om de overwinning.

Momenteel staan alleen de stratencircuits van Albert Park in Melbourne, Spa-Francorchamps en Monte Carlo op de Formule 1-kalender. Andere beroemde stratencircuits uit het verleden zijn Phoenix, Detroit en Adelaide.

Natuurlijk zien de circuits van Monaco, Spa-Francorchamps en Melbourne er elk anders uit. Geen enkel circuit op de kalender is bijvoorbeeld zo krap en bochtig als dat van Monte Carlo. Toch is er ook een aantal overeenkomsten die je bij ieder stratencircuit tegenkomt:

- De teams en de coureurs hebben voordat de Grand Prix van start gaat geen baangegevens of informatie voor de afstelling van de wagen. De wegen van het circuit worden tot enkele dagen voor de Grand Prix nog gebruikt als openbare weg. Er is dus eenvoudig geen mogelijkheid voor de teams om het circuit te testen. Op deze circuits wordt een groot beroep gedaan op de vaardigheden van de coureur, die in deze races belangrijker zijn dan de perfect afgestelde wagen.

- Tot vlak voor de Grand Prix worden de straten waar op geracet gaat worden nog als openbare weg gebruikt. Wanneer de wagens de eerste keer de pitstraat verlaten zijn de wegen dan ook nog erg vies. Bladeren, afval, vuil en stof bedekken het wegdek en de wagens moeten eerst nog voldoende rubber neerleggen, voordat het wegdek ook maar enigszins in de richting van een perfecte baan komt. Kijk in hoofdstuk 8 als je wilt weten hoe coureurs tijdens de kwalificaties omgaan met dit soort omstandigheden.

✔ Stratencircuits zijn berucht om hun krappe en draaiende vormen. Er zijn uiteindelijk ook maar weinig steden met lange, rechte en brede straten in het centrum. Zowel op Melbourne als op Monaco zijn stukken circuit te vinden waar de coureurs de ruimte krijgen en even flink gas kunnen geven. Toch is het grootste deel van deze stratencircuits krap en rijden de wagens telkens maar vlak langs de afzettingen. Het kleinste foutje is vaak al voldoende om de wagen tegen een muur te parkeren, waar dit op een ander circuit een onschuldige spin over het gras of een uitstapje in de grindbak zou hebben opgeleverd.

Stratencircuit vragen veel meer ervaring en vaardigheden van de coureurs dan andere circuits, waar de coureurs soms week in week uit kunnen trainen. Het grote risico op crashes zorgt ervoor dat ook de teams zich extra moeten voorbereiden op een stratencircuit. Ze moeten meer reserveonderdelen meebrengen (en zelfs complete reservewagens) voor het geval er toch iets ernstigs misgaat. De Finse McLaren-coureur Kimi Räikkönen versleet in 2002 tijdens de kwalificaties voor de Grand Prix van Monaco maar liefst vier wagens!

Vergeet niet dat inhalen op de nauwe wegen van de stratencircuits behoorlijk lastig kan zijn. Dit is ook de reden dat een goede startpositie van vitaal belang is op deze circuits. Alleen als de voorligger een fout maakt, is er een realistische kans op een inhaalactie.

Waarom Formule 1-wagens niet op ovals rijden

Ook al wordt er in de Formule 1 niet op ovals gereden, van 1950 tot 1960 stond de beroemdste aller ovals, namelijk die van Indianapolis, toch op de kalender. Dit historische circuit is sinds enkele jaren opnieuw gastheer van een Grand Prix, zij het niet meer in de vorm van een oval.

Dat Formule 1-wagens nooit op ovals zijn te vinden, heeft alles met de veiligheidseisen aan de sport te maken. Er is geen enkele wet die zegt dat een Formule 1-wagen niet op een oval mag rijden. De laatste bocht van de Grand Prix op Indianapolis (bocht 1 voor de Indy 500 op de oval) is het enige stuk asfalt op een oval dat de Formule 1 gebruikt.

Formule 1-wagens zijn ontworpen om zo licht en bewegelijk mogelijk te zijn. De veiligheid van de wagens is helemaal afgestemd op het soort ongelukken dat op de normale circuits kan voorkomen. En deze circuits zijn niet voor niets volgebouwd met bandenstapels en grindbakken.

Formule 1-wagens zijn niet gebouwd om de klappen op te vangen die horen bij de enorme snelheden die op ovals worden gehaald. Met een moderne Formule 1-wagen op een oval racen, is gewoonweg veel te gevaarlijk. Daar komt nog eens bij dat de gegroefde banden niet geschikt zijn voor ovals en dat de wagens eerst aangepast moeten worden aan het alleen nog maar linksom rijden.

Dat de Indy Racing League en de Formule 1 op verschillende circuits plaatsvinden is waarschijnlijk maar goed ook. Racefans kunnen zo kiezen welke van deze autosporten ze het beste bevalt en welke ze willen bezoeken.

In 1992 werd een van de spannendste finales van de Grand Prix van Monaco gereden. Wereldkampioen Nigel Mansell had constant aan kop gereden, maar moest in de laatste fase van de race vanwege een lekke band de pit in. Bij het uitkomen van de pit zat hij achter Ayrton Senna. Ook al was Mansell veel sneller dan zijn rivaal, hij kon geen enkele mogelijkheid vinden om de Braziliaan in te halen. De twee coureurs passeerden met slechts tweetiende seconde verschil de finish, met Mansell als verliezer van de tweestrijd.

Snelle circuits

Op snelle circuits draait alles om de snelheid van de wagens en de moed van de coureurs. Het snelste circuit op de kalender is op dit moment Monza, de thuisbasis voor de Grand Prix van Italië. In 2002 reed Juan Pablo Montoya hier de snelste kwalificatieronde ooit.

Snelle circuits als Monza, de A1-Ring in Oostenrijk en het Circuit Gilles Villeneuve bij Montreal in Canada vereisen een compleet andere afstelling van de wagen dan de stratencircuits en de langzamere circuits die op de kalender staan. Teams kiezen voor zo weinig mogelijk neerwaartse kracht, zodat de coureurs plankgas met duizelingwekkende snelheid over de rechte stukken schieten. Dat de wagens hierdoor langzamer zijn in de bochten, nemen ze voor lief. Het enorme belang van de topsnelheid op de rechte stukken van deze circuits betekent ook dat het pure motorvermogen soms belangrijker is dan de handling van de wagen. In het seizoen 2001 was de BMW-motor van Williams veruit de krachtigste motor in het veld. Williams was dankzij de BMW-motor op de snelle circuits onverslaanbaar, terwijl dezelfde wagen op circuits waar de kracht van de motor minder belangrijk is, moeite had om mee te komen.

Chicanes en scherpe bochten houden de snelheid van de wagens op deze circuits binnen de perken en leveren in combinatie met de geringe neerwaartse kracht veel inhaalmogelijkheden. Meestal haalt een coureur op het einde van een recht stuk zijn voorligger in, door uit de lijn van zijn concurrent te breken en net iets later te remmen.

Met de inhaalmogelijkheden die deze circuits bieden, zijn de startposities minder belangrijk dan bijvoorbeeld op een stratencircuit. De teams richten zich bij de kwalificaties en het bepalen van de racestrategie dan ook volledig op het zo hard mogelijk rijden op zondag.

Langzame circuits

Totaal tegengesteld aan snelle circuits als Monza en de A1-Ring, zijn de langzame circuits die op de Formule 1-kalender staan. Op deze circuits draait alles om de neerwaartse kracht die nodig is om door de talloze langzame bochten te komen. Circuits die bijvoorbeeld in deze categorie vallen zijn Silverstone in Groot-Brittannië en de Hungaroring in Hongarije. Monaco is eveneens een langzaam circuit, en valt daarmee in twee categorieën (het is tegelijkertijd ook een stratencircuit).

Bij het rijden op deze circuits is neerwaartse kracht het sleutelbegrip. De teams brengen overal op de wagens extra aërodynamische onderdelen aan, en proberen met creatieve oplossingen de wagens zo veel mogelijk grip op het asfalt te geven. Bij de Grand Prix van Monaco in 2001 bracht het team Arrows hiervoor zelfs op de neus van de wagen van Jos Verstappen een extra hoge vleugel aan. Deze constructie werd wegens het gevaar dat de vleugel zou afbreken en de coureur zou verwonden, echter niet door de FIA goedgekeurd.

Aangezien de bochtsnelheid van de wagens op deze circuits veel belangrijker is dan de topsnelheid, heeft een team niet zo veel voordeel van een snellere motor. Een perfecte handling waarmee de coureurs hun wagens net iets sneller door de bochten kunnen sturen, betekent daarentegen vaak het verschil tussen overwinning en verlies.

De talrijke bochten op deze circuits maken dat inhalen erg moeilijk is. Soms bijna net zo moeilijk als op Monaco. Voormalig wereldkampioen Mika Häkkinen maakte ooit de grap dat rijden op de Hungaroring eigenlijk hetzelfde is als rijden in Monaco, alleen ontbreken de muren direct naast de baan.

Omdat inhalen zo moeilijk is op deze circuits, is een goede startpositie onmisbaar om ook maar enige kans op een overwinning te maken. De teams nemen op deze circuits dan ook altijd veel meer risico met het kiezen van de strategie voor de kwalificatie en de race. Door zo goed mogelijk te kwalificeren, hopen ze dat ze niet al vroeg in de race door collega's worden opgehouden.

Natuurlijk hoeft een coureur die achter in het veld start niet bij voorbaat al op te geven. Voormalig wereldkampioen Nigel Mansell liet dat zien in de Grand Prix van Hongarije van 1989 in een van de mooiste races aller tijden. Ondanks een slechte kwalificatie wist hij zich een weg te banen tot voor in het veld, vlak achter wereldkampioen Ayrton Senna. In de een van de laatste fasen van de race schoot Mansell op spectaculaire wijze langs Senna die een fractie van een seconde twijfelde bij het lappen van een achterligger. Dat is nou een van die mooie dingen van de Formule 1: net als je denkt dat het saai wordt krijg je een ware thriller te zien.

Gemengde circuits

Veruit de meeste circuits op de kalender zijn gemengde circuits waarbij hoge snelheid en een flinke portie neerwaartse kracht met elkaar moeten worden gecombineerd. Dit zijn de circuits waar een snelle wagen met goede handling, gereden door de beste coureur, per definitie vooraan in het veld rijdt; zolang er maar geen technische problemen of crashes zijn, natuurlijk.

In Sepang, Interlagos, Nürburgring, Magny-Cours, Hockenheim, Indianapolis, Barcelona en Suzuka, benutten de teams iedere seconde van het weekend om een meer dan perfecte afstelling voor hun wagens te vinden, die net die tienden van seconds oplevert om een podiumplaats te veroveren. Op circuits als Interlagos en Indianapolis is het vinden van een goed evenwicht in de afstelling erg moeilijk. De helft van deze circuits bestaat namelijk uit lange rechte stukken waar een minimale neerwaartse kracht gewenst is, terwijl de andere helft door de vele bochten juist om zo veel mogelijk neerwaartse kracht vraagt.

Krijgt een coureur de juiste afstelling van de wagen op deze circuits niet voor elkaar, dan kan dat behoorlijk frustrerend zijn. Zonder de juiste afstelling zijn ze zo goed als kansloos voor een goed resultaat. Voor degenen die wel dat perfecte evenwicht hebben gevonden in de afstelling van hun wagen, geeft het rijden op deze circuits een fantastisch gevoel. Helemaal als ze winnen!

Coureurs zijn dol op de spectaculaire bochten die op veel van deze gemengde circuits zijn te vinden. Voor een Formule 1-held is er maar weinig dat zich kan meten met het gevoel dat hij krijgt als hij met 300 km/u door een bocht scheurt, terwijl hij weet dat alleen de allerdapperste lefgozers deze bocht plankgas durven te nemen.

Een circuit uitzoeken

Gastland zijn voor een Formule 1-weekend brengt een hoop prestige met zich mee. Dat is dan ook een van de redenen waarom zo veel landen hopen een Grand Prix te mogen organiseren. Talloze overheden leggen de organisatie van de sport in de watten en overladen ze met aandacht, in de hoop toestemming te krijgen voor een race op hun circuit. Net zoals die landen er ook van dromen een keer de Olympische Spelen of het wereldkampioenschap voetbal te mogen organiseren.

Een Formule 1-race organiseren is absoluut geen eenvoudige opgave. Er komt heel wat meer bij kijken dan alleen maar een circuit aanleggen op een flink stuk land en vervolgens de teams en coureurs een uitnodiging sturen.

Prestige is natuurlijk maar een van de drijfveren achter het organiseren van een Grand Prix. Een meestal nog veel belangrijkere reden is de enorme impuls die de lokale economie door de Grand Prix krijgt. Denk je maar in wat alle Formule 1-medewerkers, of dat nou de teamleden of de journalisten zijn en duizenden fans voor de economie in dat gebied zullen betekenen. Sterker nog: er zijn hotels die het hele jaar kunnen rondkomen alleen van de winst die ze rond het grandprixweekend maken.

Een kwaliteitscircuit bieden

De circuiteigenaars moeten ervoor zorgen dat hun circuit aan de strenge eisen van de Formule 1 voldoet. En zelfs alleen maar de basisvoorzieningen van een circuit liegen er niet om:

> ✔ een veilig en degelijk aangelegde baan, met voldoende uitloop-
>   ruimte en veiligheidsvoorzieningen;
>
> ✔ geschikte pitboxen voor de teams en een paddock die groot ge-
>   noeg is om alle trucks en motorhomes op kwijt te kunnen;
>
> ✔ een mediacentrum, medische faciliteiten en andere noodzakelijke
>   infrastructuur op organisatorisch gebied.

Als je zo naar deze basiseisen kijkt, dan snap je dat de circuiteigenaar
weinig wisselgeld terugkrijgt als hij zijn briefje van vijftig miljoen euro
op tafel legt.

Bernie overtuigen

Zodra een land een circuit gereed heeft, of er een gaat aanleggen, zal het
een deal moeten zien te sluiten met Bernie Ecclestone. Ecclestone is het
grote commerciële brein achter de Formule 1 en de man die beslist of
een circuit interessant is voor het Formule 1-publiek en geschikt is voor
de teams. Landen met een grote thuismarkt, zoals China of Turkije zijn
duidelijk veel interessanter voor de Formule 1 dan wanneer bijvoorbeeld Mongolië of de Shetland-eilanden op de kalender zouden staan!

De plaatselijke organisatie betaalt een bepaald bedrag aan Ecclestone
en mag in ruil daarvoor de race organiseren. Een andere oplossing is
dat het circuit verhuurd wordt aan Ecclestone, zodat hij organisator en
promotor wordt van die Grand Prix. Wie het ook organiseert, het is in
ieder geval belangrijk dat er een flinke hoeveelheid toeschouwers op
het weekend afkomt.

Andere dingen die meespelen

Beslissen welke circuits op de Formule 1-kalender komen te staan is
niet een kwestie van eenvoudig achttien circuits aanwijzen. Voor de
sponsors is het belangrijk dat veel races in Europa gereden worden, en
dan met name in de traditionele racelanden als Groot-Brittannië, Monaco en Italië. De grootste groep Formule 1-fans is nog steeds in Europa te
vinden, dus wordt er bij de planning van de races op andere continenten vaak rekening gehouden met het tijdsverschil. Dat is ook de reden
waarom circuits aan de westkust van de Verenigde Staten geen kans
meer maken op een Grand Prix. De races zouden in dat geval namelijk in
Europa op zondagnacht uitgezonden worden.

Hermann Tilke: de topontwerper van Formule 1-circuits

Wil een land een Formule 1-circuit aanleggen, dan wordt het voor advies over het ontwerpen en de constructie direct doorverwezen naar Hermann Tilke. Deze Duitser was bij het ontwerp of de aanpassing van maar liefst tien van de huidige circuits betrokken, inclusief de nieuwe circuits in China en Bahrein. Nog even en hij heeft bij alle circuits op de kalender een vinger in de pap gehad.

Vanwege zijn succesvolle ontwerpen wordt Tilke steeds weer opnieuw gevraagd. Hij weet exact waar een circuit aan moet voldoen, voordat het geschikt is voor de Formule 1. Toen in Maleisië als eerste Aziatische land een Grand Prix werd verreden, zorgde Tilke ervoor dat er gebedsruimten voor de islamitische toeschouwers waren.

In zijn ontwerpen staat altijd één aspect voorop: de veiligheid van de coureurs en de toeschouwers. Tilke zegt dat hij voor iedere meter van de baan bedenkt wat daar zou kunnen misgaan tijdens een race, en vervolgens kijkt waar hij dan de uitloopgebieden moet neerleggen. Om dezelfde veiligheidsredenen heeft Tilke een aantal bochten aangepast, zodat coureurs deze bochten met beleid ingaan en daardoor het risico op crashes verminderen.

Hoofdstuk 14
Circuit en coureur

- -

In dit hoofdstuk:

▶ Wat coureurs wel en niet bevalt aan circuits

▶ Veel testen voor het beste resultaat tijdens de race

▶ Begrijpen waarom circuits veranderen

- -

Zodra zijn motor aanslaat en hij de pitstraat uitrijdt, weet een Formule 1-coureur al dat hij in deze race opnieuw alles moet geven. Op een nieuw circuit is dat echter lang niet altijd eenvoudig. Pas na enkele ronden heeft hij de baan goed genoeg leren kennen om vol vertrouwen het gas wat dieper in te trappen.

Daarbij laat lang niet elk circuit zich even gemakkelijk doorgronden. De coureur moet precies uitvinden met welke bobbels en golvingen hij rekening moet houden, hoe de bochten optimaal genomen moeten worden en welke kerbs hij zonder problemen nog net mee kan pikken.

Dit hoofdstuk geeft je inzicht in hoe coureurs de baan leren kennen en wat de verschillende circuits precies vragen van de coureurs. Ook leggen we uit waarom coureurs lang niet altijd de voorkeur geven aan de makkelijkere circuits.

Vlot de bocht om

Iedere sporter geniet van het gevoel dat bij het winnen van een harde strijd hoort. En dit gevoel wordt alleen maar sterker als hij de overwinning niet op een presenteerblaadje krijgt. Formule 1-coureurs zijn hierin niets anders dan alle andere sporters.

Formule 1-coureurs mogen dan hun hele carrière lang op zoek zijn naar de beste wagen, ze weten dat er uiteindelijk niets boven een overwinning op een uitdagend circuit gaat. Snelle bochten die een perfecte wagenbeheersing vragen en waarin elk foutje fataal kan zijn, leveren de kick die de uitdaging alleen maar groter maakt voor de coureur.

Dit zijn vier van de spectaculairste bochten of combinaties waarop de coureurs zich in een seizoen mogen uitleven:

- **130R, Suzuka.** Ook na de aanpassing voor de Grand Prix van Japan van 2003, geldt de 130R als een van de beste bochten van het seizoen. De coureurs gaan deze bocht met een snelheid van ongeveer 290 km/u in, waarna alleen de dappersten de voet op het gas houden. Sommige coureurs voelen zich daarbij als een vis in het water, terwijl bij anderen een angstig gevoel opkomt dat ze hun rechtervoet misschien toch een tikje moeten optillen. Het enorme ongeluk van Allan McNish, die tijdens de kwalificaties van 2002 tevergeefs een slip probeerde te herstellen, liet duidelijk zien wat er gebeurt als een coureur de situatie verkeerd inschat.

- **De tunnel, Monaco.** Ook al blijft de tunnel van Monaco voor alle toeschouwers gesloten, dankzij de camera's kunnen we toch een glimp opvangen van een van de mooiste stukjes circuit in de Formule 1. De coureurs moeten de tunnel onverschrokken induiken, terwijl ze door de plotselinge schemer even niets zien. In het midden van de tunnel bevindt zich een rechterbocht die vol gas genomen wordt. De afzetting van deze bocht laat geen enkele ruimte voor vergissingen. In 2002 ontdekte de Japanse nieuweling Takuma Sato eigenhandig hoe smal deze tunnel wel niet is, toen hij bij het laten passeren van zijn teammaat Giancarlo Fisichella hard crashte.

- **Beckett's Complex, Silverstone.** Soms bestaat een spectaculair deel van een circuit uit meer dan een bocht. Beckett's Complex van Silverstone is hiervan een voorbeeld. Deze golvende combinatie van rechts, links, rechts, links bochten wordt met bijna 260 km/u bereden en vraagt een goed afgestelde wagen en een coureur die tot het uiterste geconcentreerd is. Zodra een van de bochten verkeerd wordt genomen, is het vrijwel onmogelijk de wagen weer terug op de ideale lijn te krijgen. Beckett's Complex is een perfecte plek om de ware kwaliteiten van coureurs te ontdekken.

- **Eau-Rouge, Spa-Francorchamps.** Hoewel hij in 2003 op de kalender ontbrak, is de bocht Eau-Rouge van Spa-Francorchamps een ware legende. Alleen de allerdappersten durven deze bocht vol gas te nemen, en de onderlinge competitie tussen de coureurs heeft al tot menig spectaculair ongeluk geleid. Zo crashten de teamgenoten Jacques Villeneuve en Ricardo Zonta tijdens de kwalificaties van 1999 beiden in deze bocht. Het team moest tot diep in de nacht doorwerken om twee compleet nieuwe wagens te bouwen.

Deze bochten vragen niet alleen om een perfect afgestelde wagen, maar stellen ook de nodige eisen aan de coureurs. En dit is precies wat de coureurs zo bevalt aan deze bochten: ze weten dat ze hier iedere ronde weer de kans hebben zichzelf te overwinnen en te bewijzen wat ze waard zijn. Met de nodige dosis moed kan een goede coureur in een slechtere wagen toch zijn rivaal in de betere wagen voorblijven. Als je de tienden van seconden die hij zo per bocht wint optelt, dan maken deze bochten het verschil uit tussen pole of ergens in de middenmoot.

Jammer genoeg heeft de roep om veiligheid tot steeds minder spectaculaire banen geleid. Veel uitdagende bochten zijn vanwege het ongevalgevaar vervangen door langzamere varianten. Ook al betekent deze trend dat er voor de courcurs steeds minder spanning in de Formule 1 zit, ze zijn des te dankbaarder voor elke echt uitdagende bocht op de kalender.

Test 1-2-3, test 1-2-3 ... het circuit leren kennen

Ook al heeft een coureur nog nooit op een bepaalde baan gereden, hij zal zeker niet geheel onvoorbereid de wagen instappen.

De coureurs bereiden zich met videobeelden uit de cockpit en de steeds geavanceerder wordende Formule 1-games voor op het circuit. Zo weten ze waar ze de bochten naar links kunnen verwachten, wanneer ze naar rechts moeten sturen en op welke punten geremd moet worden. Tenminste in theorie.

Uiteindelijk gaat er natuurlijk niets boven het zelf zien, voelen en ontdekken van het circuit. De kennis die de coureur via de videobeelden en de games opdoet, valt in het niet bij de ervaring die hij zelf bij het rijden kan opdoen. Teams hechten daarom veel waarde aan de testsessies op de circuits, zodat er tijdens het grandprixweekend geen tijd wordt verloren door een coureur die eerst de weg nog moet leren kennen. Een coureur die direct aan het begin van de vrije trainingen weet waar hij

Waarom niet 's nachts racen?

Een paar jaar geleden stelde de organisatie van de Grand Prix van Maleisië op het circuit van Sepang voor om de race 's avonds te verrijden. Dit zou uniek zijn voor de Formule 1 waar, in tegenstelling tot autosporten als NASCAR en Indy Racing League, normaal gesproken nooit in het donker wordt gereden.

Teams en coureurs zagen het idee van Sepang, om 's avonds op een hel verlicht circuit te rijden, niet zitten en het plan is nooit uitgevoerd. Behalve dat de wagens zelf helemaal geen verlichting hebben, was het grootste bezwaar van de coureurs dat het zicht zelfs met de beste lampen slechter zou zijn dan gewoon overdag, met alle gevaren van dien.

Veel fans zijn bovendien van mening dat de Formule 1 een pure sport moet zijn, en niet mag vervallen tot plat televisievermaak.

heen moet, scheelt een hoop in het aantal crashes en afgeschreven wagens. In hoofdstuk 8 lees je meer over de vrije trainingen.

Als je op de donderdag voor een Grand Prix naar het circuit gaat, is de kans groot dat je ervaren coureurs als Michael Schumacher, David Coulthard en Olivier Panis in auto's of op motoren over het circuit ziet rijden. Ze kijken wat er is veranderd sinds de laatste keer dat ze daar reden. Hoofdstuk 8 gaat dieper in op wat de coureurs zoeken wanneer ze, schijnbaar heel relaxed, het circuit bestuderen. Die donderdagen heb je als fan waarschijnlijk de beste kans de coureurs te beleven zoals ze werkelijk zijn, zonder de werkdruk en stress van de zaterdag en zondag.

Voordelen van testen

Een coureur die het circuit al kent, heeft een groot voordeel op een coureur voor wie het circuit nog nieuw is. Het is voor een coureur van groot belang dat hij precies weet hoeveel grip elk deel van de baan geeft, welke bochten door onverwachte welvingen sneller zijn dan je zou denken, en hoeveel speelruimte de kerbs bij de uitgang van de bochten leveren. Daarom is het voor nieuwe coureurs zo belangrijk om een circuit al voor het raceweekend uit te proberen. Al zijn het maar een paar rondjes in een gewone auto.

Een ander groot voordeel van het testen is dat de coureurs zo in het weekend onder minder druk staan en meer tijd hebben om te experimenteren met de afstelling van de wagen en het zoeken naar de perfecte racelijn.

De weg leren kennen

Voor de eerste ronden krijgt een coureur meestal een wagen mee die goed in balans is en gemakkelijk te rijden is. De coureur kan experimenteren met de racelijnen, zonder dat hij al te veel moeite hoeft te doen om zijn wagen op de baan te houden.

Een topcoureur heeft al aan een paar ronden genoeg om een nieuw circuit te leren kennen. Zonder al te veel moeite zal hij zijn wagen zo hebben afgesteld, dat hij direct met de top kan meerijden. Maar het gaat natuurlijk om die paar tienden seconden waarmee hij niet alleen goed is, maar waarmee hij ook nog kan winnen. Een van de manieren voor een coureur om de grenzen van zijn wagen en van het circuit te leren kennen, is door ze te overschrijden. Bij zijn zoektocht naar het laatst mogelijke rempunt of de hoogste bochtsnelheid, zal hij regelmatig dankbaar gebruikmaken van de grote uitloopstroken of eventueel de grindbakken.

Ook de kerbs bieden meestal veel extra ruimte voor het nemen van een bocht, al zijn sommige kerbs te hoog en gooien ze de wagen direct uit balans. Dergelijke kerbs zal de coureur proberen te vermijden. Van de lagere kerbs waarmee de coureur enkele meters van de bocht en tienden seconden van de rondetijd kan halen, maakt hij echter dankbaar gebruik. De coureurs letten daarbij goed op elkaars racelijnen. Gebruikt een coureur de kerbs op een bepaalde plek, dan zie je de andere coureurs dat snel daarna ook gaan doen.

Spelen met de afstelling

Heeft de coureur het circuit eenmaal in zijn vingers, dan is het tijd om te gaan spelen met de afstelling van de wagen. Hij ontdekt zo of hij de voorkeur geeft aan meer grip in de bochten of liever meer snelheid op de rechte stukken. Levert dat meer snelheid op, dan zal een coureur vaak voor een moeilijker bestuurbare wagen kiezen. In de Formule 1 draait het niet altijd om comfort.

De beste trainingstijd

Geloof het of niet, maar het karakter van een baan kan tijdens het raceweekend behoorlijk veranderen. Voor het weekend is het oppervlak van de baan vaak behoorlijk vies van het stof, de olie en vuil zoals bladeren en steentjes.

In de loop van het weekend wordt het oppervlak dankzij de wagens die eroverheen rijden behoorlijk schoon. Bovendien laten de wagens in de bochten en op de plekken waar geremd wordt rubber achter, waardoor het circuit elke ronde meer grip krijgt.

De verbetering van het oppervlakte is precies waarom het voordeel biedt de één uur durende kwalificatie later op de dag te rijden. Elke laag rubber die op de baan wordt gelegd betekent meer en meer grip.

De extra grip op de ideale lijn heeft ook een nadeel: zodra je buiten die lijn komt, waar dus veel minder wagens hebben gereden, heb je ineens veel minder grip. Het vuil en de stof op de baan zijn daar nog niet weggereden, en bovendien hebben de coureurs naast de ideale lijn last van de kleine ronde stukjes rubber (de *marbles*) die van de banden afkomstig zijn. Menig coureur die zich naast de ideale lijn begaf, is dankzij deze stukjes rubber voor een vervelende verrassing komen te staan.

Sommige coureurs zie je naast de eigenlijke baan ook de uitloopstroken bij de bochten goed bestuderen. Ze controleren niet of deze delen wel veilig genoeg zijn, maar proberen te ontdekken waar de toegangswegen een goede weg terug naar de baan bieden. Dit is erg belangrijk om te weten voor het geval ze tijdens de race een fout maken en de baan af spinnen. Deze trend is ooit door Michael Schumacher gezet, en het heeft hem verschillende keren de overwinning opgeleverd. Dankzij zijn perfecte voorbereiding kon hij zijn wagen na een spin weer snel op de baan terugbrengen en de race voortzetten.

Het altijd veranderende karakter van banen

Een kijkje in de geschiedenisboeken van de Formule 1 laat zien dat een aantal circuits al sinds dag één op de kalender staat. Zou een coureur van nu terug gaan naar 1950, het geboortejaar van de Formule 1, dan zou hij die baan maar met moeite herkennen.

Sterker nog, alleen het circuit van Monaco is in al die jaren vrijwel onveranderd; wat natuurlijk alles te maken heeft met het feit dat je straten in een stad niet zomaar verlegt.

Veiligheid vergroten

Bijna alle veranderingen aan de circuits zijn vanuit het oogpunt van veiligheid aangebracht. Al is er natuurlijk ook de Hungaroring. Pas na een omleiding van een lastige ondergrondse bron was het in 1986 mogelijk de loop van het circuit aan te passen en te verbeteren.

Snelheidsbeperkingen

De enorme technologische ontwikkeling die de wagens de afgelopen jaren hebben doorgemaakt, hebben er op vrijwel alle circuits voor gezorgd dat de snelheid van de wagens met chicanes (twee langzame rechts/links- of links/rechts-bochten aan het einde van een recht stuk) en langzame bochten is teruggebracht. Het grootste probleem is niet zozeer de snelheid op de rechte stukken, die sinds de jaren vijftig van de vorige eeuw redelijk hetzelfde gebleven, maar de toegenomen bochtsnelheid. Ongelukken gebeuren bijna altijd in bochten. Het mag duidelijk zijn dat een coureurs die met 240 km/u van de baan spint, een veel groter gevaar op letsel loopt, dan een coureurs die er in dezelfde bocht met 120 km/u eruit vliegt.

De rechte stukken op Monza, het snelste circuit op de kalender, worden onderbroken door nauwe chicanes die de bochtsnelheid van de wagens duidelijk terugbrengen. Vergelijk je hoe de circuits er vroeger en nu uitzien, dan valt je direct op dat de toevoeging van de chicanes de grootste verandering is geweest. In figuur 14.1 zie je de veranderingen die het circuit Silverstone in de loop der jaren heeft ondergaan

Artsen bij het ongeval krijgen

Veiligheid is meer dan ervoor zorgen dat de wagens niet te hard rijden. Moderne banen zijn kort en compact, zodat medisch personeel zo snel mogelijk bij een ongeval kan zijn.

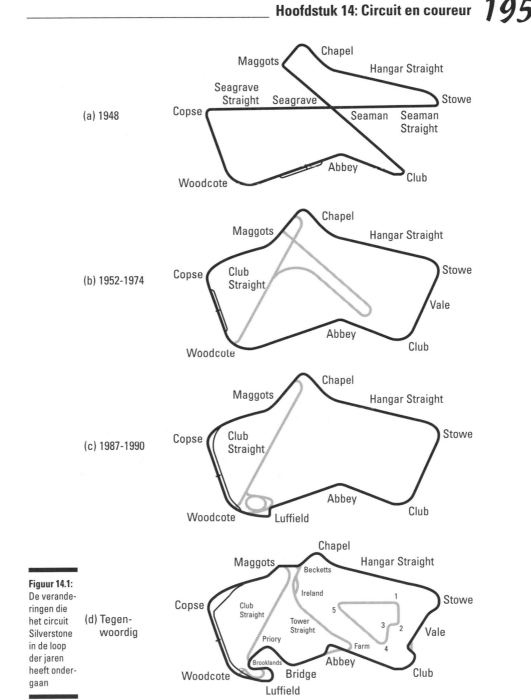

(a) 1948

(b) 1952-1974

(c) 1987-1990

(d) Tegenwoordig

Figuur 14.1:
De veranderingen die het circuit Silverstone in de loop der jaren heeft ondergaan

De oude Nürburgring was een indrukwekkende strook asfalt van 22,5 km. Geen wonder dat dit circuit de coureurs ontzag inboezemde dat geen enkel ander circuit ooit heeft kunnen evenaren. Maar deze enorme lengte maakte het ook vrijwel onmogelijk om elk stuk van de baan door voldoende baancommissarissen, brandweermensen en medisch personeel te laten bewaken. De druppel die de emmer deed overlopen was het ongeluk van Niki Lauda in 1976. Na zijn crash kon hij maar ternauwernood uit zijn brandende wagen worden gered.

De moderne Nürburgring is ongeveer 5,1 km lang. Deze baan biedt bij lange na niet dezelfde uitdagingen als de oude baan, maar de coureurs zijn hier tenminste wel gegarandeerd van een maximale veiligheid. En voor de toeschouwers is een race met 60 in plaats van 14 ronden ook veel boeiender!

Inhalen makkelijker maken

De veiligheid van Formule 1-wagens is tegenwoordig zoveel beter dan vroeger, dat het niet eens meer echt de moeite loont om de circuits vanwege de veiligheid aan te passen. Desalniettemin zien veel circuitbazen nog genoeg aanleidingen voor verbeteringen. Zij willen hun banen zo spannend mogelijk maken, met veel inhaalmogelijkheden, want dat trekt publiek.

De moderne Nürburgring is een goed voorbeeld van een baan die aangepast is om inhaalacties te vergemakkelijken. Voor het seizoen 2002 werd een aantal scherpe bochten aangelegd om de coureurs een kans te geven in te halen. In het nieuwe ontwerp is een aantal haarspeldbochten opgenomen die nog meer actie op de baan mogelijk maakt. Tegelijkertijd is er voor het publiek een nieuwe tribune gebouwd vanwaar tienduizenden toeschouwers goed zicht hebben op de wagens, die dankzij deze bochten elke ronde meerdere malen voorbij komen flitsen.

De eisen die aan een goed circuit worden gesteld zijn continu in beweging. Zo zal er in de toekomst meer en meer aandacht komen voor de vormgeving van de circuits, zodat de logo's van de sponsors alle ruimte krijgen en de bochten zo zijn aangelegd dat de wagens zo spectaculair mogelijk op televisie uitkomen, maar desondanks wel een echte uitdaging voor de coureurs blijven bieden.

Hoofdstuk 15

De circuits op de kalender

In dit hoofdstuk:

▶ Een blik op de Formule 1-circuits

Acht maanden lang, van maart tot oktober, doet de strijd om het Formule 1-wereldkampioenschap alle uithoeken van de wereld aan. Hoewel de meeste fans de races comfortabel vanaf hun eigen bank bekijken, zijn er genoeg fans die de actie live willen beleven.

Bedenken welke race je wilt bezoeken is één ding, dit vervolgens in de praktijk omzetten is iets compleet anders. In dit hoofdstuk vertellen we je wat je op de verschillende circuits kunt verwachten. In hoofdstuk 16 lees je meer over het bezoeken van een Grand Prix en de passende voorbereiding daarop.

Racen door Europa

Het grootste deel van de races vindt in Europa plaats. Van begin april tot eind september rijden teams en coureurs kriskras door Europa, op zoek naar de overwinning.

A1-Ring, Grand Prix van Oostenrijk

De A1-Ring (zie figuur 15.1) is slechts een schaduw van de vroegere Österreichring, ooit een van de beroemdste en snelste circuits. Toch is deze A1-Ring een van de uitdagendste, spectaculairste en ook schilderachtigste circuits op de kalender.

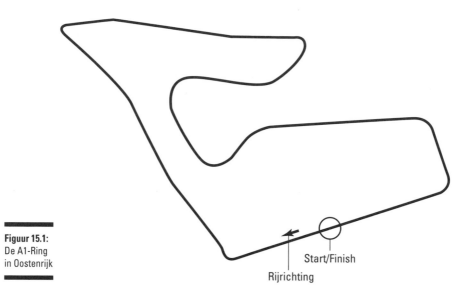

Figuur 15.1:
De A1-Ring
in Oostenrijk

Start/Finish

Rijrichting

Geschiedenis van het circuit

De geschiedenis van de Österreichring gaat terug tot het jaar 1958, toen er op een militair vliegveld in Zeltweg een aantal sportevenementen werd georganiseerd. Op dat terrein bevond zich ook een tijdelijk circuit, dat in 1964 werd goedgekeurd om een Grand Prix op te verrijden. Echter, voor een definitieve plek op de Formule 1-kalender moest Oostenrijk eerst voor een betere baan zorgen die aan alle criteria voldeed.

Het nieuwe circuit werd op een nabijgelegen heuvel aangelegd en was van 1970 tot 1987 het decor voor de Grand Prix van Oostenrijk. De coureurs waren dolenthousiast over de fantastische bochten van de baan. Vooral de Jochen Rindt-bocht was favoriet. Alleen de coureurs die deze honderdtachtiggradenbocht perfect namen konden daarna op topsnelheid over de start/finish-lijn knallen.

De race van 1987 was de laatste Grand Prix op dit circuit. Pas in 1997 vond er op de geheel vernieuwde A1-Ring (genoemd naar de sponsor, een bedrijf voor mobiele telefonie) weer een Grand Prix plaats. Helaas moeten de fans de Grand Prix van Oostenrijk sinds 2004 missen.

Formule 1-fans denken bij de Grand Prix van Oostenrijk onmiddellijk terug aan de verbijsterende ontknoping van 2002. De Ferrari van Rubens Barrichello lag vanaf de start en na de pitstops de hele race aan kop. Vlak voor de finish kreeg hij van het team de opdracht zijn voet van het gas te halen en de overwinning aan teamgenoot Michael Schumacher te laten. Deze positiewisseling op de laatste honderd meter van de race leverde een zee van protest en boegeroep van de tribunes op. De kranten stonden de volgende dag bol van dit schandaal. Geen wonder dus dat de organisatie van Formule 1 aan het einde van dat seizoen de teamorders verbood.

Kenmerken

Type: permanent circuit.

Baanlengte: 4,317 km.

Duur van de race: 71 ronden (306,507 km).

Starttijd: 14.00 uur.

Gebruikelijke racedatum: begin tot midden mei.

Het eerste deel van de baan bestaat uit drie lange rechte stukken die door scherpe bochten naar rechts van elkaar zijn gescheiden. Als toeschouwer heb je op deze stukken een fantastisch uitzicht, helemaal als je zicht hebt op de ingang van de bochten, waar immers de meeste inhaalpogingen plaatsvinden.

Barcelona, Grand Prix van Spanje

Buiten het seizoen worden er op het 'Circuit de Catalunya' nabij Barcelona talloze testsessies afgelegd. De coureurs kennen het circuit van Barcelona (zie figuur 15.2), waarop de Grand Prix van Spanje wordt verreden, dan ook als hun broekzak.

Geschiedenis van het circuit

In 1992 vonden in Barcelona de Olympische Spelen plaats. Hoewel autosport geen onderdeel is van de Spelen, werd er bij de voorbereidingen in Barcelona ook een nieuw circuit aangelegd. De vele snelle bochten in deze baan vereisen een perfecte wagenbeheersing van de coureurs, maar leveren ook eentonige races op omdat het vrijwel onmogelijk is

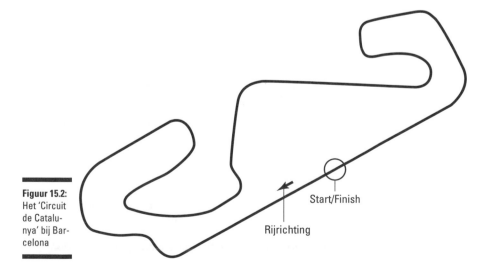

Figuur 15.2:
Het 'Circuit de Catalunya' bij Barcelona

Start/Finish

Rijrichting

om in te halen. Het schijnt dat menig Spaans toeschouwer tijdens de race een siësta houdt!

De Grand Prix van Spanje vindt sinds 1986 elk jaar plaats. Nogal wat verschillende circuits zijn, ook in de jaren daarvoor, de revue gepasseerd. Sinds 1986 is er gereden op het circuit van Jerez bij Cadiz, de eerste race werd op het circuit van Pedrables in 1951 verreden. Vroeger is er ook gereden op Jarama bij Madrid, op een uitdagend circuit in het Montjuich Park in Barcelona en op Jerez in het zuiden van Spanje. Hoewel het circuit van Jerez de toekomst van de Grand Prix van Spanje heeft veiliggesteld, werd de Grand Prix na een groot ongeluk van de Britse coureur Martin Donnelly om veiligheidsredenen naar Barcelona verplaatst. Het record van de krapste finish staat nog steeds op naam van het circuit in Jerez, waar Ayrton Senna in 1986 met slechts 0,014 seconden Nigel Mansell versloeg.

Kenmerken

Type: permanent circuit.

Baanlengte: 4,727 km.

Duur van de race: 65 ronden (307,196 km).

Starttijd: 14.00 uur.

Gebruikelijke racedatum: begin tot midden mei.

De Grand Prix van Spanje is vooral onder buitenlandse bezoekers favoriet. Niet vreemd, als je bedenkt dat Barcelona een van de populairste steden van Europa is. Het circuit heeft goede voorzieningen en de snelle bochten waarin de coureurs hun stuurmanskunsten showen zijn een echte trekpleister. Het weer is er meestal fantastisch, maar neem voor de zekerheid toch je regenjas mee, want voor je het weet begint het ineens te hozen.

Hockenheim, Grand Prix van Duitsland

Het nieuwe circuit van Hockenheim (zie figuur 15.3) is nog slechts een schaduw van wat het eerst was. Desondanks worden er goede races gereden en ook de coureurs vinden het daarom een prima circuit. De ontwerpers van het circuit hebben ervoor gezorgd dat het publiek de hele race kan volgen, terwijl de coureurs vol gas mogen geven.

Geschiedenis van het circuit

Het huidige circuit werd in 2002 voor het eerst gebruikt. De oude baan was door de beperkte uitlooptuimte en de dichte bebossing niet meer veilig genoeg om op te rijden. Op deze oude baan, die door een beschermd natuurgebied liep, werden snelheden van meer dan 350 km/u bereikt.

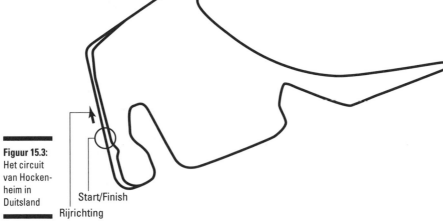

Figuur 15.3:
Het circuit
van Hocken-
heim in
Duitsland

Start/Finish

Rijrichting

Toen de Nordschleife, de oude Nürburgring, niet langer veilig was voor de Formule 1 werd de Grand Prix van Duitsland sinds 1977 op het (nu oude) circuit van Hockenheim verreden. In de loop der jaren zijn op dit circuit een aantal klassiekers te zien geweest. Een van de opzienbarendste momenten vond in 1982 plaats, toen Nelson Piquet door Eliseo Salazar van de baan werd getikt. Hij stapte uit en ging direct zijn gelijk bij Salazar halen – het niet bepaald zachtzinnige handgemeen was live over de hele wereld te volgen.

Ferrari-coureur Rubens Barrichello zal altijd goede herinneringen houden aan dit circuit: in 2000 won hij hier zijn eerste Grand Prix. Met zijn achttiende startplek had hij het zich de voorgaande dag daarbij niet erg gemakkelijk gemaakt.

Sinds de dag dat Michael Schumacher Formule 1 rijdt zijn de tribunes van Hockenheim overladen met Duitse fans. Ondanks de vele aanmoedigingen heeft deze coureur weinig geluk bij thuiswedstrijden. Pas na drie mislukte pogingen won hij in 1995 zijn eerste race op dit circuit. De jaren daarna zorgden ongelukken, blessures en herstelperioden ervoor dat hij pas in 2002 weer op het podium mocht staan.

Kenmerken

Type: permanent circuit.

Baanlengte: 4,573 km.

Duur van de race: 67 ronden (306,391 km).

Starttijd: 14.00 uur.

Gebruikelijke racedatum: eind juli.

Duitse fans kunnen tijdens het seizoen nogal luidruchtige supporters zijn; een extra reden dus om oordopjes mee te nemen. Elke keer als hun held Schumacher langsrijdt, wordt je doof van het getoeter, gejuich en gefluit. En na de race, met het vallen van de avond, wordt het volume zeker niet minder. Kampeer je in de buurt van het circuit, reken dan niet op een lange nachtrust. Het feest gaat de hele dag en nacht op vol vermogen door!

Hungaroring, Grand Prix van Hongarije

In 1986 werd geschiedenis geschreven toen er met de Grand Prix van Hongarije voor het eerst Formule 1-wagens achter het IJzeren Gordijn waren te zien. De bewoners van Hongarije hebben de sport in hun hart gesloten, en ook na het wegvallen van het IJzeren Gordijn is dat zo gebleven.

De Hungaroring (zie Figuur 15.4) is net als het circuit van Monaco erg krap. Coureurs omschrijven het als 'Monte Carlo, maar dan zonder de afzettingen'. De vele bochten en slingers in de weg maken inhalen vrijwel onmogelijk, en dat is ook na de aanpassingen van 2003 niet veranderd. Dit alles maakt de kwalificaties in Hongarije op zaterdag extra belangrijk.

De verzengende hitte is in Hongarije een van de grootste uitdagingen voor de coureurs. De centrale hoogvlakten van Oost-Europa kunnen in de zomer erg benauwd worden, met temperaturen op de baan die vergelijkbaar zijn met die in Maleisië. Aangezien er geen enkel recht stuk van betekenis is te vinden, kan de coureur zich geen seconde ontspan-

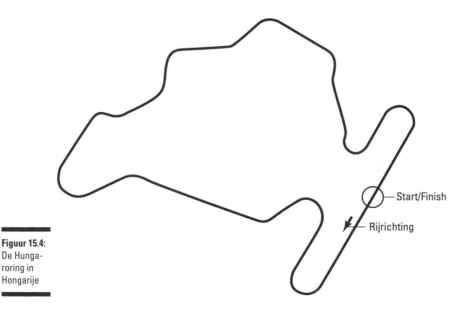

Start/Finish

Rijrichting

Figuur 15.4:
De Hungaroring in Hongarije

nen. Gecombineerd met de hitte, maakt dat deze lastige baan tot een ware uitputtingsslag.

Hoe bizar het misschien ook klinkt, voor Finnen is de Grand Prix van Hongarije de race die nog het meest op iets als een thuiswedstrijd lijkt; ondanks de duizenden kilometers die het circuit van Finland ligt. Het Hongaarse Magyar komt uit dezelfde taalfamilie als het Fins. De Finse fans voelen zich door de bekend klinkende klanken merkbaar thuis in Hongarije, en je zult in het publiek dan ook honderden van die beroemde blauwwitte vlaggen kunnen ontdekken.

Geschiedenis van het circuit

Coureurs klagen vaak over de krappe opzet van de Hungaroring, terwijl het circuit ten opzichte van de oorspronkelijke baan al flink verbeterd is. Tijdens de aanleg van het circuit zorgde een ondergrondse bron voor problemen, en moest een extra bocht worden aangelegd om deze bron te omzeilen. In 1986 lukte het eindelijk om de bron te dempen en de onbedoelde bocht te vervangen door een recht stuk.

Kenmerken

Type: permanent circuit.

Baanlengte: 4,385 km.

Duur van de race: 70 ronden (306,663 km).

Starttijd: 14.00 uur.

Gebruikelijke racedatum: midden augustus.

Zorg ervoor dat je goed zicht hebt op de eerste bocht, aangezien de kans groot is dat de race gelijk al in deze eerste bocht beslist wordt. Vanwege het gebrek aan inhaalmogelijkheden proberen coureurs bij de start een goede positie te veroveren en deze de rest van de race te verdedigen. Vergeet daarbij niet dat op het gedeelte dat bergafwaarts gaat, waar zelfs de meest ervaren Formule 1-coureur alles op alles moet zetten om zijn wagen op de baan te houden en de tegenstanders te ontwijken.

Imola, Grand Prix van San Marino

Het Formule 1-seizoen in Europa gaat met de Grand Prix van San Marino van start. Nadat de eerste drie races van het seizoen op andere continenten zijn verreden, kijken de coureurs met spanning uit naar deze race. Het circuit van Imola (zie figuur 15.5) is gelegen in het prachtige glooiende Toscaanse landschap; een omgeving die niet zou misstaan op een doek van een klassieke meester.

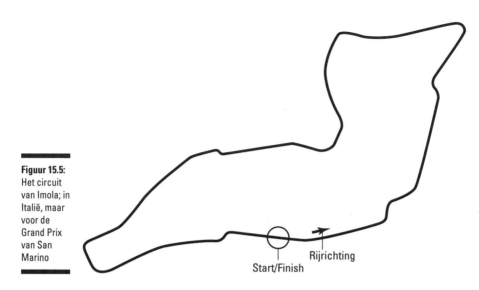

Figuur 15.5:
Het circuit van Imola; in Italië, maar voor de Grand Prix van San Marino

Start/Finish

Rijrichting

Hoewel de naam anders doet vermoeden, wordt deze race in Italië gereden. San Marino is een klein staatje dat op enkele tientallen kilometers afstand van Imola ligt. Dit staatje zou te klein zijn om een circuit in aan te leggen, maar heeft toch een Grand Prix toebedeeld gekregen. In het Formule 1-reglement is vastgelegd dat ieder land slechts één race per jaar mag organiseren. Italië was al gastheer voor een Grand Prix, en de organisatie van de Formule 1 moest dus een manier vinden om de regels te omzeilen. Dit is dezelfde reden waarom een van de Duitse Grand Prix tegenwoordig officieel de Grand Prix van 'Europa' wordt genoemd.

Geschiedenis van het circuit

Het circuit van Imola is drastisch veranderd na het noodlottige weekend in 1994, toen Ayrton Senna en Roland Ratzenberger bij twee verschillende ongelukken om het leven kwamen. Met extra chicanes zijn de rechte stukken korter gemaakt en is het circuit daardoor veiliger geworden. Imola is samen met Interlagos een van de zeldzame circuits waar tegen de klok in wordt gereden.

In 1980 werd de Grand Prix van Italië bij uitzondering op Imola gereden. Dit nieuwe circuit beviel zo goed, dat Ferrari oprichter Enzo Ferrari het als vast onderdeel op de Formule 1-kalender wilde zien. Zo is het idee van de Grand Prix van San Marino ontstaan.

Ralf Schumacher heeft ondertussen al redelijk wat overwinningen op zijn naam staan. Toch zal de Grand Prix van San Marino altijd bijzonder voor hem blijven, aangezien hij hier in 2001 zijn eerste Grand Prix won. Hij bracht zijn wagen meteen al bij de start aan de leiding, en verdedigde deze plek tot aan de finish.

Kenmerken

Type: permanent circuit.

Baanlengte: 4,931 km.

Duur van de race: 62 ronden (305,722 km).

Starttijd: 14.00 uur.

Gebruikelijke racedatum: begin tot midden april.

Over het circuit van Imola zal altijd de zwarte schaduw blijven hangen van het verschrikkelijke weekend in 1994, toen zowel Ayrton Senna als Roland Ratzenberger op dit circuit om het leven kwamen. Het feit dat Senna drievoudig wereldkampioen was maakte zijn dood des te schokkender. Loop, als je de kans krijgt, langs de Tamburello-bocht, de plek waar Senna het leven liet en kijk naar de talloze bloemen en aandenkens die daar ieder jaar weer worden neergelegd.

Magny-Cours, Grand Prix van Frankrijk

Frankrijk is de bakermat van de autosport. Al aan het begin van de twintigste eeuw werden hier autoraces georganiseerd, waarbij van de ene grote stad naar de andere werd gereden.

De huidige thuisbasis van de Grand Prix van Frankrijk is het midden in Frankrijk gelegen circuit van Magny-Cours (zie figuur 15.6). Voor het land waar de wieg van de Formule 1 stond, heeft dit circuit een minder spectaculaire geschiedenis dan je zou verwachten. Het circuit, waar sinds 1991 de Grand Prix van Frankrijk wordt verreden, is bij zowel de coureurs als de fans geliefd. De idyllische ligging op het platteland, ver van de steden, is de perfecte omgeving voor teams en coureurs die zover in het seizoen hard aan wat ontspanning toe zijn, en zeker zullen genieten van de rust, het lekkere eten en de wijn.

Magny-Cours wordt gekenmerkt door zeer glad asfalt en een ontwerp waarin de kenmerken van verschillende andere circuits zijn samengebracht. Iets dat overigens is terug te vinden in de namen van de bochten. Deze supersnelle bochten, gecombineerd met de beperkte manoeuvreerruimte, maken inhalen behoorlijk moeilijk en vragen om een perfecte racestrategie.

Bij de laatste bocht rijden de wagens rakelings langs de pitmuur, wat deze bocht uniek maakt. Om teamleden te beschermen tegen wagens die tegen de muur rijden, is hier een wand van speciaal beveiligd glas geplaatst; en al verscheidene keren bleek dat dat geen overdreven beslissing is geweest.

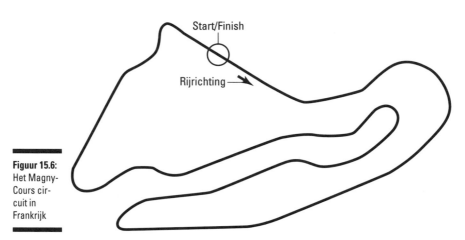

Start/Finish

Rijrichting →

Figuur 15.6:
Het Magny-
Cours cir-
cuit in
Frankrijk

Geschiedenis van het circuit

Sinds het begin van het wereldkampioenschap, in 1950, is de Grand Prix van Frankrijk op zeven verschillende circuits gereden. Een leuk weetje om de Fransen te testen die je tijdens het weekend spreekt: de circuits lagen in Reims, Clermont-Ferrand, Le Mans, Rouen, Le Castellet (Paul Ricard), Dijon en Magny-Cours.

Kenmerken

Type: permanent circuit.

Baanlengte: 4,4103 km.

Duur van de race: 70 ronden (308,721 km).

Starttijd: 14.00 uur.

Gebruikelijke racedatum: begin tot midden juli.

Bij sommige hogesnelheidsbochten op Magny-Cours hou je je adem in als je ziet met welke duizelingwekkende snelheden de coureurs de bochten induiken. Toch zijn de velden waar je uitzicht hebt op de Adelaide-haarspeldbocht waarschijnlijk nog de beste plek om de race te bekijken. De Franse zon kan flink branden, dus vergeet vooral je zonnebrand-crème niet. Je wilt op het eind van het weekend immers niet net zo rood zijn als een van die Ferrari's; tenzij je een echte fan bent, natuurlijk!

Monte Carlo, Grand Prix van Monaco

De Grand Prix van Monaco is de beroemdste race op de kalender, en niet in de laatste plaats vanwege de glamour die bij dit weekend hoort. De beelden van racewagens die uit de tunnel tevoorschijn schieten met op de achtergrond de haven, die vol ligt met luxe jachten en het beroemde casino waar champagnefeesten worden gegeven, zorgen voor een sprookjesachtige sfeer. Wil je er echt met volle teugen van kunnen genieten, dan helpt het als je een dikke portemonnee bij je hebt. In figuur 15.7 zie je het circuit van Monte Carlo.

Geschiedenis van het circuit

Al in 1929, dus nog voor het begin van het wereldkampioenschap, werd in dit minuscule koninkrijk aan de Franse zuidkust een Grand Prix verreden. Tot 1972 bleef de oorspronkelijke baan van 3,15 km onveranderd. In dat jaar werd de baan voor de aanleg van een chicanecomplex rond het nieuw zwembad gewijzigd. In de volgende jaren werden er slechts hier en daar enkele kleine cosmetische veranderingen aangebracht. Pas in 2003 werd besloten enkele laatste bochten aan te passen, wat alleen maar mogelijk was nadat een stuk van de haven bij het circuit was getrokken.

Het stratencircuit van Monaco is al jaren te klein voor de moderne Formule 1-wagens. Dat neemt niet weg dat het een fantastisch spektakel blijft om de beste coureurs tussen muren en afzettingen door hun weg te zien banen. Voormalig wereldkampioen Nelson Piquet vergeleek het ooit met fietsen in je eigen woonkamer! Het kleinste foutje betekent op dit circuit al contact met de vangrails, maar dankzij de lage snelheid leidt dat hooguit tot een klein deukje in de trots van de coureur.

Het is voor de teams moeilijk om ondanks de lage snelheid toch voldoende neerwaartse kracht te genereren. Je komt dan ook op de meest onverwachte plaatsen vleugels tegen. Enkele jaren geleden experimenteerde Arrows zelfs met een hooggeplaatste vleugel die vlak voor de bestuurder was bevestigd, maar uit veiligheidsoverwegingen werd deze toepassing verboden.

De kwalificaties op zaterdag zijn vaak belangrijker dan de race zelf. De smalle straten maken inhalen vrijwel onmogelijk, en een goede startpositie is daarom van groot belang. Zorg dus dat je de kwalificaties niet

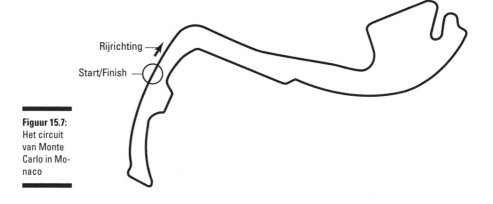

Rijrichting

Start/Finish

Figuur 15.7:
Het circuit
van Monte
Carlo in Monaco

mist en zoek een plekje uit in de buurt van een bocht, zodat je goed kunt zien hoe dicht de coureurs langs de afzetting scheuren. Hoewel een Formule 1-coureur op zaterdag de race niet kan winnen, kan hij wel degelijk een race op zondag verliezen als hij tijdens de kwalificaties een fout maakt en daardoor achter in het startveld eindigt.

Kenmerken

Type: stratencircuit.

Baanlengte: 3,340 km.

Duur van de race: 78 ronden (260,52 km).

Starttijd: 14.00 uur.

Gebruikelijke racedatum: eind mei.

Wil je in Monaco indruk maken op andere fans, rijd dan op je gemak een paar rondjes in je nieuwe Ferrari of slenter rustig heen en weer over je jacht in de haven. Past dat niet binnen je budget, dan zijn er een aantal beroemde plaatsen waar je kunt rondhangen, zonder dat het je een vermogen kost. Het Grand Hotel bij de krappe haarspeldbocht serveert thee en drankjes voor iedereen die binnen komt wandelen. Zolang je gepast gekleed bent is het ook vrij eenvoudig om het casino binnen te komen. Het circuit is de hele nacht open, dus je hebt alle tijd om rond te wandelen of wat te gaan drinken in een van de talloze cafés.

Monza, Grand Prix van Italië

Bij de Grand Prix van Italië in Monza draait alles om de aura die hangt rond de namen van legendes uit het Formule 1-verleden. Alle grote namen hebben hier ooit een race gereden, en bij iedere stap die je zet besef je dat ook zij daar misschien hebben gelopen; mensen als Juan Manuel Fangio, Jim Clark, Ayrton Senna en Michael Schumacher.

Het circuit van Monza (zie figuur 15.8) is aangelegd in een koninklijk park, net buiten Milaan, en geldt momenteel als het snelste circuit op de kalender. In 2002 reed Juan Pablo Montoya hier de snelste kwalificatietijd ooit, waarmee hij het zeventien jaar oude record brak dat op naam van voormalig wereldkampioen Keke Rosberg stond.

Geschiedenis van het circuit

Dit circuit heeft vaker op het Formule 1-programma gestaan dan welk ander circuit ook. Sinds in 1950 het eerste wereldkampioenschap werd gereden, is Monza slechts één keer afwezig geweest. In 1980 werd de Grand Prix van Italië eenmalig op Imola verreden. Geen slechte score voor een circuit, zeker niet als je bedenkt dat dit circuit aan het einde van de jaren twintig van de vorige eeuw in slechts 110 dagen is gebouwd; inclusief twee dagen waarop wegens demonstraties niet werd gewerkt.

De races in Monza zijn altijd spectaculair. De langzame chicanes aan het einde van de lange rechte stukken zorgen steeds weer voor adembenemende inhaalacties. Vergeet niet dat de wagens vanwege de minimale neerwaartse kracht op dit circuit erg moeilijk bestuurbaar zijn. Op de rechte stukken daarentegen gaan ze als een speer.

Combineer de geschiedenis van dit circuit met de beroemde Italiaanse passie (plus het feit dat Ferrari het de laatste jaren allesbehalve slecht doet) en je weet waarom deze race ieder jaar weer zo veel toeschouwers trekt. Met meer dan honderdduizend supporters is deze Grand Prix de best bezochte op de kalender. En de meeste bezoekers komen om het thuisteam aan te moedigen!

Monza heeft door de jaren heen zijn historische karakter van eindeloos lange rechte stukken, afgewisseld met hogesnelheidsbochten goed weten te behouden. Toch zijn er in verband met de veiligheid enkele aanpassingen gemaakt, zoals de nauwe chicanes die de rechte stukken onderbreken. Door de wagens op deze manier af te laten remmen zijn de rondetijden weer bijna gelijk aan die van dertig jaar geleden.

Kenmerken

Type: permanent circuit.

Baanlengte: 5,792 km.

Duur van de race: 53 ronden (306,976 km).

Start time: 14.00 uur.

Gebruikelijke racedatum: begin tot midden september.

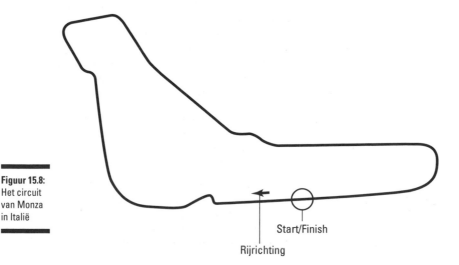

Figuur 15.8:
Het circuit
van Monza
in Italië

Start/Finish

Rijrichting

Om de sfeer van Monza goed te kunnen proeven, moet je niet op het laatste moment aankomen, de race bekijken en meteen weer naar huis gaan. Loop een keer 's avonds na afloop van de training naar het midden van het veld richting de eerste bocht. Kijk als je daar staat eens naar de beroemde kombaan die tot in de jaren zestig werd gebruikt. De baan is zo stijl, dat omhoog lopen vrijwel onmogelijk is. Voor de Formule 1-wagens uit die tijd was de kombaan echter geen enkel probleem. Zij stoven eroverheen, op weg naar de overwinning.

Nürburgring, Grand Prix van Europa

De Nürburgring (zie figuur 15.9) heeft zeker niet de rijke uitstraling die je van Monaco kent, ligt ook niet in zo'n mooie omgeving als Montreal. En kent zeker niet het fantastische weer van Magny-Cours. Ondanks al die minpunten is en blijft het een circuit waar heel goede en ook heel spannende races zijn te zien.

Jaarlijks worden er in Duitsland twee Grands Prix gereden; één op Hockenheim en één op de Nürburgring. In het Formule 1-reglement is echter bepaald dat er per land slechts één Grand Prix per jaar georganiseerd mag worden, dus zouden die twee races eigenlijk niet mogelijk zijn. De enorme successen van de broers Michael en Ralf Schumacher met daarbij opgeteld de grote invloed van autofabrikanten BMW en Mercedes-Benz, hebben er echter voor gezorgd dat men toch bereid was die twee races toe te staan. Door de race op de Nürburgring de Grand Prix van 'Europa' of, zoals in 1997 en 1998, de Grand Prix van Luxemburg te noemen, heeft men de regel van één race per land weten te omzeilen.

Geschiedenis van het circuit

De Nürburgring is midden jaren tachtig van de vorige eeuw op het terrein van de 22 kilometer lange Nordschleife aangelegd. In 1985 werd hier voor het eerst de Grand Prix verreden en het circuit staat sinds 1995 definitief op de Formule 1-kalender. In die jaren was het asfalt van de Nürburgring gastheer van vele spectaculaire races. Denk bijvoorbeeld eens terug aan Michael Schumacher die tijdens die eerste race over de baan leek te vliegen en iedereen inhaalde die hij tegenkwam. Of wat dacht je van de Engelse Johnny Herbert die iedereen versteld deed staan door in 1999 de eerste overwinning ooit van het team Stewart te behalen.

De baan werd voor de start van het seizoen in 2002 drastisch aangepast, in de hoop zo meer inhaalmogelijkheden te creëren. De fans zijn bovendien erg tevreden over het nieuwe tribunedeel dat is gebouwd, zodat nu nog meer toeschouwers de race vanaf een stoeltje kunnen bekijken.

Praat je op de Nürburgring met wat mensen, dan krijg je keer op keer te horen dat het circuit niet meer is wat het ooit was. Deze mensen hebben het helemaal niet over dit circuit, maar over de nabijgelegen Nordschleife. En die Nordschleife was inderdaad een van de uitdagendste en angstinboezemende banen in de Formule 1. De Grand Prix van Duits-

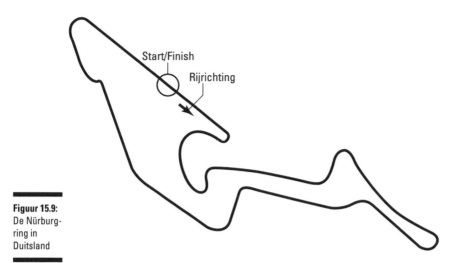

Start/Finish

Rijrichting

Figuur 15.9:
De Nürburg-
ring in
Duitsland

land werd tot 1976, het jaar dat Niki Lauda bijna omkwam, altijd op deze Nordschleife verreden. Ook al wordt de Nordschleife tegenwoordig niet meer voor de Grand Prix gebruikt, voor een paar euro toegang mag je er zelf op rondrijden, en dat is natuurlijk ook een ongelofelijke ervaring! Er vallen daarbij echter elk jaar een paar doden.

Kenmerken

Type: permanent circuit.

Baanlengte: 5,149 km.

Duur van de race: 60 ronden (308,94 km).

Starttijd: 14.00 uur.

Gebruikelijke racedatum: midden tot eind juni.

Het weer op de Nürburgring is behoorlijk onvoorspelbaar. Neem dus zowel warme kleren als je regenjas mee. Ondanks de tijd van het jaar valt er soms zelfs wat sneeuw!

Silverstone, Grand Prix van Engeland

Silverstone (zie figuur 15.10) is de thuisbasis van de autosport in Groot-Brittannië. Op dit circuit werd in 1950 de allereerste race van het eerste wereldkampioenschap van de Formule 1 gereden. Wat ooit niet meer dan een aangepast vliegveld was, is nu een van de beroemdste circuits ter wereld.

In het verleden werd de Grand Prix van Engeland afwisselend op Silverstone, Aintree (bij Liverpool) en Brands Hatch (in Kent) verreden.

Sinds 1987 heeft Silverstone het alleenrecht op de Grand Prix in Groot-Brittannië.

Geschiedenis van het circuit

Om veiligheidsredenen heeft Silverstone door de jaren heen nogal wat veranderingen meegemaakt (in hoofdstuk 14 kun je zien hoe dit circuit door de jaren heen steeds weer is veranderd). In het ontwerp van 1948 had het circuit meerdere rechte stukken waarop de wagens snelheden bereikten van ruim 255 km/u. De bochten van het huidige circuit Silverstone dragen nog steeds dezelfde namen, maar verder hebben ze weinig meer met het oorspronkelijke circuit gemeen.

Halverwege de jaren tachtig van de vorige eeuw was Silverstone het snelste circuit ter wereld. In 1985 schreef Keke Rosberg hier geschiedenis door met een gemiddelde snelheid van 257 km/u de pole te veroveren. Tegenwoordig is de baan een stuk langzamer, ook al zijn er nog steeds een aantal spectaculaire bochten als de combinatie Beckett's Complex en de supersnelle rechtsbocht Bridge.

Een rustige ochtend zit er niet in als je tijdens het weekend in de buurt van dit circuit kampeert. Helikopters vliegen af en aan om coureurs, teambazen en vips naar het middendeel van het circuit te brengen. Op de dag van de race is Silverstone een drukke luchthaven!

Kenmerken

Type: permanent circuit.

Baanlengte: 5,139 km.

Duur van de race: 60 ronden (308,34 km).

Starttijd: 13.00 uur.

Gebruikelijke racedatum: midden juli.

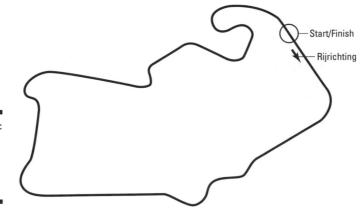

Figuur 15.10:
Het circuit van Silverstone in Groot-Brittannië

Start/Finish

Rijrichting

Vertrek vroeg van huis! Silverstone ligt op het Britse platteland en de toegangswegen naar het circuit kunnen het verkeer niet aan. Die verkeersproblemen werden de Grand Prix van Silverstone bijna fataal, maar dankzij een nieuw aangelegde weg blijven de problemen binnen de perken en blijft dit circuit voorlopig nog op de kalender staan.

Maak niet dezelfde fout als Frank Williams als je naar Silverstone gaat. Op weg naar het circuit kwam hij ooit zonder een rode cent op zak zonder benzine te staan. Op zoek naar hulp kwam Williams bij een pub, waar hij aan een man met hetzelfde postuur zijn broek verkocht. Williams verliet de pub zonder broek; maar met genoeg geld voor benzine!

Spa-Francorchamps, Grand Prix van België

In 2003 staat de Grand Prix van België vanwege het landelijke verbod op tabaksreclame niet op de kalender. Gelukkig keert de Formule 1 in 2004 alweer terug naar dit circuit. De race is een van de populairste van het seizoen en het circuit (zie figuur 15.11) wordt door de coureurs als een van de hoogtepunten in de Formule 1 gezien. En doordat Nederland sinds 1986 geen eigen Grand Prix meer heeft, is dit niet alleen de thuisrace voor de Belgen, maar ook voor de tienduizenden Nederlandse fans.

Geschiedenis van het circuit

Het circuit van Spa-Francorchamps is in 1921 gebouwd. Bij de aanleg werd gebruikgemaakt van openbare wegen die door de prachtige Belgische Ardennen slingerden. Er werd een ruim twaalf kilometer lange baan gecreëerd die niet alleen erg snel was, maar behoorlijk uitdagend en ook nog eens flink gevaarlijk. Elke coureur die Spa-Francorchamps op zijn naam kan schrijven, won daarmee het eeuwige respect van al zijn collega's.

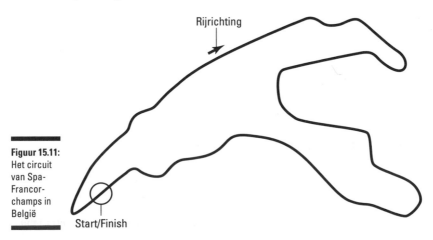

Figuur 15.11: Het circuit van Spa-Francorchamps in België

Rijrichting

Start/Finish

Begin jaren tachtig bleek dat het circuit te gevaarlijk was en dat er dras-
tische aanpassingen nodig waren. Hoewel de baan door dit nieuwe ontwerp feitelijk werd gehalveerd, bleven de charme en de uitdaging be-
waard. Het circuit staat bekend als een typisch coureurscircuit, waarop
een coureur de kans heeft een mindere wagen met een betere wagenbeheersing te compenseren.

De Grand Prix van België is niet alleen beroemd vanwege het fantastische circuit, maar ook berucht om de extreme weersveranderingen
die er mogelijk zijn. Binnen een paar minuten kan felle zon plaatsmaken
voor hoosbuien. Het komt zelfs voor dat de ene helft van het circuit
kletsnat is, terwijl het asfalt op de andere helft nog kurkdroog is. Dit is
een van de redenen waardoor in Spa vaak memorabele races worden
gereden.

Wil je indruk maken op fans van Michael Schumacher, vertel ze dan
eens hoe belangrijk de Grand Prix van België voor deze Duitse coureur
is. Vanuit zijn woonplaats Kerpen (Duitsland) is dit het dichtstbijzijnde
circuit. Hier maakte hij in 1991 zijn Formule 1-debuut en won hij een jaar
later zijn eerste race. Schumacher heeft op dit circuit het indrukwekkende aantal van zes overwinningen weten te behalen. En als hij in 1994
niet was gediskwalificeerd vanwege een onreglementaire wagen, dan
zouden het zeven overwinningen zijn geweest.

Kenmerken

Type: permanent circuit.

Baanlengte: 6,965 km.

Duur van de race: 44 ronden (306,46 km).

Starttijd: 14.00 uur.

Gebruikelijke racedatum: eind augustus.

Een tocht naar de Grand Prix van België is pas compleet als je de Formule 1-wagens uit de bocht Eau-Rouge hebt zien komen. Deze links-
rechts bocht die vol gas genomen kan worden, vraagt om enorm veel lef
en alleen de moedigsten gaan tot op de grens. Uiteraard eet je voordat
je naar huis gaat nog een puntzak met die wereldberoemde Belgische
patatten!

Races in Noord-Amerika

Omdat een wereldkampioenschap pas echt een wereldkampioenschap
is als er wedstrijden op alle belangrijke continenten worden verreden,
heeft de organisatie van de Formule 1 veel moeite gedaan om races in
Noord-Amerika te krijgen. En met succes. De Grand Prix van Canada in

Montreal en de Grand Prix van de Verenigde Staten in Indianapolis zijn twee populaire races op de Formule 1-kalender.

Montreal (Circuit Gilles Villeneuve), Grand Prix van Canada

Na de stortvloed van Europese races vormt de Grand Prix van Canada halverwege het seizoen een rustpunt voor de teams. Het stratencircuit ligt aan de rand van Montreal op het eiland Ile-Notre Dame aan de St Lawrence rivier (zie figuur 15.12). Net als het circuit in Barcelona heeft ook het Circuit Gilles Villeneuve een link met de Olympische Spelen, doordat het naast het meer ligt dat in 1976 gebruikt werd voor het onderdeel roeien. Hoewel de beroemde Dome, die is gebouwd voor de wereldtentoonstelling van 1967, misschien meer opvalt.

Geschiedenis van het circuit

De eerste Formule 1-race op het circuit van Montreal werd in 1978 verreden. Daarvoor waren de circuits van Mont Tremblant in Quebec en Ontario's Mosport Park het decor voor de Grand Prix van Canada. Van de verschillende steden die de Formule 1 aandoet, is Montreal veruit de populairste; iets dat zeker ook heeft te maken met de vele uitgaansgelegenheden in het centrum van deze stad. Maar ook de Grand Prix zelf is dankzij de uitdaging van de snelle stukken en moeilijke bochten zeer populair onder zowel de coureurs als de toeschouwers. Ongevallen zijn door het enthousiasme van de coureurs zeker geen zeldzaamheid!

Lokale held Gilles Villeneuve, naar wie het circuit is vernoemd, won de openingsrace van dit circuit. Huidige Formule 1-fans zullen de naam 'Villeneuve' misschien eerder met zijn zoon, de voormalig wereldkampioen Jacques Villeneuve, associëren, maar in zijn tijd was Gilles Villeneuve

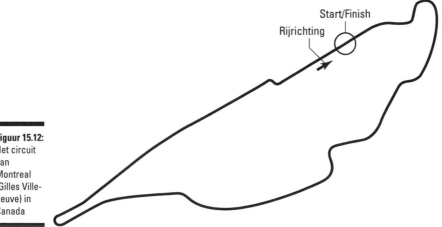

Figuur 15.12: Het circuit van Montreal (Gilles Villeneuve) in Canada

een van de grootste sterren van de Formule 1. In 1982 kwam hij tijdens de kwalificaties voor de Grand Prix van België helaas om het leven.

De Grand Prix van Canada van 1980 gaat de geschiedenis in als de race waar de jongste coureur ooit zijn Formule 1-debuut maakte. Nieuw-Zeelander Mike Thackwell was net negentien jaar, vier maanden en negenentwintig dagen oud, toen hij zich voor de race kwalificeerde. Jammer genoeg kwam hij nooit verder dan de eerste ronde. Na een crash in de eerste ronde moest hij voor de herstart zijn wagen afstaan aan zijn teamgenoot.

Kenmerken

Type: tijdelijk permanent circuit, alleen voor autoraces gebruikt

Baanlengte: 4,360 km.

Duur van de race: 70 ronden (305,2 km).

Starttijd: 13.00 uur.

Gebruikelijke racedatum: midden juni.

Het circuit van Montreal heeft fantastische bochten en je kunt eigenlijk altijd op een mooie race rekenen. Een andere reden waarom veel fans naar deze race afreizen, zijn de vele feesten die 's avonds in Montreal plaatsvinden. De bewoners leven zich helemaal uit als het Formule 1-circus hun stad aandoet, dus trek je uitgaanskleren aan en ga naar Crescent Street. De hoofduitgaansstraat die tijdens het raceweekend helemaal is afgesloten voor verkeer. En natuurlijk houd je je ogen goed open, want voor je het weet loop je een coureur of teambaas tegen het lijf!

Indianapolis, Grand Prix van de Verenigde Staten

In heel de Verenigde Staten is geen beroemder circuit te vinden dan de Indianapolis Motor Speedway (zie figuur 15.13). Geen wonder dus dat de FIA zoveel moeite heeft gedaan om de Formule 1 naar dit circuit in de Verenigde Staten te krijgen.

Geschiedenis van het circuit

In 2000 werd de eerste Formule 1-race op het speciaal daarvoor aangepaste circuit van Indianapolis gereden. En het was een groot succes. De pitvoorzieningen en pitboxen, die tot de beste ter wereld behoren, en daarbij opgeteld de geweldige ontvangst door de Amerikaanse fans, maakten deze race tot een echte winnaar.

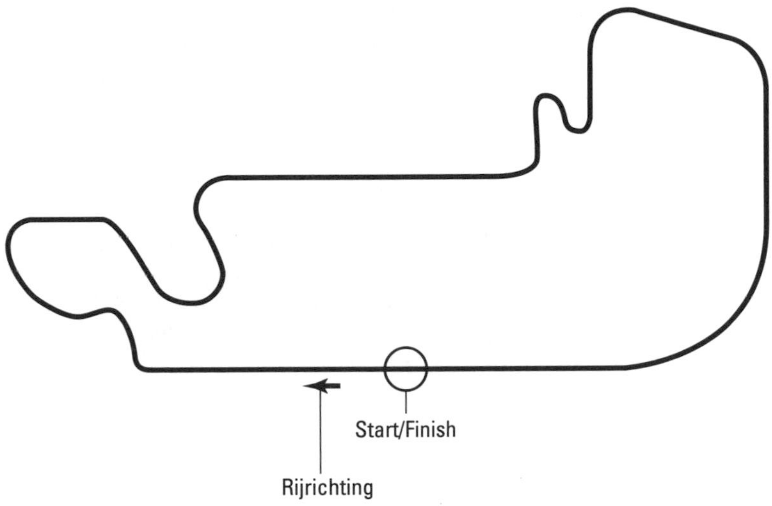

Figuur 15.13:
Het circuit
van Indiana-
polis in de
Verenigde
Staten

Start/Finish

Rijrichting

Indianapolis is een van de beroemdste circuits ter wereld, en dankt
deze populariteit voor een groot deel aan de Indianapolis 500 die hier
jaarlijks op de oval wordt verreden. Deze 500-mijls race is even presti-
gieus is als de Grand Prix van Monaco of de 24 uur van Le Mans, wat er
zeker toe heeft bijgedragen dat de Formule 1 snel populairder is geworden in de Verenigde Staten. De race vindt plaats op een speciaal daarvoor aangelegde baan aan de binnenkant van de oval.

Wat lang niet elke Nederlandse raceliefhebber weet, is dat de Indianapolis 500 liefst tweemaal door een Nederlander is gewonnen. Ook al waren de Nederlanders in de Formule 1 nooit echt succesvol, Arie Luyen-
dijk schreef zowel in 1990 als in 1997 deze prestigieuze race op zijn
naam. Daarmee is hij overigens maar een van de weinige coureurs die
deze race der Amerikaanse racen meer dan eens won.

Voor degenen die de Indianapolis 500 en de Brickyard 400 voor NAS-
CAR-auto's kennen, gebeurt er tijdens de Grand Prix op Indianapolis
iets opvallends: de wagens rijden uit veiligheidsoverwegingen de andere kant op. Het parcours is een combinatie van een deel van de oval,
aangevuld met een speciaal aangelegd binnengedeelte dat alleen voor
de Formule 1 wordt gebruikt. Alle andere races worden uitsluitend op
de oval verreden.

Aangezien het vrijwel onmogelijk is een wagen zo af te stellen dat hij op
beide delen van het circuit snel is, is het voor de teams en coureurs een
hele uitdaging om een geschikt compromis te vinden. De ene helft van
het circuit is snel en vraagt om weinig neerwaartse kracht, de andere
helft is langzaam en juist vraagt om veel grip en neerwaartse kracht.
Kies je voor meer grip, dan is je wagen op het oval-gedeelte langzaam;
kies je daarentegen voor de snelheid, dan kun je op het langzame deel
niet goed meekomen.

Dankzij het succes van Indianapolis kan de Grand Prix van de Verenigde Staten vrijwel zeker rekenen op een vaste plek op de kalender. Verbazingwekkend genoeg zijn in dit land overigens op meer verschillende circuits Formule 1-races verreden, dan in welk ander land dan ook. De Formule 1-wagens waren in de afgelopen jaren te zien op de circuits van Sebring, Riverside, Watkins Glen, Long Beach, Las Vegas, Detroit, Dallas; Phoenix en Indianapolis.

In Amerikaanse raceklassen wordt nooit op een natte baan gereden, terwijl regen in de Formule 1 alleen maar betekent dat je met andere banden en een andere afstelling van start gaat. De Grand Prix van Indianapolis biedt de racefans in de Verenigde Staten de unieke gelegenheid om zelfs in de regen een racewagen over het asfalt te zien schieten.

Kenmerken

Type: permanent circuit.

Baanlengte: 4,191 km.

Duur van de race: 73 ronden (305,943 km).

Starttijd: 13.00 uur.

Gebruikelijke racedatum: eind september.

De wagens rijden over het eerste deel van de oval, waardoor fans de unieke kans hebben om met hun neus boven op de race te zitten. Probeer een staanplaats te krijgen bij de uitgang van de laatste bocht (bocht 1 van de oval), zodat je de wagens op topsnelheid op slechts enkele meters van je af langs ziet scheuren. Vergeet vooral je oordopjes niet, want Formule 1-motoren maken erg veel herrie!

Interlagos, Grand Prix van Brazilië

De Grand Prix van Brazilië is misschien niet de meest geliefde op de Formule 1-kalender, het is zeker een avontuur. Na de vele ultramoderne circuits en topsteden is een bezoek aan Interlagos (zie figuur 15.14) een behoorlijke ontnuchtering.

Het grootste nadeel van Sao Paulo zijn de straatcriminaliteit en de overal aanwezige bedelaars. Blijf uit de buurt van onverlichte straten en ga in geen geval de sloppenwijken, de favellas, binnen. Formule 1-teams en coureurs hebben geleerd dat ze hun waardevolle spullen thuis moeten laten; verbaas je niet over een topcoureur met een goedkoop plastic horloge om zijn pols. In de stad hangt continu de weeë, zoete geur van de vele auto's die op suikeralcohol rijden. Hoewel, rijden... het lijkt alsof er dag en nacht een file is.

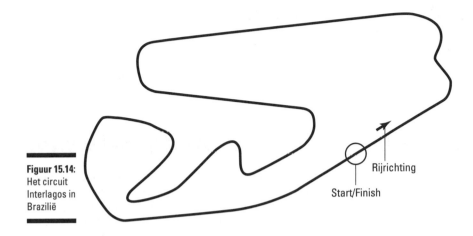

Figuur 15.14:
Het circuit
Interlagos in
Brazilië

Rijrichting

Start/Finish

Maar gelukkig is niet alles aan Brazilië slecht. In de plaatselijke vlees-restaurants, die bekend staan als churascerias, serveren ze de beste biefstuk ter wereld. En de zoete caipirinha gaat er op een warme dag altijd in, al ligt een vreselijke kater de volgende dag altijd op de loer.

Geschiedenis van het circuit

Het circuit van Interlagos is favoriet onder de fans, maar het bobbelige asfalt kan onder coureurs niet altijd op veel enthousiasme rekenen. Op dit circuit werd in 1973 de eerste Grand Prix van Brazilië voor het Formule 1-wereldkampioenschap verreden. Interlagos is nog steeds de thuishaven voor de Formule 1 in Brazilië, ook al werden er in de jaren tachtig van de vorige eeuw in totaal tien Grand Prix op het circuit van Rio de Janeiro verreden. Het circuit is in een natuurlijk kom in de heuvels aangelegd en omvat onder meer een lang snel stuk heuvel op richting de start/finish-lijn en een bochtig stuk in het binnenveld.

Het circuit van Interlagos is een van slechts twee circuits op de kalender waar tegen de klok in wordt gereden. De meeste coureurs moeten hun nek hier speciaal op trainen. Het circuit dankt zijn naam aan de ligging van het oorspronkelijke circuit dat in 1940 tussen twee meren werd gebouwd.

Kenmerken

Type: permanent circuit.

Baanlengte: 4,307 km.

Duur van de race: 71 ronden (305,797 km).

Starttijd: 14.00 uur.

Gebruikelijke racedatum: meestal eind maart, in 2004 in oktober.

Op de tribunes langs de start en finish denk je tijdens een Grand Prix al snel dat je bij het carnaval van Rio terecht bent gekomen. De trommels, fluiten, vlaggen, het dansen; als een Braziliaanse coureur voorop ligt (Barrichello!), dan is het hek helemaal van de dam. Let wel op het aantal caipirinha's dat je de voorgaande avond drinkt. Een flinke kater maakt al die herrie er niet beter op.

Australië, Azië en het Midden-Oosten

De teams reizen tijdens het seizoen heel wat heen en weer over de aardbol, en uiteraard worden Australië, Azië en sinds kort het Midden-Oosten daarbij niet overgeslagen. Deze nieuwe aanvullingen op de kalender, met in 1985 Australië, in 1999 Maleisië en sinds 2004 ook Bahrein en China, vormen een waardevolle uitbreiding op de kalender. Ook al is het voor sommige coureurs een wel erg lange reis terug naar huis als ze al in de eerste ronde van de race uitvallen.

Melbourne, Grand Prix van Australië

De Grand Prix van Australië is een van de populairste races op de kalender, en je hoeft je niet lang af te vragen waarom. Zodra het circus de stad aandoet, raakt heel Melbourne in de ban van de Formule 1. De zon, de stranden en de goede restaurants en bars dragen (voor iedereen behalve de coureurs) allemaal bij aan een geslaagd weekend.

Het circuit (zie figuur 15.15) ligt in Albert Park, in het centrum van de stad. De baan kronkelt tussen de bomen en langs een meer, waardoor het een van de meest schilderachtige locaties van het seizoen is.

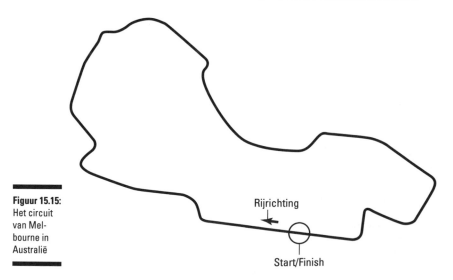

Figuur 15.15: Het circuit van Melbourne in Australië

Rijrichting

Start/Finish

Hoewel het circuit van Melbourne een stratencircuit is, komen er voldoende snelle bochten en hogesnelheidsstukken in voor. De nauwe chicanes bieden goede inhaalmogelijkheden maar zijn tegelijkertijd catastrofaal voor de remmen.

Geschiedenis van het circuit

Melbourne is een van de jongste circuits op de Formule 1-kalender. De eerste race in Melbourne werd pas in 1996 verreden. Hoewel Australië twee wereldkampioenen heeft gehad, Jack Brabham en Alan Jones, moest het land tot 1985 wachten voor de eerste Grand Prix op eigen bodem. Toen nog in de straten van Adelaide. Met het succes van Adelaide in het achterhoofd, heeft Melbourne alles op alles gezet om de race naar hun stad te krijgen. Het bleek achteraf een gouden greep.

De hoge temperaturen in Melbourne betekenen een zware mechanische belasting voor de wagens en een aanslag op de betrouwbaarheid. Meestal wordt de Grand Prix maar door enkele wagens uitgereden, wat tot zeer onverwachte uitslagen kan leiden. Zo scoorde de Australische coureur Mark Webber in 2002 voor het kleine team Minardi in zijn debuutgrandprix direct de eerste punten. De Australiërs feestten door tot diep in de nacht.

Australië heeft de twijfelachtige eer het circuit te zijn waar de kortste race aller tijden werd verreden. In 1991 zette een stortbui het circuit van Adelaide binnen de kortste keren blank. Nadat meerdere coureurs van de baan waren gespind, had de organisatie geen andere keus dan de race na veertien ronden af te breken. De Braziliaan Ayrton Senna werd uitgeroepen tot winnaar.

Kenmerken

Type: stratencircuit.

Baanlengte: 5,302 km.

Duur van de race: 58 ronden (307,516 km).

Starttijd: 14.00 uur.

Gebruikelijke racedatum: begin maart.

Australiërs weten hoe je een feestje viert. Er is geen betere manier om een race te bekijken terwijl je in het zonnetje staat en geniet van een ijskoud drankje. Een van de beste plekken om de race te bekijken is vanaf de eerste bocht, wat tevens een van de belangrijkste inhaalplekken is. Deze rechts-links chicane was al vaak het decor van crashes en spins, dus maak je altijd een kansje op een handtekening van een coureur die terug op weg is naar de pits. Reken er echter niet op dat hij erg vrolijk zal zijn.

Sepang, Grand Prix van Maleisië

In 1999 werd de eerste race gereden op het nieuw aanlegde circuit aan de rand van de Maleisische hoofdstad Kuala Lumpur. Met dit supermoderne circuit (zie figuur 15.16) schoof de meetlat voor alle andere circuits weer een stukje omhoog. Met de wijd uitlopende bochten, afgewisseld met hogesnelheidsstukken en krappe bochten voor voldoende inhaalmogelijkheden, is het circuit van Sepang een van de grootste uitdagingen voor de coureurs. De teams en de toeschouwers keken de eerste race hun ogen uit.

De ruime pitboxen zijn een ware luxe voor de technici en de teambazen. Zeker wanneer je ze vergelijkt met enkele andere circuits op de kalender, waar ze zich amper kunnen keren, laat staan dat ze er aan een Formule 1-wagen kunnen werken. Het publiek geniet van een unieke dubbelzijdige tribune die langs het achterste rechte stuk en de start/finish staat. Het is de langste tribune ter wereld en biedt plaats aan 30.000 toeschouwers.

Hoewel de ontwerpers van het circuit er alles aan hebben gedaan om dit circuit tot een van de beste ter wereld te maken, hebben ze helaas geen invloed op het weer. De brandend hete zon en de hoge luchtvochtigheid zorgen ervoor dat technici, teambazen en toeschouwers zo snel mogelijk een airco opzoeken of naar het strand gaan. De coureurs kunnen niks anders doen dan hun schouders ophalen en de warmte uitzitten. De Grand Prix van Maleisië is hierdoor een van de meest uitputtende races op de kalender en je ziet de coureurs dan ook fles na fles water leegdrinken. De korte maar heftige tropische moessonregens maken alles nog erger. Ze kunnen plotseling losbarsten en de baan binnen de kortste keren blank zetten!

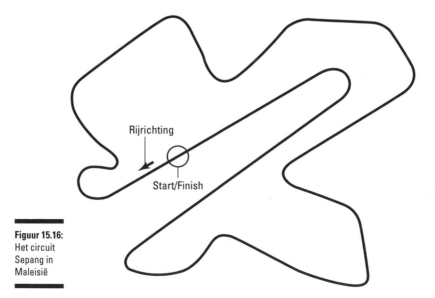

Figuur 15.16:
Het circuit
Sepang in
Maleisië

Geschiedenis van het circuit

Een van de meest bizarre feestjes na afloop van een race vond in 2000 bij deze Grand Prix plaats. Iedereen van Ferrari, inclusief Michael Schumacher en Rubens Barrichello op het podium, vierde met rode pruiken op de overwinning van het rijderskampioenschap en de constructeurstitel!

Kenmerken

Type: permanent circuit.

Baanlengte: 5,541 km.

Duur van de race: 56 ronden (310,296 km).

Starttijd: 15.00 uur.

Gebruikelijke racedatum: midden tot eind maart.

Het circuit van Sepang ziet erop tv misschien aangenaam en groen uit, voor de fans kan de hitte een echt probleem opleveren. Bij de aanleg van het circuit zijn op de toeschouwersvelden 10.000 palmen geplant om schaduw en een beetje koelte te bieden. Toch is het beste advies dat we je kunnen geven: koop een tribuneticket, zodat je zowel tegen de zon als tegen de stortbuien beschermd bent. Ook al lijkt het opzetten van je basiskamp op een mooi groen plekje een goed idee, houd toch goed in de gaten waar je gaat zitten. Op veel plekken is kunstgras neergelegd en er zijn zelfs stukken waar het verdorde gras groen is geverfd, zodat het circuit er op tv beter uitziet!

Suzuka, Grand Prix van Japan

In 2004 wordt het grandprixseizoen voor het eerst sinds lange tijd niet afgesloten met de Grand Prix van Japan van Suzuka (zie figuur 15.17). Dit circuit was traditioneel de afsluiter waar de teams gedurende het seizoen naartoe leefden, om daarna van een welverdiende vakantie te gaan genieten. Toch kon het er in het verleden ook tijdens deze laatste behoorlijk heftig aan toe gaan. Zeker als de strijd om de kampioenschapstitel nog niet was beslist.

Suzuka is een achtvormig circuit, maar maak je geen zorgen, de kruising is niet gelijkvloers. Een brug zorgt ervoor dat alles in goede banen wordt geleid.

Geschiedenis van het circuit

Het circuit van Suzuka, een ontwerp van de Nederlander Hans Hugenholtz sr., is in 1962 door Honda als testbaan gebouwd. In 1987, toen Honda meer en meer successen in de Formule 1 behaalde, werd het

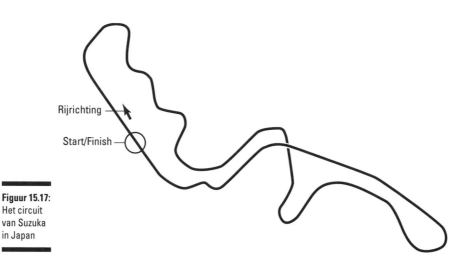

Rijrichting

Start/Finish

Figuur 15.17:
Het circuit
van Suzuka
in Japan

circuit onderdeel van het Formule 1-kampioenschap. De bevolking kan er geen genoeg van krijgen, en de race is dan ook elk jaar weer uitverkocht. Er is al een paar keer een loterij georganiseerd waarbij de winnaars de mogelijkheid kregen toegangskaarten te kopen. De gelukkige bezitters van de toegangskaarten staan meestal al 's ochtends vroeg in de rij om de beste plek te veroveren. Zo zijn bovendien tot 's avonds laat op het circuit te vinden, in de hoop nog een glimp op te vangen van de technici die aan de wagens werken.

Niet alleen het publiek, maar ook de coureurs zijn gek op Suzuka. De vele bochten waarmee ze al direct na de start worden geconfronteerd, vergen het uiterste van de coureurs. Zelfs na de veiligheidsaanpassingen is de supersnelle 130R nog steeds een van de zenuwslopendste bochten in de Formule 1.

Kenmerken

Type: permanent circuit.

Baanlengte: 5,807 km.

Duur van de race: 53 ronden (307,771 km).

Starttijd: 14:30 uur.

Gebruikelijke racedatum: begin tot midden oktober.

Zoals bij de meeste Grand Prix geldt ook hier: zorg dat je, voordat je naar Japan afreist, een toegangskaart hebt. Suzuka is altijd uitverkocht en tickets zijn allesbehalve goedkoop. Lukt het je toch om binnen te komen, dan is die ervaring iedere geïnvesteerde yen dubbel en dwars waard. Neem de tijd en maak een wandeling langs alle spectaculaire bochten. Met een zee aan stands en verkopers bij de ingang biedt dit weekend ook de perfecte gelegenheid om zo vlak voor het einde van het seizoen nog T-shirts en baseballcaps van je favoriete coureur te kopen.

Shanghai, Grand Prix van China

Formule 1-teams en sponsors waren erg enthousiast over het idee om een Grand Prix in China te organiseren. China biedt een enorme markt voor de Formule 1. Zo trekken de Formule 1-programma's op televisie meer dan 20 miljoen kijkers, bijna net zoveel als in heel Europa. Geen slecht idee dus om daar als sponsor je logo op de buis te hebben. De eerste Grand Prix uit de geschiedenis van China zal op 26 september 2004 worden verreden.

Geschiedenis van het circuit

In 1998 kwam China al dicht in de buurt van het organiseren van een Grand Prix in de zuidelijke stad Zhuhai, tegen de grens met Hong Kong gelegen. Het feest ging niet door toen bleek dat het circuit door financiële problemen niet aan de hoge eisen voor de Formule 1 kon worden aangepast. Het nieuwe plan voor een race door de straten van Beijing werd snel afgeblazen toen de FIA in 2002 een flinke slag sloeg met een overeenkomst voor een nieuw spectaculair circuit bij Shanghai.

Net als veel andere circuits in de Formule 1, is het circuit van Shanghai ontworpen door de beroemde ontwerper Hermann Tilke. Tilke was ook de man achter het circuit van Sepang en de aanpassingen van Hockenheim in Duitsland. Ook al heeft nog geen enkele coureur voet op het nieuwe circuit gezet, alles wijst op een ultramodern circuit met een zeer uitdagend verloop.

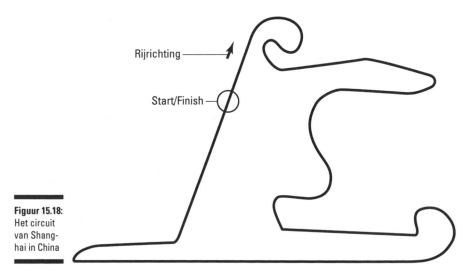

Rijrichting

Start/Finish

Figuur 15.18:
Het circuit
van Shang-
hai in China

Momenteel staat de Formule 1 in China wat betreft bekendheid nog in de kinderschoenen, maar reken er maar op dat de verschillende teams en ook sponsors zo veel mogelijk moeite zullen doen om hun team in de schijnwerpers te zetten. De sport zal er miljoenen nieuwe fans bij krijgen.

Kenmerken

Type: permanent circuit.

Baanlengte: 5,451 km.

Duur van de race: 56 ronden (305,256 km).

Manama, Grand Prix van Bahrein

Formule 1-topman Bernie Ecclestone heeft lang gezocht naar een Grand Prix in het Midden-Oosten. Hoewel er genoeg is gespeculeerd over races in Saoedi-Arabië, Dubai of Koeweit, wordt de eerste 'Grand Prix in de woestijn' aan het begin van het seizoen 2004 in Bahrein gereden.

De overheid van deze eilandstaat is er van overtuigd dat het land dankzij de Formule 1 flink wat prestige in het Midden-Oosten en in de rest van de wereld zal krijgen. De Grand Prix geeft tegelijkertijd een flinke impuls aan het toerisme en de handel.

Geschiedenis van het circuit

Ondanks de problemen die bij het bouwen van een circuit op een zandbodem komen kijken, is Bahrein erin geslaagd een uniek circuit te bouwen, dat een ware uitdaging voor de coureurs vormt. Zandduinen zijn

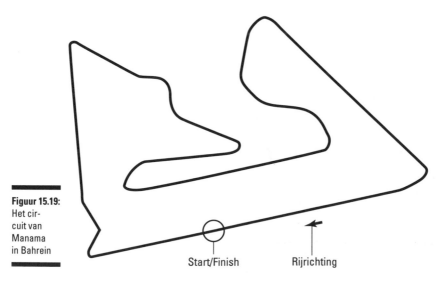

Figuur 15.19: Het circuit van Manama in Bahrein

Start/Finish   Rijrichting

opgeworpen om een golvend terrein te creëren en een echte oase is gebruikt om een weldadige groene omgeving voor de toeschouwers te maken.

Kenmerken

Type: permanent circuit.

Baanlengte: 5,411 km.

Duur van de race: 57 ronden (308,427 km).

Toekomstige attracties

De Formule 1-kalender wordt steeds weer aangepast en veranderd. Nieuwe landen smeken om de eer een race te mogen organiseren, terwijl oude circuits door gebrek aan belangstelling of verouderde voorzieningen van het scherm verdwijnen.

Alleen de Grand Prix van Engeland en Italië hebben sinds het begin in 1950 tot nu toe ieder jaar op het programma gestaan. Een aantal races die een definitieve plaats op de kalender leken te hebben veroverd, zoals die van Portugal, Nederland, Zuid-Afrika en de Grand Prix van Oostenrijk, zijn alweer verdwenen. Misschien wel voor altijd.

Hoewel het onduidelijk is welke circuits in het huidige programma zullen gaan afvallen, staat er al een aantal nieuwe landen te popelen om de komende jaren gastheer te zijn. In de volgende paragraaf werpen we een blik op de landen waar de Formule 1 de komende jaren wellicht te bewonderen is.

Waar nog meer?

De Formule 1 is altijd op zoek naar nieuwe steden en nieuwe circuits. Alles is mogelijk wanneer het gaat om de locaties voor een race. Hier zijn een paar plaatsen waarvan de kans groot is dat er in de komende jaren een Grand Prix te zien is:

- **Rusland.** Plannen voor een Grand Prix op het eiland St. Nagatino, bij Moskou werden vlak voor uitvoer stilgelegd vanwege contractuele problemen. Momenteel zijn er plannen in ontwikkeling voor een race in St. Petersburg.

- **Turkije.** Vlak bij het nieuwe vliegveld aan de Aziatische zijde van Istanbul wordt waarschijnlijk een 60 miljoen euro kostend circuit aangelegd. Turkije zou de Formule 1 daarmee een zeer interessante nieuwe locatie kunnen bieden, en als het meezit meteen kunnen profiteren van de extra inkomsten.

✔ **San Francisco.** Belangrijke Formule 1-figuren zijn er van over-tuigd dat de Verenigde Staten groot genoeg zijn om er naast India-napolis nog een tweede Grand Prix te verrijden. Een idee waar veel animo voor is, is een race door de straten van San Francisco; wat voor een fantastische achtergrond en voldoende publiek zou moeten zorgen.

✔ **India.** Hoewel India niet de meest voor de hand liggende omge-ving is voor een Grand Prix, is de lokale overheid van Bangalore flink aan het lobbyen om de Formule 1 naar een geheel nieuw cir-cuit bij de stad te krijgen.

Deel V
Jij en Formule 1: een dag naar een Grand Prix

In dit deel...

Dit deel is volgepakt met alles wat je moet weten om een Grand Prix te bezoeken, van het boeken van de felbegeerde tickets tot het kiezen van de juiste kleding voor de race zelf. We geven je zelfs tips voor het ontmoeten van je helden en het in de wacht slepen van handtekeningen tijdens een Grand Prix.

En voor die fans die er niet in slagen om in eigen persoon een race bij te wonen, is er meer dan voldoende advies over hoe je via de televisie, tijdschriften, kranten en internet altijd op de hoogte bent van het laatste nieuws uit de Formule 1-wereld. Ben je een echte fan, dan is er geen enkel excuus om de sport niet te volgen.

Hoofdstuk 16

Een race bezoeken

*N*aar een Formule 1-race gaan is niet te vergelijken met welke andere sportwedstrijd dan ook. Hoe spectaculair voetbalwedstrijden, basketbaltoernooien en atletiekwedstrijden ook zijn, ze halen het niet bij het gevoel dat je krijgt bij een Grand Prix. Vergelijk een Formule 1-evenement maar met de finale van het WK voetbal, de Amerikaanse Superbowl, de Olympische Spelen of een concert van je favoriete band; allemaal samengepakt in één enkel weekend.

In welk land een Grand Prix ook plaatsvindt, het is altijd een groot evenement. Het hele weekend zijn er feestvierende fans die in de omgeving kamperen. Ze vullen de lokale hotels, campings, cafés en restaurants. Ze groeten elkaar, ze maken plezier, en ze zorgen ervoor dat iedereen weet dat er een grandprixweekend aankomt. Formule 1-fans juichen alle twintig coureurs en alle tien de teams toe. Naarmate de dag van de race nadert worden de fans alleen maar enthousiaster.

Voor een aantal echt fanatieke fans is de Formule 1 meer een vorm van religie dan een gewone sport. Ze willen alles weten, alles zien en bovenal elke race op de kalender bezoeken.

Mocht je van plan zijn om naar een Formule 1-race te gaan, dan staat je een aangename verrassing te wachten. Weinig dingen kunnen het spektakel van een Formule 1-race en het bijbehorende publiek evenaren. Het voorbereiden op de race kan maanden in beslag nemen: je moet de toegangskaarten kopen, de juiste kleren hebben en de goede vlaggen meenemen. Mocht je niet om de hoek wonen, dan moet je ook nog eens je reis organiseren en een plek om te overnachten regelen. In dit hoofdstuk vertellen we je wat je moet weten, inclusief specifieke informatie over de verschillende circuits, zodat je uit je Formule 1-avontuur alles kunt halen wat erin zit.

Toegangskaarten kopen

De beslissing om naar een Formule 1-race te gaan neem je niet in een opwelling. Je kunt niet op zondagmorgen wakker worden en denken: 'Hé, laat ik vandaag eens naar een Formule 1-wedstrijd gaan!' Weken van voorbereiding en planning gaan vooraf aan een bezoek. Denk alleen maar aan het veroveren van de goede toegangskaarten.

Wanneer koop je ze en bij wie?

Formule 1-races zijn zulke grote evenementen, dat de meeste al weken, soms maanden van tevoren zijn uitverkocht. Dus voordat je je met de verdere voorbereidingen gaat bezighouden, zul je eerst aan toegangskaarten moeten zien te komen. Het zou een behoorlijke domper op de feestvreugde zijn als je de halve wereld over reist om uiteindelijk de race in je hotelkamer op tv te moeten bekijken, alleen maar omdat je geen ticket hebt kunnen bemachtigen.

Juist omdat Formule 1-races van die gigantische happenings zijn, zijn kaarten niet goedkoop. De vraag om 's werelds beste coureurs en wagens in actie te zien is zo groot, dat je mag rekenen op ongeveer 150 euro voor alleen maar een toegangskaart voor de staanplaatsen op de racedag; we hebben het nog niet eens over de prijzen van toegangskaarten voor het middenveld of voor de tribunes. Houd ook de prijzen van de verschillende landen in de gaten, want die verschillen. Zo zal de toegang voor de race in Monaco altijd veel duurder zijn dan races in bijvoorbeeld Spanje of Maleisië.

Hier volgen enkele tips om aan kaartjes te komen:

- ✔ Bel zo snel mogelijk het officiële kaartverkooppunt voor informatie over de toegangskaarten. Soms wordt al jaren van tevoren begonnen met de verkoop van toegangskaarten, dus je bent nooit te vroeg. Er zijn nog andere voordelen als je vroeg belt: vaak zijn kaarten goedkoper wanneer je ze langer van tevoren koopt. Het betekent niet per se dat je een betere plek krijgt, maar je betaalt wel beduidend minder.

- ✔ Geef niet op als de kaarten uitverkocht zijn. Laat je naam op een wachtlijst zetten voor het geval er nog kaarten beschikbaar komen.

- ✔ De meeste circuits die op de Formule 1-kalender staan hebben hun eigen website. Vaak kun je via deze sites kaarten kopen (kijk in hoofdstuk 17 voor de webadressen van je favoriete teams). Er zijn circuits die de verkoop via internet proberen te stimuleren. Vaak gebeurt dat met speciale acties zoals aanbiedingen of de mogelijkheid om via de site eerder aan toegangskaarten te kunnen komen dan ergens anders.

✔ Als je de tijd hebt, surf dan eens op internet. Via speciale ticket-bureaus, die ook kaarten voor concerten en andere sportevene-menten verkopen, kun je kaarten kopen. Zoek met je favoriete zoekmachine op 'Formule 1 toegangskaarten' of 'Formula one tickets' en wie weet vind je wat. Er is een aantal Formule 1-sites waar je via het forum onder meer advies kunt krijgen over het aanschaffen van de kaarten. Hier zijn een paar sites: www.tickettravel.nl, www.gpticket.nl en www.gptours.nl. In hoofdstuk 17 geven we je een uitgebreidere lijst met websites.

✔ Niet iedereen die kaarten koopt gebruikt deze ook. Redelijk wat mensen proberen nog vlak voor de race hun kaarten te verkopen. Kijk hiervoor in de advertenties van autotijdschriften of in de lo-kale kranten van de stad waar de race wordt gehouden. Aarzel niet om op te bellen en te vragen of de kaarten nog beschikbaar zijn. Je zou zomaar geluk kunnen hebben.

✔ Wanhoop niet als je niet ruim voor de racedatum toegangskaar-ten hebt weten te bemachtigen. Bij sommige circuits worden er aan de kassa tickets verkocht, met name op de kwalificatiedagen, en soms zijn er niet afgehaalde toegangskaarten beschikbaar. Mocht de nood echt heel hoog zijn, dan kun je natuurlijk toe-gangskaarten kopen van mensen die ze buiten het circuit aanbie-den. Let er dan wel op dat je geldige kaarten koopt en houd er re-kening mee dat je voor deze kaarten flink moet betalen.

Wanneer je toegangskaarten koopt van iemand die geen officiële verko-per is, neem je altijd een risico. Ten eerste betaal je waarschijnlijk veel meer dan de toegangskaart eigenlijk waard is. Daarnaast, en dat is heel belangrijk te beseffen, heb je geen enkele garantie dat je je zuurverdien-de geld niet aan een vals toegangsbewijs uitgeeft. In sommige Europese landen, zoals Italië, is de kans op een vals ticket vrij realistisch. De vraag naar toegangskaarten is er groot en door taalproblemen is het moeilijk erachter te komen of een kaart geldig is. Het beste advies dat we kunnen geven is dan ook: blijf uit de buurt van straatverkopers.

Waar: tribune of staan?

Je zult een aantal keuzes moeten maken als je toegangskaarten voor een Formule 1-race gaat kopen: Wil je een toegangskaart voor de staanplaat-sen, een toegangskaart voor het middenstuk of wil je een tribunekaart? De verschillen kunnen nogal verwarrend zijn, zeker als je nog nooit eer-der op een circuit bent geweest. In deze paragraaf leggen we uit wat de verschillende mogelijkheden zijn, zodat je precies de tickets kunt kopen die je wilt hebben.

Algemene toegangspas

Het meest eenvoudige kaart is de algemene toegangspas, waarmee je toegang krijgt tot de staanplaatsen langs de randen van het circuit. De meeste racefans geven de voorkeur aan deze kaarten en zouden ze voor geen geld willen inruilen tegen tribunekaarten. Op de velden heerst een fantastische atmosfeer. Alle fans staan dicht opeen en er heerst een groot saamhorigheidsgevoel; zeker als er een paar fans van rivalen in de buurt staan.

Zoals bij een popconcert zijn er op de velden geen gereserveerde plaatsen. Voor een goede plek zul je dus vroeg uit de veren moeten. Vergeet niet voldoende eten en drinken mee te nemen, want als je je plaats ook maar even verlaat, is er een grote kans dat je je plek kwijt bent.

Zoek uit hoe de ligging van de toeschouwersvelden is, voordat je kiest voor een toegangskaart voor deze velden. In Suzuka, Japan bijvoorbeeld komen de meeste van deze velden hoog boven het asfalt uit, waardoor je een fantastische blik op de race hebt. Bij circuits als Silverstone en Melbourne daarentegen zijn de velden meer glooiend, waardoor het lastig is een plek met goed uitzicht te krijgen.

Houd ook de weerberichten voor het weekend in de gaten. Op deze velden ben je amper beschut. Je loopt dus risico dat je verbrandt door de zon of juist doorweekt raakt door de regen.

Toegangskaart voor het middenveld

Hoewel elk circuit anders is wat betreft de tickets die je kunt aanschaffen om in bepaalde delen te mogen komen, kun je voor de meeste circuits toegangskaarten voor het middenveld kopen. Met deze kaarten heb je toegang tot het middelste deel van het circuit. Meestal kom je daar via een tunnel of brug terecht. Hoewel de plaatsen niks comfortabeler zijn dan de plaatsen op de staanplaatsen (je staat nog steeds, tenzij je een tribuneplaats hebt) zijn er wel andere voordelen. Dit is meestal het gebied waar de pits en de paddock zijn, dus je hebt meer kans je helden van dichtbij te zien.

Door de duurdere kaarten is het midden van het circuit doorgaans ook minder vol. Je hebt meer kans een goede plek te veroveren om de race te bekijken; voordat je natuurlijk terugrent om de coureurs en teambazen op weg naar de uitgang aan hun mouw te trekken.

Ben je van plan het hele weekend naar een Grand Prix te gaan, dan is dat reden temeer om een toegangskaart voor het middenveld aan te schaffen. Coureurs en teams blijven vaak tot diep in de nacht op het circuit. 's Avonds lopen ze een beetje rond, wat natuurlijk de perfecte gelegenheid biedt om een handtekening te veroveren. Overigens vinden er op sommige avonden ook feesten of sponsorevenementen plaats in dit middendeel van het circuit.

Tribune

Vanaf de tribunes, een rij overdekte zitplaatsen langs de baan, heb je het beste zicht op het asfalt. Kaarten voor deze plaatsen zijn het duurst, maar ze kunnen het zeker waard zijn. De sfeer is vaak net zo uitgelaten als op de toeschouwersvelden en je kunt ook nog eens een praatje maken met degene die naast je zit. Een erg groot voordeel is natuurlijk dat je niet voor dag en dauw op pad hoeft om een plekje te veroveren, je plaats is immers gereserveerd.

Wil je een kaartje voor de tribune bestellen, zorg dan dat je weet waar je wilt zitten. Gaat het je om actie, kies dan een zitplaats met zicht op een van de beste bochten van het circuit. Ben je meer geïnteresseerd in de start of wil je juist zien hoe het er in de pits aan toe gaat, kies dan voor een plaats langs de start en finish.

In tegenstelling tot voetbalwedstrijden en popconcerten, waar je juist zo dicht mogelijk vooraan wilt zitten, zijn de beste tribuneplaatsen op een Formule 1-circuit de hoger gelegen plaatsen. Hoe hoger je zit, hoe meer je van het circuit kunt zien en des te meer overzicht je hebt. En de auto's staan niet als een gekleurde streep op je foto's.

Een hotelovernachting regelen

Ben je eenmaal de gelukkige bezitter van een toegangskaart, dan is je volgende belangrijke stap beslissen waar je gaat overnachten. Ga je alleen naar een kwalificatiedag of alleen naar de race zelf, dan is je enige serieuze probleem het vinden van een goede routebeschrijving naar het circuit. Ben je van plan het hele weekend naar het circuit te gaan, dan sta je voor een grotere uitdaging.

Het vinden van een plek om te overnachten tijdens Formule 1-weekenden is allesbehalve eenvoudig. Bedenk dat alleen al het hele Formule 1-circus zelf uit zo'n tweeduizend mensen bestaat; onder meer coureurs, teamleden, journalisten, organisatie en beveiliging. In een grote stad is het al lastig alleen voor deze mensen voldoende hotelkamers te vinden. Als je bedenkt dat de meeste Formule 1-circuits ver buiten stedelijke gebieden liggen, snap je wel dat het vinden van een dak boven je hoofd een ware nachtmerrie kan worden.

Hotels kunnen al een jaar van tevoren zijn volgeboekt. Ga dus zodra je je toegangsticket hebt op zoek naar een hotelkamer. Doe dit telefonisch, of maak gebruik van internet. Neem contact op met de plaatselijke toeristeninformatie (zie de paragraaf 'Reistips voor Formule 1-wereldreizigers' verderop in dit hoofdstuk) en vraag om advies over hotels. Misschien dat medewerkers van het circuit je informatie kunnen geven. Kijk ook bij de advertenties in autosporttijdschriften en op websites van reisorganisaties, die vaak veel kamers hebben.

De prijzen van hotelkamers kunnen tijdens een raceweekend schrikbarend hoog zijn. Houd rekening met prijzen tussen de 150 en 300 euro per persoon per nacht. Veel hotels eisen een verblijf van drie of vier nachten en willen dat je de overnachtingen vooraf betaalt.

Een lang, lang weekend

Zou je elke Grand Prix op de kalender bezoeken, dan kun je flink wat airmiles verzamelen. Om alle races te bezoeken, zul je al snel 144.000 kilometers moeten afleggen. Wat neerkomt op ongeveer vier maal rond de wereld. Inclusief de extra dagen voor de races die aan de andere kant van de wereld worden verreden (zoals Australië, Maleisië en Japan), ben je ruim negentig dagen onderweg. Je moet een wel heel goede relatie met je baas hebben, wil hij je al die dagen vrij geven voor je passie.

Dat reizen is ook voor de teams een flinke kopzorg. Voor races in Europa gaan de vrachtwagens van de teams meestal op maandag of dinsdag voor de race op pad, om de honderden kilometers naar het circuit af te leggen. De vrachtwagens, die zo'n twintig ton aan spullen vervoeren, vertrekken dan zondagavond weer richting de thuisbasis van het team. Wordt er buiten Europa geracet, dan worden de wagens in speciaal ontworpen containers in vrachtvliegtuigen vervoerd.

Kun je in de buurt van het circuit geen hotel vinden dat binnen je budget past, kijk dan ook wat verder. Als je bereid bent een of twee uur te rijden, zul je vrij gemakkelijk hotels voor een redelijker prijs vinden.

Blijkt het onmogelijk een hotel in de buurt (of iets verder) van het circuit te vinden, overweeg dan te gaan kamperen. Vooral in Europa wijzen de meeste gemeenten in de buurt van het circuit een gebied aan waar je je tent, caravan of camper voor het weekend mag neerzetten.

Aangezien het er op de kampeerplaatsen behoorlijk luidruchtig aan toe kan gaan, is daar overnachten niet voor iedereen een optie. Veel fans zien een Formule 1-race als een kans om drie dagen feest te vieren. Deze fans nemen al hun feestgerei mee als ze gaan kamperen, inclusief radio's, kratten bier en dozen wijn.

De luidruchtigste fans kom je in Duitsland tegen, waar velen het hele weekend niet slapen. Harde feestmuziek, begeleid door vuurwerk en luid gezang tot diep in de nacht; op deze campings heb je weinig kans op voldoende slaap. Wil je toch genieten van je nachtrust, zoek dan een camping iets verder van het circuit.

Tips voor de dag van de race

Wil je je bezoek tot een succes maken, zorg er dan voor dat je goed voorbereid naar de race gaat. En bij een goede voorbereiding komt meer kijken dan het regelen van toegangskaarten en een hotelkamer.

Vroeg op pad gaan

Hoewel een Formule 1-race pas aan het begin van de middag van start gaat, hoef je niet op een luie zondagmorgen te rekenen voordat je naar het circuit gaat. Bedenk dat die 100.000 bezoekers grotendeels met de auto komen, en je zult begrijpen dat je een deel van je ochtend in de file zult moeten doorbrengen.

Ben je toevallig zo'n figuur dat ervan geniet om uren in de file te staan, vertrek dan vooral zo laat mogelijk richting het circuit. De meeste circuits liggen ver buiten de stad en de wegen zijn niet berekend op de enorme toevloed van verkeer. Dus krijg je vanzelf wat je wilt: een lange file. Afstanden die normaal gesproken in een half uurtje te doen zijn, kunnen op racedagen plotseling drie uur durende expedities worden.

Mocht je 's ochtends de sfeer op het circuit willen proeven, vertrek dan zo vroeg mogelijk. En dan bedoelen we dus ook zo vroeg mogelijk, dus als het net licht begint te worden. Je hoeft het niet zoals de Japanse fans te doen, op de zaterdagavond voor de race al in de rij bij de ingang te gaan staan, maar ga op zondag in ieder geval zo vroeg mogelijk op pad. Stem onderweg de radio af op de zender van het circuit, zodat je op de hoogte bent van de verkeerssituatie en tegelijkertijd ook informatie over de race van die dag krijgt.

Ben je eenmaal op het circuit aangekomen, dan kun je je enigszins ontspannen. Knap een uiltje in de auto, neem een stevig ontbijt op het circuit of kijk naar alle souvenirs bij de verkoopstands. En bedenk: in een raceweekend is de Formule 1 maar een van de races die worden verreden. Je kunt zelfs nog een glimp opvangen van de Formule 1-coureurs als zij deelnemen aan de rijdersparade.

Heb je geen gereserveerde plek op een tribune, dan is het extra belangrijk vroeg bij het circuit te zijn. Je kunt dan op zoek naar een goede plek op een van de velden. Veel fans rennen naar de gebieden rond de start en finish of zoeken een plek bij de hoofdingang, dus waarom zou jij niet op zoek gaan naar een spectaculaire bocht die wat minder bekend is?

Het grote scherm

Het klinkt misschien vreemd, maar de beste manier om de race op het circuit te volgen, is via de tv. In tegenstelling tot voetbal of basketbal vindt een groot deel van de wedstrijd buiten jouw gezichtsveld plaats. Als je via die schermen dan toch de inhaalacties of pitstops kunt volgen, zal je alleen maar meer genieten van de race.

Een andere mogelijkheid om de race te volgen is je draagbare mini-tv mee te nemen en deze af te stemmen op de lokale zender die de race uitzendt. Ook de enorme schermen die voor de organisatie zijn bestemd, bieden een prima gelegenheid nog meer van de race te zien.

Ook de omroepers op het circuit geven veel nuttige informatie, die je vaak ook via je eigen radio kunt beluisteren. Het commentaar wordt meestal in het Engels en in de landstaal gegeven, zodat je altijd weet wat er aan de hand is. In de toekomst wordt het waarschijnlijk mogelijk de radiogesprekken tussen coureur en team te volgen.

Met je neus op de actie

Bij een Formule 1-race gaat het er heel anders aan toe dan je misschien van eerdere bezoeken aan andere races bent gewend. Waar het bij bijvoorbeeld een NASCAR- of DTM-race vrij eenvoudig is om in het raceweekend als toeschouwer bij de pitboxen te staan en een glimp van de coureurs en het team op te vangen, zijn de pitboxen en de paddock bij een Formule 1-race verboden terrein voor het gewone publiek.

Het lijkt oneerlijk tegenover de fans die vele honderden euro's hebben neergeteld om de race te zien, maar vergelijk het maar met de backstage van een rockconcert. Stel je eens de chaos voor wanneer iedereen met een toegangskaartje de Rolling Stones in hun kleedkamers zou mogen bekijken!

Bij Formule 1-races hebben de teams en coureurs veel ruimte nodig om hun werk te kunnen doen. Dit zou vrijwel onmogelijk worden als duizenden fans rond de motorhomes zouden staan en de toegang tot de pitboxen zouden blokkeren. Waarschijnlijk zouden de coureurs zich zo lang mogelijk verbergen als ze weten dat ze geen seconde met rust gelaten zouden worden terwijl ze in de paddock (rennerskwartier) rondlopen.

Iedere morgen en avond zie je als eenvoudige toeschouwer mensen in en uit de paddock lopen die daar blijkbaar wel naar binnen mogen. Dit zijn uiteraard de coureurs en teambazen, maar ook technici, engineers, journalisten, persvoorlichters en mensen van de catering.

Ook al zijn er geen toegangskaarten te koop voor de paddock, normaal gesproken heb je in een raceweekend voldoende andere kansen om de wagens en coureurs van dichterbij te bekijken.

- ✔ Op een aantal circuits zijn door de pits aparte paden voor fans aangelegd. Met een apart ticket kun je dan langs de pitboxen lopen, terwijl je kijkt hoe de teams aan de wagens werken. Misschien dat je zelfs een glimp opvangt van de coureur of de teambaas als die net op dat moment in de pitbox is.

- ✔ Dankzij de nieuwe Formule 1-reglementen van 2003 mogen teams niet langer op zaterdagavond, na afloop van de kwalificaties hun wagens achter slot en grendel plaatsen. Dus hou in de gaten waar de wagens gestald worden voor de technische controle op zaterdagavond. Wie weet dat dat ergens op het circuitterrein gebeurt en je de wagens daar van heel dichtbij kunt bekijken. Maar meestal staan de wagens wel in een pitbox en binnen de paddock, dus de kans is klein.

🖊 Houd het raceprogramma in de gaten. Luister ook naar de aankondigingen van de omroeper. Zo kom je te weten op welke tijden fans in de pitstraat mogen of naar de wagens mogen gaan kijken.

🖊 Kijk ook bij de kraampjes waar souvenirs te koop zijn. Vaak staan deze bij elkaar in de buurt en regelmatig worden coureurs naar deze verkoopplekken toegehaald. Komt hij net langs als jij daar ook bent, dan zou je zomaar het geluk kunnen hebben om een paar woorden met hem te wisselen.

Zo, dus jij hebt een paddockpas!

Als jij een van de gelukkigen bent die een paddockpas om z'n nek heeft hangen, dan krijg je de kans iets van de Formule 1 te zien waar de meeste fans alleen maar over kunnen dromen. Meestal zijn deze passen alleen beschikbaar voor teamgasten of sponsors die een directe link met de sport hebben. Het scheelt ook als je een beroemdheid bent.

De paddock is het ware zenuwcentrum van een Formule 1-race. Je zult er honderden mensen tegenkomen. Sommigen werken, anderen ontspannen zich. De motorhomes van de teams staan in een nette rij en het zal niet lang duren voor je vindt wat je zoekt. Het is direct te zien: hoe succesvoller een coureur, des te meer mensen hangen rond zijn motorhome. Allen hopen ze een glimp van hun favoriet op te vangen, of misschien zelfs een handtekening te krijgen.

Degenen die een paddockpas hebben zijn vaak uitgenodigd door de teams of de sponsors. Zij worden niet alleen op de paddock ontvangen, maar krijgen ook een adembenemende rondleiding door de pitboxen. Als tegenprestatie voor deze privileges van een paddockpas verwachten de teams of sponsors wel dat je je aan de regels houdt:

🖊 **Kijken, maar niet aanraken.** Vergeet niet dat je in een motorhome of pitbox in een werkomgeving bent. Je maakt je niet erg geliefd als je in de weg zit. Als er iets in de weg lijkt te staan, dan is dat obstakel daar met een bedoeling neergezet, dus stap er niet overheen omdat jij het beter denkt te weten. Meestal moet de bezoeker in een bepaald gebied aan de zijkant of voorkant van de pitbox blijven. Op deze manier zul je het team, dat bezig is de wagens gereed te maken voor de race, zo min mogelijk tot last zijn. Doe gewoon wat de gids zegt, en je zult je prima vermaken. Net zoals de teams.

🖊 **Probeer erbij te horen.** De paddock is een podium voor de teams en sponsors om tegenover de rest van de wereld op te scheppen. Zowel het team als de sponsor hecht er veel waarde aan dat je passend bent gekleed. Dus draag de juiste casual kleding (dus geen heavy metal T-shirts en korte broek) en zorg ervoor dat je je gastheer niet voor schut zet. Ben je uitgenodigd door Ferrari, laat dat Jaguar T-shirt dan thuis.

✔ **Gedraag jezelf in de pitboxen of de pitstraat.** Je gastheer zal je niet erg vriendelijk aankijken als je dronken bent of je anders vreemd gedraagt in de paddock. En bovendien, als je dronken bent of de clown uithangt breng je ook nog eens jezelf in gevaar.

In de pitbox staan veel machines en chemicaliën die lang niet altijd ongevaarlijk zijn. Tijdens de rondleiding kunnen wagens met afgeschakelde motor plotseling de pitbox in komen rijden, zonder dat je ze hoort aankomen.

✔ **Rook alleen in de aangegeven gebieden.** Roken is in de pits vanwege de brandstofdampen volledig verboden. Word je betrapt op roken waar dat niet is toegestaan, dan vlieg je zonder pardon het circuit af. Dus even in de gaten houden als je zou willen roken.

✔ **Laat steeds je pas zien.** Paddockpassen hebben niet voor niets een band waarmee je ze om je nek kunt hangen. Je passeert verschillende controlesluizen voordat je in de paddock of pits bent, en de beveiliging heeft al het recht je er weer uit te zetten als je pas niet zichtbaar is.

Een handtekening bemachtigen

De handtekeningen van Formule 1-coureurs zijn hun gewicht in goud waard. Sommigen leveren net zoveel op als de handtekening van een filmster of een popartiest. Het feit dat de paddock niet zomaar toegankelijk is voor het publiek, betekent echter niet dat je zonder problemen een handtekening kunt veroveren. Aan de andere kant wordt die handtekening van Michael Schumacher of Juan Pablo Montoya natuurlijk extra bijzonder als je er zoveel moeite voor moest doen.

Hoewel het voor bezitters van een paddockpas duidelijk makkelijker is om een handtekening te bemachtigen, heb je ook buiten de paddock genoeg kans om je helden om een handtekening te vragen. Hier volgen enkele tips:

✔ **Wacht buiten bij de ingang van de paddock.** Dit is de beste plek voor handtekeningen. Vooral 's morgens en 's avonds, als de coureurs en het teampersoneel komen, maak je de meeste kans.

✔ **Ben je in de paddock, wacht dan bij de motorhome.** Hoewel je niet in het motorhome zelf zult mogen komen, is het een goede plek om er op je favoriete coureur te wachten. Vooral vlak voor of na een vrije training laten coureurs er hun gezicht zien.

✔ **Houd pen en papier gereed.** Het is natuurlijk zinloos om uren op je favoriete coureur te wachten om dan uiteindelijk geen handtekening te krijgen omdat je geen pen of papier bij de hand had. Zorg dus dat je ze altijd in de aanslag hebt, want je weet nooit tegen wie je oploopt. En breng de coureur niet in verlegenheid door hem een handtekening te laten zetten op promotiemateriaal van de concurrentie!

✔ **Kies het juiste moment.** De laatste momenten voor de start concentreren de coureurs zich totaal op de race. Ze denken op dat moment niet aan de fans, dus val ze dan ook niet lastig. Als je een coureur op dat moment wel stoort, reken dan vooral niet op een mooie handtekening of poseren voor een foto. Een ander ongelukkig moment is de coureur vlak na een crash of motorschade om een handtekening vragen. Maar, als het je enige kans is, zeg dan in elk geval iets vriendelijks om hem op te vrolijken; het zou zomaar kunnen werken.

✔ **Wees bereid te lopen.** Formule 1-coureurs worden continu belaagd door fans. De enige manier om niet uren opgehouden te worden is blijven doorlopen tijdens het signeren. Dus loop met je held mee als je hem je pen en papier hebt gegeven.

✔ **Wees beleefd.** Aangezien de coureur werk te doen heeft kun je moeilijk verwachten dat hij een tijdje blijft staan praten. Wees ook niet onbeleefd als hij geen tijd heeft handtekeningen uit te delen. Als je beleefd bent maak je de volgende keer meer kans dat hij even tijd voor je neemt en je alles gedaan krijgt wat je wilt.

✔ **Zeg dank je wel.** Dat doet het altijd goed!

Het T-shirt voor thuis ... en andere souvenirs

Met trots het T-shirt of pet dragen die je bij de Grand Prix hebt aangeschaft, is een van de beste manieren om na afloop, als je weer thuis bent, iedereen te laten weten dat je erbij was. Deze shirts en petten zijn in overvloed verkrijgbaar tijdens het weekend, en meestal gaan de prijzen na het einde van de race flink omlaag.

Maar waarom zou je niet proberen een iets unieker souvenir te bemachtigen? Aan het einde van het weekend gooien de verschillende teams veel kleinere of beschadigde onderdelen weg. Dingen die voor jou een geweldig aandenken kunnen zijn. Is de paddock laat op de avond open voor het publiek, kijk dan eens in de afvalbakken of achter de pitboxen.

Neem nooit iets mee zonder eerst daarvoor toestemming te vragen aan het team. Voor je het weet word je wegens diefstal gearresteerd. In 2002 werd er tijdens de Grand Prix van San Marino een groot politieonderzoek gestart toen een Bridgestone-band was verdwenen. De dief werd uiteindelijk opgepakt toen hij de band van het circuit probeerde te smokkelen.

Loop je je kans mis iets als herinnering mee te nemen, dan zijn je kansen nog niet helemaal verkeken. Kijk op de websites van de verschillende teams (een lijst vind je in hoofdstuk 17). Een aantal teams verkoopt gebruikte of beschadigde onderdelen.

Sterren op en naast de baan

In een raceweekend zijn de Formule 1-coureurs niet de enige sterren die je om een handtekening kunt vragen. Ook andere beroemdheden maken er hun opwachting. Filmsterren, popidolen en sporters, allemaal vinden ze het leuk de races te bezoeken. En als ze daar toch zijn, vinden ze het vast niet erg wat handtekeningen weg te geven. De laatste jaren zijn mensen als Pelé, Michael Douglas, Catherine Zeta-Jones, Sylvester Stallone, Bryan Adams, John Lydon, Patrick Kluivert, Erben Wennemars, Pieter van den Hoogenband en Ronaldo bij Formule 1-races gesignaleerd.

Reistips voor Formule 1-wereldreizigers

Denk je erover uit je luie stoel te komen om de volgende race eens met een persoonlijk bezoek te vereren? Dan vind je hier handige contactadressen voor de verschillende circuits. In hoofdstuk 15 lees je meer over de locaties.

Races in Europa

Wil je bij een Formule 1-race in Europa zijn, dan heb je de volgende (ruime) keuze aan circuits. Hoewel er in 2004 geen Grand Prix op de A1-Ring in Oostenrijk wordt verreden, hebben we de gegevens van dit circuit voor de volledigheid toegevoegd.

A1-Ring, Grand Prix van Oostenrijk

Toegangskaarten: neem voor toegangskaarten en informatie contact op met de Ticket Hotline. Tel.: +43 3512 709-0. Of neem contact op met Grand Prix Tickets, Sonnering 1, Postfach 50, 8720 Spielberg. Tel.: +43 3512 70930. Fax: +43 3512 73205. Website: www.a1ring.at.

Overnachtingen: neem contact op met MSM Office Tel.: +43 3512 86464. Touristen Informatie Knittelfeld, Hauptplatz 15A, 8720 Knittelfeld. Tel.: +43 3512 864640. Fax: +43 3512 864646.
E-mail: tv.knittelfeld@freizeitarena.oberes-murtal.at.

Naar het circuit: de A1-Ring ligt ten noorden van de stad Zeltweg. Hoewel Graz de dichtstbijzijnde luchthaven is (ongeveer 95 kilometer van het circuit), vliegen de meeste mensen naar Wenen, dat zo'n 190 kilometer ten noordwesten van het circuit ligt.

Barcelona, Grand Prix van Spanje

Toegangskaarten: bel voor toegangskaarten en informatie naar +34 93 5719708. Fax: +34 93 5723062. Website: www.circuitcat.com.

Overnachtingen: neem contact op met RACC Travel. Tel.: +34 93 4955015. Fax: +34 93 448 2277 of Turismo de Barcelona. Tel.: +34 93 3043134. Fax: +34 93 3043155.

Naar het circuit: het circuit van Catalunya ligt 16 kilometer ten noorden van Barcelona. Het circuit is makkelijk bereikbaar vanaf de A7 richting Girona. Neem afslag 13 richting Granollers en volg daarna de borden richting het circuit.

Hockenheim, Grand Prix van Duitsland

Toegangskaarten: neem voor toegangskaarten en informatie contact op met Hockenheim-Ring Gmbh. Tel.: +49 6205 950222. Website: www.hockenheimring.de.

Overnachtingen: neem contact op met de Verkehrsverein. Tel.: +49 6205 21601.

Naar het circuit: Hockenheim ligt zo'n 65 kilometer ten zuiden van de grote internationale luchthaven Frankfurt. Neem vanaf Frankfurt de A5 en vervolgens de A67 richting Mannheim en Karlsruhe. Vanaf daar staat duidelijk aangegeven hoe je bij het circuit komt.

Hungaroring (Boedapest), Grand Prix van Hongarije

Toegangskaarten: neem voor toegangskaarten en informatie contact op met Hungaroring Sport Rt, 2146 Mogyorod, Pf 10. Tel.: +36 28 444444. Fax: +36 28 441860. Website: www.hungaroring.hu.

Overnachtingen: neem contact op met Tourinform, 2 Suto Street, 1052 Boedapest. Tel.: +36 1 317 9800. Fax: +36 1 317 9578.

Naar het circuit: de Hungaroring ligt ongeveer 24 kilometer ten noord-westen van Boedapest. De beste route richting circuit is over de M3 richting Miskolc, en vervolgens de borden richting circuit volgen.

Imola, Grand Prix van San Marino

Toegangskaarten: neem voor toegangskaartenkaarten en informatie contact op met SAGIS Spa, Piazzale Leonardo da Vinci 1, 40026 Imola. Tel.: +39 0542 34116. Fax: +39 0542 34159. Website: www.autodromoimola.com.

Overnachtingen: neem contact op met: Comune Informazione di Imola, Via Mazzini 4, 40026 Imola. Tel.: +39 0542 602207.

Naar het circuit: de stad Imola ligt in het noordelijke deel van Italië, ongeveer 40 kilometer ten zuidoosten van Bologna, waarvandaan goede vliegverbindingen met de rest van Europa bestaan. Het circuit ligt ten zuiden van de stad. Aangezien de bewegwijzering nogal wat te wensen over laat, doe je er goed aan eenvoudig de duizenden Ferrari-fans te volgen die richting het circuit rijden.

Magny-Cours, Grand Prix van Frankrijk

Toegangskaarten: neem voor toegangskaarten en informatie contact op met het Circuit de Nevers Magny-Cours. Tel.: +33 3 862 18000. Website: www.magny-cours.com.

Overnachtingen: neem contact op met het Office de Tourisme Palais Ducal, Rue Sabatier, 58000 Nevers. Tel.: +33 3 866 84600. Fax: +33 3 86684598.

Naar het circuit: Magny-Cours centraal in Frankrijk, ongeveer 240 kilometer ten zuiden van Parijs. Dichtstbijzijnde stad is Nevers, op ongeveer 15 kilometer ten noorden van het circuit.

Monte Carlo, Grand Prix van Monaco

Toegangskaarten: neem voor toegangskaarten en informatie contact op met Automobile Club de Monaco, 23 Boulevard Albert 1er, BP464, 98012 Monaco Cedex, Monaco. Tel.: +377 931 52600. Fax: +377 931 52620. Website: www.acm.mc.

Overnachtingen: neem contact op met de Direction du Tourisme et des Congres, 2A Boulevard des Moulins, 98000 Monaco. Tel.: +377 92166116. Fax: +377 921 66000. E-mail: dtc@monaco-congres.com.

Naar het circuit: het vorstendom Monaco ligt aan de Cote d'Azur, ongeveer 25 kilometer ten oosten van Nice. Monaco is goed bereikbaar via de kustwegen, hoewel de binnenlandse A8 sneller zal zijn.

Monza, Grand Prix van Italië

Toegangskaarten: neem voor toegangskaarten en informatie contact op met Autodromo Nazionale Monza. Tel.: +39 039 248 2212. Fax: +39 039 320324. Website: www.monzanet.it.

Overnachtingen: neem contact op met Associazione Pro-Monza ufficio informazioni, Palazzo Comunle. Tel & Fax: +39 039 323222.

Naar het circuit: Monza ligt in Noord-Italië, ongeveer 15 kilometer ten noordoosten van Milaan. De stad is duidelijk aangegeven op de snelwegen en het circuit bevindt zich in het Koninklijk Park van Monza.

Nürburgring, Grand Prix van Europa

Toegangskaarten: neem voor toegangskaarten en informatie contact op met Nürburgring Gmbh. Tel.: +49 2691 302620.
Website: www.nuerburgring.de.

Overnachtingen: neem contact op met Nürburgring Tourist Office Nürburg/Eifel. Tel.: +49 2691 302 630 of voor hotelinformatie +49 2691 302 610. Fax: +49 2691 302 650.

Naar het circuit: de dichtstbijzijnde luchthaven is Keulen, op zo'n 95 kilometer ten noordoosten van het circuit. Volg de 257 richting Adenau en volg de borden richting het circuit.

Silverstone, Grand Prix van Groot-Brittannië

Toegangskaarten: neem voor toegangskaarten en informatie contact op met Silverstone Circuits Ltd. Tel.: +44 1327 857273. Fax: +44 1327 320300. Website: www.silverstone-circuit.co.uk.

Overnachtingen: neem contact op met het Northampton Visitors Centre, St. Giles Square, Northampton, NN1 1DA. Tel.: +44 1604 233500. Fax: +44 1604 604180.

Naar het circuit: Silverstone is makkelijk bereikbaar vanaf de snelweg en ligt ruim 100 kilometer ten noorden van Londen, tussen Towcester and Brackley. De beste toegangsweg is de A43, die via de M1 en de M40 of een van de andere wegen bereikt kan worden. Volg de borden richting het circuit. Houd er rekening mee dat het erg druk is rond het grandprixweekend.

Spa-Francorchamps, Grand Prix van België

Toegangskaarten: bel voor toegangskaarten en informatie naar +32 87 275138 of fax naar +32 87 275296.

Overnachtingen: neem contact op met het Spa Office de Tourisme. Tel.: +32 87 795353.

Naar het circuit: het circuit van Spa-Francorchamps is vanuit de meeste plaatsen in Europa makkelijk over de weg bereikbaar. Het is gelegen in een fraai stuk van de Ardennen, met als nabijgelegen grote steden Brussel (145 kilometer) en het Duitse Keulen (110 kilometer). Het circuit ligt iets meer dan 15 kilometer van de Duitse grens, aan de A27, de doorgaande weg naar Luxemburg.

Races in Amerika

Wil je bij een race in Noord- of Zuid Amerika aanwezig zijn, dan heb je de keuze uit de volgende circuits.

Circuit Gilles Villeneuve (Montreal), Grand Prix van Canada

Toegangskaarten: neem voor toegangskaarten of informatie contact op met het Grand Prix Formule 1 du Canada. Tel.: +1 514 350 000. Fax: +1 514 350 4109. Website: www.grandprix.ca.

Overnachtingen: neem contact op met het Centre Infotouriste, 1001 Rue de Square-Dorchester, PO Box 979, Montreal (Quebec) Canada, H9C 2W3. Tel.: +1 514 873 2015. Website: www.bonjourquebec.com.

Naar het circuit: het Gilles Villeneuve circuit ligt op het Ile Notre-Dame Circuit aan de St Lawrence Seaway, oostelijk van Montreal. Hoewel je via de Jacques Cartierbrug naar het circuit kunt rijden, is dat gezien het beperkte aantal parkeerplekken bij het circuit niet aan te bevelen. De meeste fans nemen de metro vanaf Montreal en stappen uit bij de halte Ste-Hélène, vanwaar het nog slechts enkele honderden meters is tot het circuit.

Indianapolis, Grand Prix van de Verenigde staten

Toegangskaarten: neem voor toegangskaarten en informatie contact op met Indianapolis Motor Speedway. Tel.: +1 317 484 6700. Website: www.usgpindy.com.

Overnachtingen: neem contact op met de Indianapolis Chamber of Commerce, 320 N Meridian Street, Suite 200, Indianapolis. Tel.: +1 317 464 2200. Website: www.indychamber.com of de Indianapolis Convention and Visitors Association, 200 S Capitol Avenue, Suite 100, Indianapolis. Tel.: +1 317 639 4282. Fax: +1 317 639 5273.

Naar het circuit: de Indianapolis Motor Speedway ligt tien kilometer ten noordwesten van Indianapolis, in een buitenwijk die Speedway (de naam zegt het al!) heet. Verblijf je in Indianapolis, dan kun je het beste via de 16th Street rijden.

Interlagos, Grand Prix van Brazilië

Toegangskaarten: bel voor toegangskaarten en informatie naar telefoonnummer +55 11 550 72500 of 0800 170200 als je al in Brazilië bent. Website: www.gpbrasil.org of Silvana Lee International Promotions: Tel.: +55 11 813 5775. Fax: +55 11 212 4079.

Overnachtingen: neem contact op met het Secretaria de Turismo: Tel.: +55 11 239 0092 of het SET – Secretaria de Esporte e Turismo: Tel.: +55 11 3395833, toestel 448.

Naar het circuit: Interlagos ligt ongeveer 15 kilometer ten zuiden van Sao Paulo. Vanaf het stadscentrum ga je zuidwaarts via de Marginal Pinheiros en volg je de borden richting Interlagos.

Races in Australië, Azië en het Midden Oosten

Tot slot, mocht je geïnteresseerd zijn Formule 1-races bij onze tegen-voeters of in het Midden-Oosten te gaan bekijken, dan hebben we de volgende circuits voor je.

Manama, Grand Prix van Bahrein

Toegangskaarten: neem voor toegangskaarten en informatie contact op met The Bahrain Internation Circuit. Tel.: +973 406444. Fax: +973-406555. Website: www.bahraingp.com.bh.

Overnachtingen: op de officiële site van het circuit van Bahrein (www.bahraingp.com.bh) vind je een uitgebreide lijst hotels. Klik op de link Visitor Information en vervolgens op Accommodation.

Naar het circuit: het circuit van Bahrein in Sakhir is zowel vanaf de internationale luchthaven bij Manama als vanuit Saudi Arabië goed per auto bereikbaar.

Melbourne, Grand Prix van Australië

Toegangskaarten: neem voor toegangskaarten of informatie contact op met The Australian Grand Prix Corporation. Tel.: +61 (3) 9258 7100. Fax: +61 (3) 9699 3727. Website: www.grandprix.com.au. E-mail: enquiries@grandprix.com.au.

Overnachtingen: neem contact op met het Grand Prix Travel Office. Tel.: +61 3 9650 1955. Fax: +61 3 9650 8070 of Tourism Victoria. Tel.: +61 3 9653 9777. Fax: +61 3 9653 9733 Website: www.visitvictoria.com.

Naar het circuit: het circuit ligt midden in het schilderachtige Albert Park, dat makkelijk bereikbaar is in Melbourne. Je kunt het beste je auto thuis laten en een taxi nemen of, nog beter, een tram tot de ingang van het circuit pakken.

Sepang, Grand Prix van Maleisië

Toegangskaarten: bel voor toegangskaarten en informatie naar telefoonnummer +60 3 852 62222. Fax: +60 3 852 62227. Website: www.malaysiangp.com.my.

Overnachtingen: neem contact op met de Malaysian Tourist Informa-tion Complex – MATIC, 109 Jalan Ampang, Kuala Lumpur. Tel.: +60 3 2423929. Of Putra World Trade Centre, Jalan Tun Ismail. Tel.: +60 3 2935188 of +60 3 2746063.

Naar het circuit: het circuit van Sepang ligt direct naast het indrukwekkende nieuwe vliegveld van Kuala Lumpur. Helaas betekent dat ook dat het ongeveer 65 kilometer van het stadscentrum met de hotels verwijderd is. Ondanks de voor vele fans lange reis, staat Sepang duidelijk aangegeven vanaf de centrale snelweg die het noorden met het zuiden verbindt. Mocht je toch verdwalen, dan kun je de borden richting vliegveld volgen.

Shanghai, Grand Prix van China

Toegangskaarten: neem voor toegangskaarten en informatie contact op met het Shanghai International Circuit. Tel.: +86 21 63305555. Fax: +86 21 63306655. Website: http://www.icsh.sh.cn/en/.

Overnachtingen: de informatiebureaus voor toerisme zijn per district ingedeeld. Bezoek www.shanghaitour.net en klik achtereenvolgens op de links English en Info Centers voor een overzicht van deze bureaus en hun telefoonnummers.

Naar het circuit: het circuit van Shanghai is per auto of bus goed bereikbaar vanaf de internationale luchthavens Pudong en Hong Qiao.

Suzuka, Grand Prix van Japan

Toegangskaarten: neem voor toegangskaarten en informatie contact op met het Ticket Centre, Suzuka Circuit. Tel.: +81 593 781111. Fax: +81 593 702408. Website: www.suzukacircuit.co.jp.

Overnachtingen: neem contact op met het Japan Travel Bureau, International Travel Division, 5-5-2 Kiba, Koto-ku, Tokyo 135-852. Tel.: +81 3 562 09461. Fax: +81 3 562 09502.

Naar het circuit: Suzuka ligt op Honshu, het hoofdeiland van Japan. Het circuit ligt ongeveer 480 kilometer ten westen van Tokyo en is het beste bereikbaar per trein via Nagoya. Het Japanse openbaar vervoer is uitstekend en de medewerkers zijn zeer behulpzaam.

Tot slot: wat wel en wat niet mag

Er is een aantal dingen die absoluut moeten en een aantal zaken die absoluut niet kunnen bij Formule 1. Voor trouwe fans zijn deze regels een tweede natuur geworden. Ga je voor het eerst naar een race, dan kan het zijn dat je niet exact op de hoogte bent van deze ongeschreven regels.

Om je op weg te helpen vind je in de volgende lijst enkele handige tips:

- **Neem een kleed of waterdichte mat mee om op te zitten, zeker als je een kaart voor de staanplaatsen hebt.** Je zit op gras of beton tijdens de race, en na een regenbui kan de bodem erg modderig en vies zijn. Met een kleed baken je meteen je plek af en verklein je de kans dat andere fans jouw plek proberen te veroveren. Wees echter niet te hebberig met de hoeveelheid ruimte die je voor jezelf opeist, dat maakt je namelijk erg onpopulair bij je mede-fans.

✔ **Neem een regenjas mee voor als het gaat regenen.** Veel fans nemen een paraplu mee, maar belemmeren daarmee het zicht van degenen achter zich. Misschien dat iemand van de organisatie je daarom komt vragen om de paraplu weer dicht te doen. Met een goede regenjas ben je beter beschermd en je kunt je veel makkelijker door de menigte wurmen. En als het ophoudt met regenen heb je gelijk iets om op te zitten.

✔ **Neem zonnebrandcrème mee.** Ook al denk je dat zonnebrandcrème iets is voor op het strand, je zult versteld staan van de hoeveelheid zon die er op een circuit kan schijnen. Tijdens een race zit je vaak uren zonder enige bescherming op dezelfde plek. In de zon ben je dan zo verbrand. De volgende dag met een gezonde kleur naar je werk gaan en enthousiast over de race vertellen die je hebt gezien, is veel leuker dan wanneer je eruitziet als een gekookte kreeft en je ziek bent van de zon.

✔ **Neem oordopjes mee; zeker als je met kinderen de race bezoekt.** Formule 1-wagens maken erg veel herrie; evenveel als een opstijgende straaljager. Je oren doen zonder goede gehoorbescherming aan het einde van de dag flink pijn, je hebt gegarandeerd schreeuwende hoofdpijn en je bent helemaal gek van de herrie geworden. Je kunt je geld uitgeven aan speciale oordopjes die het geluid filteren, maar de meeste fans en ook het teampersoneel kiest voor oordopjes van schuim. Deze oordopjes, die je met je vingers kunt oprollen, kun je vrijwel altijd op het circuit zelf kopen. Soms worden ze zelfs aan het begin van de dag bij de ingangen uitgedeeld. Lees de gebruiksaanwijzingen goed, want als je ze niet goed gebruikt, hebben ze net zoveel effect als wanneer je niks indeed.

✔ **Kleed je op het weer.** Gedurende het seizoen en afhankelijk van de ligging van het circuit kan het klimaat nogal eens verschillen. De luchtige katoenen zomerkleding voor Maleisië, waar het warm en vochtig is, is niet geschikt voor de Engelse Grand Prix, waar het meestal nat, koud en winderig is. Houd de weerberichten in de krant of op internet al ruim voor de Grand Prix goed in de gaten.

✔ **Draag comfortabele schoenen, ook al zijn ze niet erg modieus.** Hoe mooi en hip die nieuwe schoenen ook zijn, je moet er niet aan denken hoe je voeten voelen na het weekend. Bij een Formule 1-race loop je veel. Je loopt over gras, gravel, and asfalt, dus zorg dat je voeten voorbereid zijn op de foltering en dat je over lekkere soepele schoenen beschikt.

✔ **Neem voldoende geld mee om eten, drinken en souvenirs te kopen.** Meestal zijn er weliswaar geldautomaten op het terrein aanwezig, maar de rijen kunnen angstaanjagend lang zijn. Voorkom dat je onnodig tijd in een rij moet verdoen en zorg ervoor dat je voldoende geld bij je te hebt. Neem genoeg geld mee om alles te kopen wat bijdraagt aan dat perfecte raceweekend.

✔ **Neem een radio mee, zodat je op de hoogte kunt blijven van wat er op het circuit gaande is.** Via een omroepsysteem wordt verslag gedaan van de race, maar de wagens maken zoveel herrie als ze langsrijden, dat het vrijwel onmogelijk is er nog iets van te horen. De meeste circuits hebben hun eigen radiostation waar je je radio op kunt afstemmen tijdens het weekend, om zo toch de verslaggeving te kunnen horen. Met die extra informatie kun je je medefans soms versteld doen staan. Terwijl zij nog van niks weten, kun jij al 'voorspellen' dat Juan Pablo Montoya in de volgende ronde voorbij Michael Schumacher zal gaan. En inderdaad, zodra ze weer langsrijden blijkt Montoya voorop te rijden... Wat jij natuurlijk allang op de radio gehoord had!

✔ **Koop een programma.** Er is niks ergers dan bij een race zijn en geen flauw idee hebben wat er allemaal gebeurt. Het programma staat vol met informatie over speciale dingen en bevat bovendien interessante artikelen en interviews met coureurs. Uiteraard is het programma een fantastisch souvenir om aan je vrienden en familie te laten zien.

✔ **Neem een verrekijker mee, ongeacht waar je zit.** Formule 1-circuits zijn enorm groot. Met een verrekijker kun je de wagens, teams en pits veel beter zien dan met het blote oog.

✔ **Neem veel water mee.** Let er in een Formule 1-weekend goed op dat je voldoende drinkt. Je neemt eerder te weinig dan te veel water mee. Op de toeschouwersvelden en de tribunes kan het erg warm worden, en het zou jammer zijn als je je duurbetaalde race in de ziekenboeg moest doorbrengen omdat je door uitdroging of een zonnensteek bent flauwgevallen.

✔ **Neem je eigen eten en koelbox mee.** Als je je plekje op het veld wilt houden en tegelijkertijd van je favoriete eten wilt genieten, dan zul je je eigen picknick moeten organiseren. Je hoeft niks van de race te missen en je verdoet geen kostbare tijd in een van de lange rijen voor een kraam met eten.

✔ **Zorg dat je erbij hoort.** Net zoals bij de concerten en sportwedstrijden, voel je je meer op je gemak als je enigszins in de menigte opgaat. Dus probeer eruit te zien als een racefan. Trek een Formule 1-shirt aan of zet een pet op. Met een beetje geluk kom je meer fans van je favoriete coureur tegen, zodat je hem samen kunt toejuichen.

⌐ **Neem geen drinken in glazen flessen mee.** Bij de meeste races controleren beveiligingsmensen de tassen van bezoekers. Alles van glas, wat immers gevaar kan opleveren als het breekt, wordt in beslag genomen.

⌐ **Gooi niet met dingen.** De staanplaatsen en de tribunes bevinden zich redelijk dicht bij de baan. Er is dus altijd een kans aanwezig dat er iets op het asfalt terecht komt. Zelfs kleine stukken afval kunnen een auto al tot slippen brengen of in de luchtinlaat van de motor vast komen te zitten en daar voor problemen zorgen. Ziet iemand van de beveiliging dat je bewust afval op het circuit gooit, dan word je er zonder pardon uitgegooid.

⌐ **Blijf nuchter en gedraag je.** De officials doen hun uiterste best om het iedereen zo goed mogelijk naar de zin te maken. Mensen die zich misdragen of het andere publiek tot last zijn, worden gemist als kiespijn. Je krijgt een waarschuwing of je wordt meteen van het terrein verwijderd.

⌐ **Let op je woorden.** Houd rekening met het publiek om je heen. Ze hebben net als jij een flink bedrag neergeteld om de race te kunnen zien. Blijf niet roepen dat je een bepaalde coureur niet mag. Dit advies is ook in je eigen belang: voor hetzelfde geld sta je tussen een groep trouwe fans van de desbetreffende coureur, en ze zullen je agressieve gedrag niet kunnen waarderen.

Hoofdstuk 17

Formule 1-evenementen volgen

*H*oe vreemd het ook klinkt, de meeste fans zien nooit een Formule 1-race in het echt. Ze wonen bijvoorbeeld in een land waar geen race wordt gehouden of ze hebben niet genoeg geld om een ticket aan te schaffen. Het kan natuurlijk ook dat ze er de lol niet van inzien om een hele dag in de regen te staan om een paar auto's rondjes te zien rijden, terwijl ze dat ook in hun warme huiskamer onder het genot van een hapje en een drankje op tv kunnen bekijken.

Gelukkig voor al deze fans wordt er uitgebreid verslag gedaan van Formule 1-wedstrijden. Via tv en radio, in kranten, tijdschriften en ook via internet worden fans op de hoogte gehouden. Dus zelfs zonder ooit maar een voet op een circuit te zetten, kun je toch 24 uur per dag, 365 dagen per jaar volgen wat er gebeurt. Sterker nog, de verslaggeving is zo goed, dat fans vaak meer weten van wat er allemaal gaande is binnen de sport dan sommige coureurs zelf.

En ook fans die ondanks de enorme golf aan informatie nog meer willen weten, worden niet teleurgesteld. Ondanks de uitgebreide verslaggeving in de media, biedt de sport enorm veel fanclubs en mogelijkheden om achter de schermen te kijken. Allemaal mogelijkheden om te benutten, ook als je (nog) nooit naar een race bent geweest.

De tv aanzetten

Miljoenen kijkers zitten op zomerse zondagmiddagen aan de buis ge-kluisterd om Formule 1 te kijken. Het is voor hen vaak een vaste gewoon-te geworden, en dat is niet vreemd als je bedenkt hoe spectaculair de ge-toonde beelden zijn en hoeveel de kijker via interviews en analyses te weten komt. Meestal zelfs meer dan het bij de race aanwezige publiek.

Camerahoeken in overvloed

Televisiemakers willen er zeker van zijn dat er voor het verslag geen enkel moment van de race wordt gemist. Talloze camera's worden hier-voor langs de baan, bij de paddock, in de pitstraat en op de wagens ge-plaatst. Om het geheel compleet te maken struinen verslaggevers de pits af op zoek naar interviews met coureurs of teambazen. De ene keer gaat hun interesse uit naar de raceprestaties van de coureurs, de vol-gende keer willen ze meer weten over een geruchtmakend schandaal. We geven je hier een overzicht van de verschillende camerastandpun-ten die je kunt verwachten wanneer je een Grand Prix op tv bekijkt.

✔ **Camera's langs de kant van de baan.** Het grootste deel van de race krijg je de beelden van deze camera's voorgeschoteld. De nadruk ligt op het volgen van de wagens en de raceactie. Zodra een wagen uit beeld verdwijnt neemt een volgende camera het beeld over, en zo steeds verder. Op deze manier kunnen de wa-gens op elke meter van het asfalt worden gevolgd.

✔ **Luchtopnames.** Helikopters worden ingezet om tijdens kwalifica-ties en wedstrijden een beeld van bovenaf te geven. Deze beelden geven een goed overzicht van inhaalmanoeuvres of ongelukken.

✔ **Kerb-cameras.** Speciale kleine camera's worden in de kerbstones of op de muren langs de baan bevestigd. Goede en spectaculaire close-ups van de voorbijschietende wagens zijn het resultaat. Soms rijden wagens recht over deze camera's, waardoor de kijker de onderkant van de wagens of de banden te zien krijgt, al is dat bij 200 km/uur moeilijk te zien.

✔ **Boordcamera's.** Camera's in de cockpit of boven het hoofd van de coureur laten zien wat de coureur ziet. Dankzij deze camera's weten de fans exact wat hun held ziet en waarneemt. Deze came-ra's leveren spectaculaire beelden van inhaalmanoeuvres, snelle bochten of zelfs ongelukken.

✔ **Achteruitkijkcamera's.** Er kunnen ook camera's aan de achter-kant van een wagen worden bevestigd. Hierdoor ziet de kijker wat er achter de wagen gebeurt, en beleef je als toeschouwer bijvoor-beeld mee hoe een wagen steeds dichterbij komt en zich voor-bereidt op een inhaalactie.

- **Pitstraat-camera's.** Een hele batterij aan camera's is in de pit-straat geplaatst om elk detail van de pitstops van de wagens vast te leggen. Deze camera's laten zien hoe de pitcrew te werk gaat tijdens de training en tijdens de race. Ze laten zelfs zien wat er mis is met een wagen die de pit in rijdt.

- **Pitmuur-camera's:** Tijdens de race zitten de teambazen samen met de belangrijkste technici in speciale boxen op de pitmuur. Aangezien zij degenen zijn die de strategie voor de coureurs be-palen, is hun werk medebepalend voor het uiteindelijke race-resultaat. Teambazen kunnen bij een probleem met de wagen plotseling naar de pits rennen, maar het is ook mogelijk dat de ca-mera een vette discussie tussen twee teamleden vastlegt.

- **Camera's voor interviews.** Op zoek naar coureurs en teamleden voor een kort gesprek tijdens of direct na de race, worden de pit-reporters gevolgd door camera's. Deze gesprekken kunnen bij-voorbeeld tijdens de race plaatsvinden en zo uitleg geven over wat er op dat moment in de race gebeurt. Dit soort interviews is uniek voor de Formule 1. Bij andere sporten, denk aan voetbal of basketbal, moeten de interviewers met hun vragen altijd tot de rust of het einde van de wedstrijd wachten.

- **Camera's voor de podiumceremonie.** Na afloop van de race gaan de drie beste coureurs terug naar de pits om vervolgens richting de podiumceremonie te gaan. Er zijn uiteraard voldoende came-ra's aanwezig zodat deze ceremonie goed in beeld komt.

- **Camera's voor het publiek.** Jezelf op de metershoge schermen tussen het overige publiek herkennen, of misschien zelfs later op tv terugzien, is voor veel fans een van de hoogtepunten van een grandprixweekend. Camera's gericht op de tribunes vangen de reacties van fans op de gebeurtenissen op de baan op, en regis-treren ook het feest na afloop. Kijken of je jezelf terugvindt in de menigte!

Luisteren naar de deskundigen

Een voetbalwedstrijd op tv zonder commentaar is natuurlijk ondenk-baar. Hetzelfde geldt voor Formule 1-races. Elk televisiestation dat de race uitzendt, heeft zijn eigen commentaarteam. Zo'n team zorgt ervoor dat de kijker precies weet wat er op het circuit gebeurt. Kijk in de para-graaf 'Uitzendingen waar jij woont', om te ontdekken op welke zender verslag wordt gedaan.

De commentatoren zitten in hun eigen commentaarbox, meestal hoog boven het circuit, compleet met hun eigen beeldschermen waarop ze de wedstrijd kunnen volgen. Om tegelijk ook op de hoogte te zijn van coureurs die niet in beeld zijn, hebben ze toegang tot alle realtime tijd-

De beroemdste commentator ter wereld

Mocht je ooit met een paar Engelse Formule 1-fans hebben gesproken, dan zul je zeker een van hen hebben horen roepen dat de Formule 1 sinds het vertrek van Murray Walker niet meer hetzelfde is. Nee, Walker was geen coureur, maar in zijn tijd wel de beroemdste Formule 1-commentator ter wereld. In 2001 zette hij een punt achter een indrukwekkend lange carrière die in 1948 met zijn commentaar bij de Grand Prix van Engeland begon. Zijn enthousiaste, luide stijl zorgde voor miljoenen fans over de gehele wereld. Volgens zijn fans klonk zijn commentaar altijd alsof zijn broek in de hens stond. Hoewel Walker niet meer dag en nacht bezig is met deze sport, is hij nog bij veel races te vinden en verschijnt hij regelmatig in praatprogramma's op tv.

Maar ook in de lage landen loopt er een beroemde Formule 1-commentator rond, namelijk Olav Mol. In de afgelopen twaalf jaar heeft hij meer dan tweehonderd Formule 1-races van zijn onmiskenbaar enthousiaste en deskundige commentaar voorzien. En voorlopig hoeven de Nederlands Formule 1-fans hem nog niet te missen, want met de aankoop van de Formule 1-rechten vanaf het seizoen 2004, heeft de zender SBS ook een driejarig contract met Mol afgesloten.

overzichten. Zo hebben ze zicht op de gereden tijden en kunnen zo bijvoorbeeld zien wie de snelste ronde heeft gereden.

De commentatoren staan meestal in direct contact met de verslaggevers beneden in de pits. Zo kunnen ze altijd het laatste ontwikkelingen in de pits doorgeven aan de kijkers. Zo zijn ze in staat de fans te vertellen welke coureur zal gaan tanken of wat er nou precies defect was aan een wagen. De meeste commentatoren doen hun werk zo goed, dat de fans thuis vaak beter op de hoogte zijn van het raceverloop dan het publiek op de tribunes.

Televisiestations hebben altijd toegang tot de radiocommunicatie tussen de coureurs en hun team. Zo kunnen ze meeluisteren met de opdrachten aan de coureurs en de feedback van de coureurs aan hun team. Het is in theorie zelfs mogelijk dat een commentator tijdens de race in direct contact staat met de coureur; iets dat bij elke andere sport ondenkbaar is.

Als je thuis je helemaal zit op te vreten omdat die verslaggever de coureurs maar door elkaar blijft halen, wacht dan nog even met je frisdrank woedend naar je tv te gooien. Jij kunt rustig op je gemak de televisiebeelden bekijken, maar de verslaggever zit in een heel andere situatie. Hij moet in een chaotische, drukke omgeving werken, waar hij op van alles tegelijk moeten letten en ook nog eens last heeft van een zon die zijn beeldschermen onleesbaar maakt. Geen wonder dat hij af en toe een foutje maakt.

Uitzendingen waar jij woont

Waar ter wereld je ook bent, het is vrij eenvoudig een live verslag van een Formule 1-race te zien. Al zul je wel even moeten zoeken op welke zender het wordt uitgezonden.

De FOCA verkoopt de rechten voor een heel seizoen in de meeste landen aan een bepaalde zender. Welke zender dat is kan van jaar tot jaar verschillen. Kijk in een lokaal racetijdschrift of in de krant om uit te vinden op welke zender de race wordt uitgezonden.

Mocht je er niet uitkomen, dan kun je altijd nog wachten tot de race start en dan net zolang zappen, tot je de zender gevonden hebt waar de race wordt uitgezonden. Races beginnen vrijwel altijd om 14.00 uur lokale tijd, wat je aan de hand van de tijdzones vrij eenvoudig in de juiste tijd in jouw land kunt omrekenen.

Televisiezenders doen meer dan het verslaan van de race. Ze zenden ook speciale shows, gesprekken en aanvullende beelden uit. Een aantal zenders die geen rechten hebben om de race zelf uit te zenden, laat toch specials en exclusieve interviews zien. Vandaar dat het geen kwaad kan de tv-gids goed door te nemen.

Als je zelf bij de wedstrijd aanwezig bent, kun je ook naar de radio luisteren. Meestal hebben de circuits hun eigen radiostations die voor commentaar en interviews zorgen en waar belangrijke mededelingen worden gedaan. Kijk in autosporttijdschriften of kranten welke radiozenders verslag doen van de race.

Waarom zou je naar een coureur luisteren?

Menig Formule 1-coureur keert na zijn afscheid de sport definitief de rug toe en wordt nooit meer in de buurt van een circuit gezien. Er zijn echter ook coureurs die maar geen definitief afscheid van de sport kunnen nemen, en bijvoorbeeld als deskundige voor radio of tv optreden. Ook al verdwijnen de meeste oud-coureurs het liefst uit de schijnwerpers, hun kennis van wat er feitelijk op het asfalt gebeurt tijdens de race is van onschatbare waarde. Ze kunnen uitleg geven over de Formule 1 op een manier zoals maar weinig commentatoren dat kunnen. Uiteindelijk weten deze mannen als geen ander wat hun voormalige concurrenten tijdens de race moeten doorstaan. Ze weten hoe uitputtend een wedstrijd is en ze kunnen voor de race beslissende fouten en kansen voorspellen.

Een van de bekendste ex-coureurs die nu als deskundige of soms als verslaggever is te zien, is Martin Brundle. Zijn werk voor de Britse zender ITV wordt vaak overgenomen door andere landen.

Informatie die gedrukt staat

Hoewel televisie en radio perfect verslag doen en informatie geven willen veel fans gedetailleerdere informatie.

De meeste landelijke kranten doen verslag van de sport, maar de kwaliteit van deze verslaggeving loopt nogal uiteen tussen de verschillende kranten. Sommige kranten geven slechts een verslag van de race en noemen de winnaars. Andere kranten plaatsen regelmatig interviews om de lezer goed op de hoogte houden. Toch kun je het beste een van de wekelijks of maandelijks verschijnende tijdschriften lezen als je echt goede achtergrondinformatie, verslagen, interviews en nieuws wilt lezen. Hier zijn een paar van de beste:

- Het Britse *Autosport* is een wekelijks verschijnend tijdschrift dat tot de bijbel van de Formule 1 is geworden. Volgestopt met het laatste nieuws, interviews en thema-artikelen is het een onmisbaar tijdschrift voor elke Formule 1-fan. Er wordt ook aandacht besteed aan andere autosportklassen. Kijk voor meer informatie op www.autosport.com, bel +44 1795 414817 of stuur een e-mail naar haymarket@galleon.co.uk.

- *F1 Racing* is wereldwijd het meest verkochte Formule 1-maandblad. Het verschijnt ook in een Nederlandse editie. Voor meer informatie kun je bellen naar 020-5849020.

- *Formule 1*, het 'snelste blad van Nederland', staat elke maand vol met interviews, achtergrondinformatie en veel nieuws over de Nederlanders in de autosport. Bel voor een abonnement met +31 (0)20 7518801 of surf naar www.formule1.info.

Informatie op internet

Ook Formule 1 is niet achtergebleven bij de enorme groei van internet. Er zijn honderden sites die met de sport hebben te maken. Wat je zoekt in een Formule 1-site, hangt uiteraard van je persoonlijke voorkeuren af. Laat je favoriete zoekprogramma op internet eens zoeken naar 'Formule 1' of 'Formula one', en klik op de links die je interessant lijken. Waarschuwing vooraf: je loopt zo de kans honderdduizenden websites door te moeten ploegen.

Sommige sites hebben een stapje voor op andere sites. Dit zijn de sites die regelmatig bekeken worden door Formule 1-coureurs, teambazen en andere Formule 1-medewerkers. Hoewel een aantal sites een bijdrage vraagt, kun je eigenlijk alle informatie ook gratis vinden. Dit zijn de betere gratis sites die je op internet kunt vinden.

Elk van deze sites geeft regelmatig nieuwsupdates en vernieuwt ook regelmatig de artikelen en foto's. Dit zijn de Engelstalige sites:

- ✔ www.atlasf1.com
- ✔ www.autosport.com
- ✔ www.formula1.com
- ✔ www.f1-live.com
- ✔ www.grandprix.com
- ✔ www.itv-f1.com
- ✔ www.speedtv.com
- ✔ www.crash.net
- ✔ www.pitpass.com

Uiteraard is er ook voldoende Nederlandstalige informatie op internet. Een kleine greep uit het aanbod, in willekeurige volgorde:

- ✔ www.raceplanet.net
- ✔ www.raceplace.nl
- ✔ www.formule1.nl
- ✔ www.formule1.info
- ✔ www.f1racing.nl
- ✔ www.insidef1.nl
- ✔ www.f1crew.nl
- ✔ www.f1-world.nl

Sommige websites vragen een lidmaatschapsbijdrage, die soms wel rond de 60 euro per jaar of meer kan liggen. Het bedrag is uiteraard afhankelijk van wat er geboden wordt. De websites die over Formule 1 gaan bieden het volgende:

- ✔ Er wordt met artikelen, statistische overzichten en uiteraard ook het laatste nieuws diep op Formule 1 ingegaan.

- ✔ Hoewel deze sites over alle motor- en autosportklassen gaan, verzorgen ze zeker tijdens de raceweekenden een sublieme verslaggeving van de Formule 1.

Sla vooral niet de site van de overkoepelende organisatie voor races, de FIA over. Deze site is volgestouwd met de laatste informatie over Formule 1-gebeurtenissen, inclusief informatie over persconferenties, uitgeschreven interviews, persberichten en andere cruciale informatie, zoals de realtime rondetijden. Je vindt de site op www.fia.com. Voor deze site hoef je je niet aan te melden.

In contact blijven met je coureur of team

Voor de gemiddelde fan is het erg lastig om iedere race op de kalender te bezoeken. Nog los van het aantal vrije dagen dat je ervoor moet kunnen opnemen, zul je voor die reisjes ook over een flink spaarvarken moet beschikken.

Voor veel fans is de Formule 1-verslaggeving op tv, radio, in kranten, tijdschriften of op internet meer dan voldoende. Voor de fans die meer willen weten, zijn er daarnaast nog voldoende andere mogelijkheden om weer een paar stapjes dichter in de buurt van coureurs, teams en natuurlijk de actie te komen.

Handtekeningen op afstand

Als je graag een foto of iets anders gesigneerd wilt hebben, maar kun je niet zelf een race bezoeken, dan is die handtekening vaak ook op afstand te regelen. Schrijf het team en vraag of zij ervoor kunnen zorgen dat je je handtekening krijgt. De coureurs ruimen regelmatig tijd in om toegezonden items te signeren. En je weet maar nooit, daar zou zomaar ook jouw opgestuurde kleinood tussen kunnen zitten. Als je op deze manier aan een handtekening wilt komen, hou dan wel het volgende in gedachten:

- Sluit altijd een aan jezelf geadresseerde envelop met voldoende postzegels bij. Zo kan het team datgene wat gesigneerd moet worden, ook weer terugsturen. Zonder deze envelop heb je geen enkele garantie dat je je spullen terugkrijgt.

- Verwacht niet direct antwoord. Het kan wel een halfjaar duren voor je een reactie krijgt. Dus zorg ervoor dat je iets opstuurt dat je voorlopig niet zult missen.

Sponsors laten de fans maar wat graag hun team of coureurs zien. Houd de verschillende websites goed in de gaten of jouw favoriete coureur misschien ook een keer zijn gezicht bij jou in de buurt toont. Voor je het weet blijkt Kimi Räikkönen een uurtje ingeruimd te hebben om bij jou om de hoek met zijn fans te praten.

Lid worden van een fanclub

Fanclubs geven je de kans een flinke stap dichter bij je held te komen. Vrijwel alle coureurs en teams hebben hun eigen fanclub. Vaak geven deze clubs je als fan kansen die voor andere fans niet zijn weggelegd. Denk bijvoorbeeld aan het ontmoeten van je held of het laten signeren van foto's of andere zaken.

Een fanclub kan je in ruil voor een jaarlijkse bijdrage flink wat voordelen opleveren. De hoogte van de contributie ligt meestal tussen 20 en 60 euro, afhankelijk van hoe populair de club is en welke mogelijkheden geboden worden.

Die mogelijkheden kunnen variëren van gesigneerde foto's, badges en T-shirts tot volwaardige tijdschriften en de kans op een persoonlijke ontmoeting met de coureur of een bezoek aan de werkplaats van het team.

Niet alle fanclubs zijn officieel. Vraag voordat je je als lid aanmeldt goed wat je krijgt voor je geld. Als de club een officiële fanclub is, dan wordt je dat verteld. Officiële fanclubs bieden over het algemeen meer voordelen en mogelijkheden dan niet-officiële fanclubs die door gewone fans zijn opgezet.

Hier vind je de webadressen van de verschillende coureurs en teams in de Formule 1. Tabel 17.1 geeft een overzicht van de coureurs en hun officiële websites. Voor informatie over je favoriete team kun je in tabel 17.2 terecht.

Tabel 17.1: Contactinformatie coureurs

Coureur	Website
Albers, Christijan	www.christijan.com
Alonso, Fernando	www.fernandoalonso.com
Barrichello, Rubens	www.barrichello.com.br
Button, Jenson	www.jensonracing.co.uk
Coronel, Tom	www.coronel.nl/tom/
Coulthard, David	www.davidcoulthard-f1.com
da Matta, Cristiano	www.damatta.com
Firman, Ralph	www.ralphfirman.net
Fisichella, Giancarlo	www.giancarlofisichella.it
Frentzen, Heinz-Harald	www.hhf.de
Heidfeld, Nick	www.nickheidfeld.com
Leinders, Bas	www.basleinders.be
Montoya, Juan Pablo	www.jpmontoya.com
Panis, Olivier	www.olivier-panis.com

Coureur	Website
Pizzonia, Antonio	www.antoniopizzonia.com.br
Räikkönen, Kimi	www.kimiraikkonen.com
Schumacher, Michael	www.michael-schumacher.de
Schumacher, Ralf	www.ralf-schumacher.de
Trulli, Jarno	www.jarnotrulli.com
Verstappen, Jos	www.verstappen.nl
Villeneuve, Jacques	www.jv-world.com
Webber, Mark	www.markwebber.com
Wilson, Justin	www.justinwilson.co.uk

Tabel 17.2: Contactinformatie teams

Team	Website	Adres
BAR	www.bar.net	BAR Operations Centre, Brackley, Northants, NN13 7BD, UK
Ferrari SpA	www.ferrariworld.com	Via A. Ascari 55-57, 41053, Maranello (MO), Italy
Jaguar Racing	www.jaguar-racing.com	Bradbourne Drive, Tilbrook, Milton Keynes, MK7 8BW, UK
Jordan Grand Prix Ltd	www.jordangp.com	Buckingham Road, Silverstone, Northamptonshire, NN12 8TJ, UK
McLaren International Ltd	www.mclaren.com	Unit 12-14 Woking Business Park, Albert Drive, Woking, Surrey, GU21 5JY, UK
Minardi Team SpA	www.minardi.it	Via Spallanzani 21, 48018 Faenza, Ravenna, Italy
Renault F1	www.renaultf1.com	Whiteways Technical Centre, Enstone, Chipping Norton, Oxon, OX7 4EE, UK
Sauber AG	www.sauber.ch	Wildbachstrasse 9, CH8340 Hinwil, Switzerland
Toyota Motorsport GmbH	www.toyota-f1.com	Toyota-Allee 7, 50858, Cologne, Germany
Williams F1	www.bmw.williamsf1. com	Grove, Wantage, Oxfordshire, OX12 0DQ, UK

Deel VI

Het deel van de tientallen

The 5th Wave   By Rich Tennant

In dit deel...

Dit deel is voor al diegenen voor wie de Formule 1
nieuw is en die meer willen weten over de mensen die de
sport in de afgelopen jaren hebben gedragen, of die benieuwd
zijn naar de helden van morgen.

In dit deel geen lange lappen tekst, maar een aantal compacte
hoofdstukken met de beste coureurs, de beste races, de belangrijkste personen en de dingen die je in de loop van een Formule 1-
seizoen kunt doen. Uiteraard is alle informatie in dit deel slechts
gebaseerd op onze persoonlijke mening, maar het zal je in elk
geval genoeg stof voor een vette discussie met je medefans
opleveren.

Hoofdstuk 18

De tien beste Formule 1-coureurs aller tijden

In dit hoofdstuk:

▶ Een kijkje in het leven van de grootste coureurs

▶ Grote coureurs wiens leven dramatisch ten einde kwam

▶ Grote coureurs die inmiddels van een welverdiend pensioen genieten

▶ Een grote coureur die nog steeds aan zijn roem werkt

Miljoenen jongens dromen van een carrière als Formule 1-coureur, maar voor slechts een fractie van hen zal die droom ook werkelijkheid worden. Van degenen die in een Formule 1-wagen stappen, zijn slechts enkelen ook werkelijk succesvol; en nog minder zullen in de loop der tijd tot de groten worden gerekend.

Wie wel en wie niet tot deze groten uit de sport hoort, hangt helemaal af van degene aan wie je het vraagt. Vraag je honderd verschillende Formule 1-fans om hun mening, dan zul je waarschijnlijk veel verschillende namen te horen krijgen.

In dit hoofdstuk vertellen we je wie volgens ons de tien grootste coureurs uit de geschiedenis van de Formule 1 zijn. Zonder twijfel zal deze lijst voor de nodige discussies zorgen, en dat is precies wat we ermee willen bereiken. Om onnodige strijd te vermijden, hebben we de coureurs in elk geval op alfabetische volgorde gesorteerd!

Alberto Ascari

De Italiaanse coureur Alberto Ascari wordt om twee verbazingwekkende prestaties herdacht: zijn dominantie van de Formule 1 in 1952 en 1953, en zijn wonderbaarlijke ontsnapping na een crash in de haven van Monte Carlo tijdens de Grand Prix van Monaco in 1955.

Als zoon van Antonio Ascari, een van de grote coureurs uit de jaren twintig van de vorige eeuw, behaalde Alberto Ascari zijn beste resultaten bij Ferrari, waar hij vanaf het begin van het officiële wereldkampioenschap in 1950 voor reed. Ascari beloonde Ferrari's vertrouwen in hem door de kampioenschappen van 1952 en 1953 met absolute overmacht te winnen. In beide seizoenen won Ascari letterlijk elke Grand Prix waarin hij startte en ontnam de concurrentie zo elke hoop op succes.

In 1954 stapte Ascari van Maserati over naar rivaal Lancia, waar een compleet nieuwe wagen voor hem was ontworpen. Toen de wagen eenmaal klaar was, greep Ascari direct de poleposition van de Grand Prix van Spanje en begon ook de eerste twee races van 1955 op de eerste rij. In deze tijd behaalde hij zijn enige successen buiten het kampioenschap om.

Ascari's verwondingen toen hij in mei van dat jaar tijdens de Grand Prix de haven van Monaco inreed, vielen mee. Nog herstellende van dit ongeluk testte hij een Ferrari-sportwagen op Monza. Opnieuw crashte hij, deze keer met dodelijke afloop. De Italiaanse pers was diep geschokt dat hij net als zijn vader op 36-jarige leeftijd in een tragisch ongeval om het leven kwam, en dat de ongevallen van beide coureurs exact vier dagen na een wonderbaarlijke ontsnapping plaatsvonden.

Jim Clark

Er zijn maar weinig grote coureurs met een minder glamoureuze achtergrond dan Jim Clark. Deze Schotse schapenhouder wist uit te groeien tot een internationale superster die verscheidene Formule 1-kampioenschappen, de Indianapolis 500 en vele andere races wist te winnen.

Een van de opmerkelijkste aspecten van Clarks Formule 1-carrière is dat hij zijn complete loopbaan bij één team doorbracht: Lotus. Clark debuteerde in 1960 en won al in het volgende jaar zijn eerste races. Ook al ging het slechts om de races van Pau en Zuid Afrika, die beide niet voor het kampioenschap telden.

Clarks eerste echte Formule 1-overwinning kwam in het volgende seizoen. Hij sleepte drie overwinningen in de wacht en eindigde op de tweede plaats van het kampioenschap, achter de BRM van Graham Hill. In 1964 wist hij het eindresultaat met één plaats te verbeteren en hij won zijn eerste kampioenschap. Een prestatie die hij in 1965 herhaalde.

In 1967 ging Team Lotus een ambiteuze samenwerking aan met moto-renbouwer Ford Cosworth, om samen een compleet nieuwe krachtbron te ontwikkelen die het team duidelijk van de concurrentie moest onderscheiden. De nieuwe Ford Cosworth-motor maakte zijn debuut tijdens de Grand Prix van Nederland in 1967, die Clark comfortabel wist te winnen. Met hetzelfde gemak schreef hij vervolgens ook de Britse, Amerikaanse en Mexicaanse races op zijn naam.

Clark was direct de grote favoriet voor het kampioenschap van 1968, een rol die hij bevestigde door de openingsgrandprix van Zuid-Afrika te winnen. De racewereld was in april van dat jaar in diepe rouw toen Clark tijdens een Formule 2-race op het circuit van Hockenheim in Duitsland verongelukte. Clarks dood was tot aan de dood van Senna in 1994 waarschijnlijk het grootste verlies dat de sport ooit had geleden.

Juan Manuel Fangio

Sommige coureurs worden om hun talent geroemd, maar niet om hun resultaten. Juan Manuel Fangio is om beide vermaard. Hoeveel mensen hem ook als de beste coureur aller tijden beschouwen, zijn resultaten bewijzen precies hoe goed hij wel niet was. Ook al startte Fangio in slechts 51 races, hij won 5 wereldkampioenschappen en 24 races, en startte liefst 28 maal van pole position. Stel je eens voor wat hij had bereikt als zijn carrière, net zoals bij de meeste huidige grote coureurs, meer dan 200 races had omvat.

Fangio deed zijn eerste race-ervaringen op als monteur in zijn geboorteland Argentinië, voordat hij uiteindelijk de kans kreeg zelf achter het stuur te kruipen. De organisatoren waren zo onder de indruk van zijn kwaliteiten, dat hij op kosten van de Argentijnse overheid in 1949 naar Europa kon reizen om daar in verschillende races menig ervaren coureur te verslaan.

In het volgende jaar werd hij voor het allereerste officiële wereldkampioenschap door het Italiaanse Alfa Romeo-team gecontracteerd. Hij stelde het team niet teleur en won in dat jaar naast de tweede race van het kampioenschap nog twee andere races.

Fangio's eerste wereldtitel kwam een jaar later, in 1951, en zonder twijfel had hij direct in het jaar daarop wederom gezegevierd, als hij niet na een crash op Monza zijn nekwervels ernstig beschadigd had. Overigens kon hij pas na een lange nachtrit van een kort optreden in Noord-Ierland aan deze race deelnemen. Fangio nam pas in 1953 opnieuw deel aan een race en won in dat jaar de Grand Prix van Italië. Vanaf het begin van het seizoen van 1954 was hij goed op dreef en hij won in dat jaar zijn tweede kampioenschap. Het was het begin van een verbazingwekkende reeks titelsuccessen in 1955, 1956 en 1957.

In het volgende seizoen was Fangio slechts in twee races te zien, voornamelijk vanwege contractuele verplichtingen, voordat hij zijn helm definitief afzette en een bijzonder succesvol zakenman werd. Zijn goede band met Mercedes-Benz, waarmee hij zijn titel in 1955 won, bleef bestaan en hij volgde de sport ook na het einde van zijn carrière met veel belangstelling. In 1995 moest de racewereld helaas definitief afscheid nemen van deze racegrootheid.

Nigel Mansell

Het is niet moeilijk te begrijpen waarom Nigel Mansell tijdens zijn twee jaar bij Ferrari de bijnaam 'Il Leone' (de leeuw) kreeg. Hij was zonder twijfel een van de moedigste mannen die ooit in een Formule 1-wagen stapte, en hij werd door vele fans bewonderd omdat hij nooit opgaf.

Dat Mansell tegen een stootje kan, bleek al toen hij slechts enkele dagen na een zware Formule 3-crash al vond dat hij genoeg opgeknapt was om het ziekenhuis te verlaten. En ook zijn beroemde debuut voor Lotus tijdens de Grand Prix van Oostenrijk in 1980 verdient vermelding. Tijdens die race liep hij door gemorste brandstof in zijn cockpit verschillende brandwonden op, maar pas toen de pijn echt ondraaglijk werd dacht hij aan opgeven.

Mansells prestaties in dat seizoen leverden hem een langdurig contract met het team Lotus op, al kon hij de verwachtingen bij het beroemde Britse team nooit echt waarmaken. Zijn beste kans op een overwinning, tijdens de verregende Grand Prix van Monaco in 1984, was verkeken toen hij een wiel op een spekgladde wegmarkering zette en spinde.

De overstap naar Williams in 1985 bracht de nodige verbetering in zijn carrière en tegen het einde van het jaar had hij zowel de Grand Prix van Europa als die van Zuid Afrika op zijn naam geschreven. In het volgende jaar waren zijn prestaties nog beter. Hij won vijf van de races van dat seizoen en greep alleen maar door een lekke band tijdens de Grand Prix van Oostenrijk naast het wereldkampioenschap.

In 1987 zette Mansell opnieuw een serieuze aanval in op de titel, waarbij hij zes races won voordat hij zichzelf blesseerde tijdens de kwalificatie van de Grand Prix van Japan op Suzuka. Wat volgde waren een aantal magere jaren waarin hij bij gebrek aan goed materiaal niet kon meestrijden om het wereldkampioenschap. Gedurende de twee jaar bij Ferrari bouwde hij echter wel een grote schare fans op.

Hoewel hij in 1990 zijn afscheid van de sport bekend maakte, slaagde Williams in 1991 erin hem terug in de Formule 1 te halen, wat in 1992 eindelijk tot de langverwachte titelwinst leidde.

Hij nam opnieuw afscheid van de Formule 1 om in Amerika Indy-cars te gaan racen, om ook daarmee in 1993 de titel te veroveren. In 1994 keerde hij tijdelijk terug naar Williams als vervanging voor Ayrton Senna. Hij won de Grand Prix van Australië in dat jaar, maar moest zijn carrière in het volgende jaar na een mislukt seizoen met McLaren teleurgesteld beëindigen.

Stirling Moss

Stirling Moss was de eerste Formule 1-coureur die ook buiten de race-wereld een beroemdheid was. Al zullen de meeste mensen met enige Formule 1-kennis hem om iets heel anders herinneren. Stirling Moss wordt nog steeds als een van de beste coureurs aller tijden gezien die er nooit in slaagde een wereldkampioenschap te winnen.

Moss debuteerde in 1951 in de Formule 1, al kwam zijn talent in het begin van zijn carrière niet echt uit de verf. Uit patriottisme wilde hij alleen voor Britse teams rijden, ook al behoorden deze teams toen niet werkelijk tot de top. Zijn contract met Maserati voor 1954 bracht daar verandering in. Hij zette voldoende goede prestaties neer om een stoeltje bij het beroemde Mercedes-Benz-team te veroveren.

In dat seizoen boekte Moss tijdens de Grand Prix van Engeland zijn allereerste overwinning, al is niet iedereen van de zuiverheid van deze overwinning overtuigd. Ook al finishte hij voor teamgenoot Juan Manuel Fangio, velen geloven nog steeds dat Fangio Moss opzettelijk zijn thuisgrandprix heeft laten winnen.

Moss won in de loop van zijn carrière nog vijftien andere Formule 1-races, al had hij nooit het geluk om ook het wereldkampioenschap te veroveren. Hij eindigde vier maal als tweede en drie maal als derde in het kampioenschap.

Moss' kansen om ooit eens de wereldtitel te winnen waren begin 1962 na een zware crash tijdens een testsessie op het Goodwood-circuit definitief verkeken. Hoewel hij volledig van zijn zware verwondingen herstelde, zou hij nooit meer een Formule 1-wagen besturen en beperkte hij zich tot toer- en sportwagens.

Moss heeft nog steeds goede contacten in de Formule 1-wereld en is zelfs af en toe tijdens een race te zien, maar het grootste deel van zijn tijd brengt hij in een duur appartement in Londen door, volgestopt met de nieuwste technologische snufjes.

Alain Prost

Alain Prosts recente carrière in de Formule 1 mag door de financiële ondergang van zijn eigen team dan wel niet zo succesvol zijn geweest, dit doet niets af aan het feit dat hij zonder twijfel tot de beste coureurs in de geschiedenis van de Formule 1 behoort, en waarschijnlijk de allerbeste coureur van de jaren tachtig van de vorige eeuw was.

Zijn enorme natuurlijke snelheid in de kwalificatie was nog niet eens zijn allersterkste eigenschap. Hij was vermaard om zijn enorme tactische inzicht tijdens de race, wat hem de bijnaam 'Le Professeur', de professor, opleverde. Prost begon elke race doordacht, met veel aandacht voor de banden, brandstof en de remmen. Pas tegen het einde van de race werkte hij zich door het veld naar voren, om uiteindelijk altijd in de laatste ronden de winst te pakken.

Prost debuteerde in 1980 in de Formule 1 voor McLaren. Ook al wist Prost later zijn grootste successen bij dit team te halen, in die jaren behoorde McLaren niet tot de top van het veld en Prost scoorde in dat seizoen slechts vijf punten.

Deze magere resultaten brachten de Fransman ertoe over te stappen naar zijn nationale team Renault. De combinatie van coureur en team bleek een succesvolle, en Prost mocht na de Grand Prix van Frankrijk in 1981 voor het eerst op de hoogste tree staan. Twee jaar later, in 1983, leken Prost en zijn team op weg naar de wereldkampioenschap. Op wonderbaarlijke wijze wist Brabham Renault echter net voor te blijven wat Nelson Piquet de eindoverwinning bracht. Het resultaat was een bittere scheiding en de terugkeer van Prost naar McLaren.

Terug bij McLaren werd Prost de teamgenoot van Niki Lauda, die na enkele jaren afwezigheid opnieuw in de Formule 1 was gestapt. Samen wonnen Prost en Lauda 12 van de 15 races in het seizoen, al was het Lauda die uiteindelijk met een half punt verschil de titel won.

Wat volgde waren een aantal magere jaren voordat hij in 1989 kon terugslaan en zelfs zijn supersterk rijdende teamgenoot Ayrton Senna van zich af wist te houden.

Begin jaren negentig kon Prost weinig inbrengen tegen de overmacht van Williams-Renault. Hij nam een jaar vrij en keerde in 1993 terug bij Williams om daar zijn vierde wereldtitel te winnen. Na dit laatste succes zette hij zijn helm voorgoed af.

Michael Schumacher

Mocht Michael Schumacher een favoriete popsong hebben, dan is dat zonder twijfel 'Simply the Best' van Tina Turner. De Duitse coureur heeft de Formule 1-wereld na zijn bliksemdebuut in de Grand Prix van België in 1991 voorgoed veranderd. Ook al kwam hij in zijn race voor Jordan op de dag zelf niet verder dan de tweede bocht, het was genoeg om de belangstelling van Benetton te wekken en nog voor de volgende race een contract in de wacht te slepen.

Schumacher behaalde met Benetton succes na succes, inclusief twee wereldtitels in 1994 en 1995. Zijn geheim: complete toewijding aan de sport en een bijna fanatieke obsessie met fitness. Meer dan eens konden zijn rivalen sprakeloos toezien hoe Schumacher na een race zonder ook maar één druppeltje zweet op zijn voorhoofd uit zijn wagen stapte.

Schumachers titels voor Benetton maakten hem tot een van de felst begeerde coureurs op de markt. Uiteindelijk wist Ferrari hem in 1996 naar Italië te lokken, in de hoop dat hij Ferrari de eerste wereldtitel sinds 1979 zou brengen. Schumacher kwam verschillende keren dicht in de buurt van dit doel, inclusief het verlies van de titel na een controversiële crash met Jacques Villeneuve tijdens de Grand Prix van Europa in 1997. Uiteindelijk wist hij in 2000 voor het eerst in lange tijd de titel weer naar Italië te halen. Met zijn aansluitende titels in 2001, 2002 en 2003 wist hij zelfs het historische record van Juan Manuel Fangio te overtreffen. Zijn contract met Ferrari is inmiddels tot 2006 verlengd, dus misschien zit er zelfs nog een zevende titel aan te komen.

Ayrton Senna

Je gaat pas iets missen als het er niet meer is, zoals de helaas veel te vroeg overleden Braziliaan Ayrton Senna. Sinds zijn dood in 1994 tijdens de Grand Prix van San Marino vraagt menig raceliefhebber zich af wat deze drievoudig wereldkampioen allemaal nog meer zou hebben bereikt, en hoeveel plezier hij aan de strijd met Michael Schumacher zou hebben beleefd.

Ook al wordt Schumacher als een van de beste coureurs aller tijden gezien, Senna is zonder twijfel de coureur met de grootste natuurlijke snelheid. Zijn lange tijd onovertrefbaar geachte aantal van 65 pole positions bewijst dat niemand beter was in het neerzetten van de snelste ronde, al wierpen controversiële ongelukken af en toe een smet op zijn eigenlijke racetalent.

Senna debuteerde in 1984 voor het team Toleman en slaagde er bijna in om direct een race te winnen. Hij lag tweede in de verregende Grand Prix van Monaco en verkleinde ronde voor ronde de afstand tot raceleider Alain Prost, totdat de race vanwege de slechte weersomstandigheden werd afgevlagd. Senna moest een jaar wachten voordat hij voor Lotus in de regen de Grand Prix van Portugal kon winnen.

Senna bleef tot het einde van 1987 voor Lotus rijden. De overstap naar McLaren in dat jaar bracht hem uiteindelijk het succes waarover hij als kleine jongen in Sao Paulo had gedroomd. De teamgenoten Senna en Prost domineerden het seizoen, maar ondanks dat hij bij de start bijna de motor liet afslaan, was het Senna die tijdens de Grand Prix van Japan uiteindelijk het wereldkampioenschap won. Hij won de titel in 1990 en 1991 opnieuw voor McLaren. In de twee volgende jaren wist Williams een duidelijk betere wagen te bouwen en Senna kon niet meer meestrijden om de titel. Senna besloot daarop voor het seizoen 1994 voor Williams te gaan rijden, maar zijn tragische overlijden op het circuit van Imola beëindigde abrupt een carrière die nog veel groter had kunnen worden.

Jackie Stewart

Jackie Stewart was een coureur die zijn generatie ver vooruit was. Hij droeg zeer veel bij aan de verbeterde veiligheid van de sport, en hij was de eerste echte professionele coureur die ook alle sponsormogelijkheden van de sport wist uit te buiten. En dat waren slechts de bijzaken, want Stewart was een extreem succesvolle coureur die liefst drie wereldtitels won en meer races wist te winnen dan welke andere coureur uit zijn tijd dan ook.

Deze intelligente Schot debuteerde in 1965 als teamgenoot van Graham Hill en scoorde direct punten en won na een spectaculaire strijd tijdens de Grand Prix van Italië zijn eerste race.

Stewarts beste jaren kwamen echter met het team Tyrrell waarvoor hij in 1968 ging rijden. Zijn mooiste overwinning dat jaar was op de toen nog 23 kilometer lange Nürburgring in Duitsland, waar hij met meer dan vier minuten voorsprong over de streep kwam. Dat zul je tegenwoordig niet meer zien gebeuren!

Stewart won zijn eerste wereldtitel in 1969 en voegde daar in 1971 een tweede titel aan toe. Na een teleurstellend en door een maagzweer geplaagd seizoen in 1972 had hij besloten dat 1973 zijn laatste seizoen zou zijn. Zijn verbetenheid om nog éénmaal de titel te winnen werd met zijn zevenentwintigste grandprixwinst op de Nürburgring beloond. Helaas eindigde het seizoen toch nog in mineur. Tijdens een vrije training voor de Grand Prix van de Verenigde Staten op Watkins Glen kwam zijn teamgenoot François Cevert om het leven, waarop Stewart besloot verder niet aan deze race deel te nemen.

Stewarts afscheid betekende echter ook een nieuw hoofdstuk in zijn carrière. Hij bleef nauwe banden met de autofabrikant Ford onderhouden, wat in 1997 tot de opheffing van het door Ford ondersteunde team Stewart leidde. Het team was drie jaar actief en won in 1999 de Grand Prix van Europa, voordat het door Ford werd opgekocht en verder als team Jaguar door het leven zou gaan.

Gilles Villeneuve

Gilles Villeneuve heeft dan wel nooit dezelfde resultaten behaald als sommige andere coureurs in dit hoofdstuk, meer dan twintig jaar na zijn tragische dood is hij nog steeds een van de grote helden uit de Formule 1.

Deze Franstalige Canadees begon zijn racecarrière in sneeuwscooterwedstrijden op de ruige vlakten van zijn moederland. Hier leerde hij bovenal zijn angsten onder controle te houden, een waardevolle eigenschap voor een Formule 1-coureur.

Villeneuve debuteerde tijdens de Grand Prix van Engeland van 1977 en toonde direct al de moed en het talent die kenmerkend zouden zijn voor zijn carrière. Keer op keer zocht hij de grenzen van elke bocht op, door deze grenzen bewust te overschrijden en de wagen gecontroleerd te laten spinnen. Slechts een defect instrumentenpaneel in de cockpit weerhield hem ervan direct in zijn eerste race op een circuit dat hij tot de training nog nooit had gezien, punten te scoren.

De grote Italiaanse renstal Ferrari was zo onder de indruk van zijn prestaties, dat ze hem direct voor diverse evenementen vastlegden, voordat hij in 1978 de vervanger van Niki Lauda in het team werd. Ondanks de vele ongevallen van dat jaar, wist Villeneuve uiteindelijk zijn eigen thuisgrandprix van Montreal te winnen.

Villeneuve eindigde in het kampioenschap van 1979 als tweede achter teamgenoot Jody Scheckter, en ook al was Ferrari in de volgende jaren slechts een schim van het grote team dat het ooit was, Villeneuve gaf elke race alles wat hij had. Soms eindigde zijn inspanningen in gevaarlijke ongevallen, maar zoals tijdens de races van Monaco en Spanje, behaalde hij in 1981 ook twee spectaculaire overwinningen.

Het seizoen van 1982 zou echter Villeneuves laatste blijken. Teamorders tijdens de Grand Prix van San Marino leidden tot een felle aanvaring met zijn teamgenoot Didier Pironi. Tijdens de kwalificatie van de volgende Grand Prix van België zette Villeneuve alles op alles om de pole te winnen, met een zware crash en zijn dood als gevolg.

Dit betekende echter niet het einde van de naam Villeneuve in de Formule 1. Zijn zoon Jacques groeide ook uit tot een topcoureur en won uiteindelijk in 1997 voor Williams de wereldtitel.

Hoofdstuk 19

De tien beste Formule 1-races

In dit hoofdstuk:

▶ Gewaagde inhaalacties

▶ Verrassende uitslagen

▶ Wiel-tegen-wiel-strijd op de baan

*L*ang niet elke race is even spectaculair. De elementen die een race boeiend of zelfs historisch maken, zijn zeer divers. De ene keer zijn het de uitmuntende prestaties van een individuele coureur, de volgende keer is het het weer dat voor een verrassende uitslag zorgt. Enkele races hebben in de loop der jaren een legendarische status bereikt. Dit zijn de tien beste.

1957 Grand Prix van Duitsland

Juan Manuel Fangio was 46 jaar oud toen hij deze Grand Prix op de loodzware en meer dan 20 kilometer lange Nürburgring won, en daarmee zijn vijfde en laatste wereldtitel in de wacht sleepte. Van alle grote races van deze kampioen, was dit zonder twijfel de allergrootste overwinning.

Fangio moest het in zijn Maserati opnemen tegen de beide Ferrari's van Mike Hawthorn en Peter Collins. De Ferrari-coureurs wilden de race zonder pitstop uitrijden, terwijl Fangio van plan was halverwege de race een pitstop in te lassen. De voorsprong die hij met een halve tank kon opbouwen, zou voldoende zijn om na zijn pitstop opnieuw aan de leiding te gaan. Een pitstop toen was echter iets anders dan de 7-secondenwonderen die het tegenwoordig zijn. Wielmoeren moesten los- en vastgeslagen worden en er waren geen krachtige pompen die de brandstof de wagen in persten. Het Maserati-team oefende een weekend lang als gekken en wist de duur van de pitstop uiteindelijk tot een respectabele 30 seconden terug te brengen.

Fangio had voldoende brandstof voor 12 van de 22 ronden aan boord en bouwde vanaf de derde ronde een duidelijke voorsprong op de Ferrari's op. De voorsprong bedroeg 28 seconden toen hij binnenkwam voor zijn pitstop. Maar de pitstop verliep alles behalve zoals gepland. Zo had zijn stoeltje zich langzaam losgewerkt en moest eerst opnieuw worden vastgezet. Hij kwam als derde met een achterstand van 51 seconden op de beide Ferrari's en nog 10 ronden te gaan weer in de race. Aangezien nieuwe banden in die dagen lang ingereden moesten worden, was hij in de eerste twee ronden niet sneller dan de Ferrari's. Beide Ferrari-coureurs zagen dit als een goed teken en deden het wat rustiger aan, wat Fangio de gelegenheid gaf in de volgende ronde meer dan 10 seconden goed te maken.

Coureurs moesten het in die dagen nog zonder direct radiocontact met het team stellen. De Ferrari-coureurs wisten daarom tot de volgende doorgang langs de pitstraat, meer dan negen minuten later, niets van Fangio's opmars. Fangio haalde het laatste uit zijn wagen, schakelde zelfs in de bochten minder terug, en zette ronde na ronde snellere tijden neer. Aan het begin van de laatste ronde had hij Collins achterhaald en hij wist hem eenvoudig in te halen. Met een gedurfde inhaalactie moest ook Hawthorn er vervolgens aan geloven. Hawthorn sloeg direct terug en zette alles op alles om Fangio bij te houden, maar in die dagen was de maestro onverslaanbaar.

1967 Grand Prix van Italië

De Grand Prix van Italië in 1967 had alles: een fantastische race van de grootste coureur van die tijd, drama en een onverwachte ontknoping.

Jim Clarks Lotus leidde de race vanaf de derde ronde en hij wist de leiding de volgende 10 ronden in handen te houden, totdat hij door een lekke band gedwongen was de pits op te zoeken. Aangezien pitstops in die dagen niet werden gepland en er enige verwarring over de reservebanden was, verloor hij bijna een complete ronde. Maar Clark gaf niet op. Hij wist de leiders in de race snel weer in te halen en zo zijn ronde achterstand ongedaan te maken. Eenmaal in dezelfde ronde liep hij steeds verder op de overige wagens uit, in de hoop dat hij snel genoeg weer achter de leiders kon aansluiten om voor de winst mee te strijden.

In ronde 59 moest Clarks teamgenoot Graham Hill, op dat moment de raceleider, met een motorprobleem opgeven. Clark lag daarmee derde, achter de nieuwe leider Jack Brabham en de Honda van John Surtees. Clark naderde Surtees snel en haalde hem in, om uiteindelijk in ronde 61 ook Brabham in te halen. Met slechts zeven ronden te gaan, leek de overwinning hem niet meer te kunnen ontgaan. Het was hem echter niet gegund: drie ronden later stond hij zonder brandstof naast de baan.

Brabham nam de leiding over van Surtees, maar door olie op de baan kon hij de laatste bocht van de race noodgedwongen niet strak genoeg nemen. Surtees kon dit voordeel in het laatste rechte stuk uitbuiten en haalde Brabham alsnog vlak voor de finish in.

1970 Grand Prix van Monaco

De Grand Prix van Monaco in 1970 had een erg verrassend einde. Toen Jackie Stewart in ronde 28 van de 80 ronden met een motorprobleem moest opgeven, leek alles erop te wijzen dat de veteraan Jack Brabham deze race zou gaan winnen. En tot en met de allerlaatste ronde twijfelde niemand aan zijn winst!

De sensatie van de race was echter Jochen Rindt. In zijn oude Lotus kon hij zich slechts als achtste kwalificeren en de eerste helft van de race moest hij op ruime afstand van de leider afleggen. Ergens halverwege de race besloot Rindt dat het genoeg was geweest. Hoe moeilijk inhalen op Monaco ook is, hij wist wagen na wagen te passeren en zette de beste rondetijden neer. Toen Chris Amon zijn tweede plek moest opgeven, kon alleen Brabham Rindt nog van de winst afhouden. Maar Brabham lag ruim 15 seconden voor op Rindt, met slechts 20 ronden te gaan.

Rindt stuurde zijn wagen onverschrokken tussen de muren van het smalle circuit en lag bij het ingaan van de laatste ronde nog maar één seconde achter Brabham. Geheel onverwacht bleek Brabham niet opgewassen tegen de druk. Met nog maar twee bochten te gaan en Rindt vlak achter hem, schatte hij een inhaalactie van een achterligger fout in, blokkeerde zijn remmen en gleed de strobalen in. Rindt behaalde een van de onwaarschijnlijkste overwinningen uit de Formule 1-geschiedenis.

1979 Grand Prix van Frankrijk

Jean-Pierre Jabouille schreef geschiedenis tijdens de Grand Prix van Frankrijk in 1979. Met zijn winst voor Renault boekte hij de eerste overwinning voor een turbomotor in de Formule 1; het type motoren dat de volgende jaren de sport zouden domineren. Helaas voor Jabouille is dit echter niet de reden waarom de race nog steeds door raceliefhebbers wordt herdacht.

Een opwindend gevecht voor de tweede plek tussen de Ferrari van Gilles Villeneuve en de Renault van René Arnoux wordt zelfs een kwart eeuw later nog als een van de spannendste en spectaculairste momenten uit de Formule 1-historie gezien.

Villeneuve leidde de race vanaf de start, maar hij kon Jabouilles snellere Renault alleen maar de eerste 46 van de 80 ronden achter zich houden. Villeneuve kon door zijn slechter wordende banden niet meer dezelfde rondetijden neerzetten, zijn teamgenoot Jody Scheckter was gedwongen een pitstop voor nieuwe banden in te lassen, en drie ronden voor het einde remde Arnoux de Ferrari uit en pakte zo de tweede plek. Arnoux ging ervan uit dat hij zijn teamgenoot kon volgen om zo een 1-2 voor Renault te scoren. Maar hij had geen rekening gehouden met de Canadees. Villeneuve kon Arnoux in de volgende ronde op dezelfde plek terugpakken en bracht zijn Ferrari met rokende banden weer naar de tweede plek.

In de laatste ronde gingen beide mannen naast elkaar de heuvel af en de snelle linkerbocht van het circuit in. Het publiek keek met ingehouden adem naar de moed van beide mannen. Ze gingen zo snel dat Arnoux zijn wagen nog maar net onder controle kon houden en met zijn wielen de wagen van Villeneuve raakte. Al slippend wist Arnoux weer voor te komen. Wiel tegen wiel was Villeneuve gedwongen zijn wagen over het gras te sturen om Arnoux wat ruimte te geven. Bij de laatste passage van de haarspeldbocht remde Villeneuve zo laat als maar enigszins mogelijk was en hij kon zijn wagen met de gemartelde rokende banden net voor Arnoux' wagen brengen. Het was de beslissende actie en Villeneuve finishte als tweede.

Arnoux toonde zich een groot sportman. De twee mannen feliciteerden elkaar onder aanhoudend gejuich en applaus van het dolenthousiaste publiek. Zelfs na 25 jaar is het nog steeds een uniek moment in de racegeschiedenis.

1981 Grand Prix van Spanje

De Grand Prix van Spanje in 1981 werd verreden op het spekgladde circuit van Jarama, met zacht asfalt op de ideale lijn en veel stof ernaast. Het verbaasde dan ook niemand dat zelfs sterren als Alan Jones, Alain Prost en Nelson Piquet (die samen uiteindelijk acht wereldtitels wonnen) fouten maakten en met hun wagen van de baan schoven.

Ondanks dat alles maakte Gilles Villeneuve in zijn Ferrari met turbo geen enkele fout, en dat terwijl zijn wagen hopeloos onhandelbaar was in de bochten en hij continu vier snellere wagens achter zich moest weten te houden. Hij won uiteindelijk een race die hij gezien de concurrentie nooit had kunnen winnen, en dat is naar alle maatstaven een bewijs voor een waarlijk groot coureur.

De race werd vanaf de start door Jones geleid, met Williams-teamgenoot Carlos Reutemann op een goede tweede plek. Dankzij zijn zoals gebruikelijk supersnelle start lag Villeneuves wagen vanaf de zevende plek op de grid na de eerste bocht op de derde plek. Enkele ronden later passeerde Villeneuve in de eerste bocht Reutemanns snellere wagen buitenom, maar hij kon weinig tegen Jones inbrengen. Totdat Jones, de toenmalige wereldkampioen, zijn remmen blokkeerde en van de baan spinde. Dat bracht Villeneuve aan de leiding. Maar om te winnen moest hij wel de volgende 66 ronden een hele trits aan hongerige rivalen achter zich weten te houden. Het kleinste foutje was al voldoende om de race te verliezen. Villeneuve reed 66 perfecte ronden zonder een enkele fout. De eerste vijf wagens kwamen binnen 1,2 seconden over de streep.

1981 Grand Prix van Duitsland

Niet elke race wordt door de juiste coureur gewonnen. Uiteindelijk schreef Nelson Piquet de Grand Prix van Duitsland in 1981 op zijn naam, maar alleen maar nadat Alain Prost en Alan Jones na ronden lang om de leiding te hebben gestreden, beide met technische problemen de winst moesten laten schieten.

Prost leidde de race vanaf de start. Zijn Renault met turbomotor was perfect geschikt voor de lange rechte stukken van het circuit van Hockenheim, maar de begrenzer van zijn motor, het apparaat dat het aantal toeren van de motor beperkt en zo beschadigingen voorkomt, bleek niet juist te zijn afgesteld en greep te vroeg in, waardoor Carlos Reutemann met de normale atmosferische motor van zijn Williams Prost goed kon bijhouden. Piquet benutte een kleine aanvaring met René Arnoux' achterwiel om beide wagens voor de vierde plek in te halen. De vierde plek werd een derde plek toen Didier Pironi's Ferrari-motor de geest gaf. Jones kwam snel dichterbij zijn teamgenoot en kon hem in de zesde ronde in de chicane uitremmen.

In de volgende vier ronden probeerde Jones al het mogelijke om voorbij Prosts Renault te komen. Jones wist dat Prosts turbowagen meer brandstof verbruikte. Prost was met meer brandstof aan boord gestart en was daardoor langzamer, maar Jones wist ook dat met het verstrijken van de ronden Prost steeds sneller zou worden. Hij moest snel actie ondernemen. Zijn moment kwam toen beide wagens de achterligger Arnoux, ironisch genoeg Prosts teamgenoot, moesten lappen. In de aanloop naar de laatste bocht voor het rechte stuk, twijfelde Prost kort over hoe Arnoux hem voorbij zou laten. Jones benutte de gelegenheid direct en perste zijn wagen in een adembenemende actie tussen de beide Renaults door en nam zo de leiding.

Jones sloeg direct een groot gat met Prost. In ronde 30, 15 ronden voor het einde, was de voorsprong van de Williams-coureur al tot 10 seconden uitgegroeid. Prost kreeg steeds meer problemen met zijn toerenbegrenzer en uiteindelijk kon Piquet hem in ronde 37 inhalen en zo de tweede plek pakken. Jones had echter nog grotere problemen met de ontsteking van zijn wagen. Zijn wagen verloor langzaam maar zeker aan vermogen en Piquet kon hem inhalen en de winst pakken. Terwijl Jones de pit moest opzoeken, werd Prost toch nog tweede.

1984 Grand Prix van Monaco

Van de geplande 78 ronden van de Grand Prix van Monaco in 1984 werden er slechts 31 verreden, met als resultaat bijna een van de meest onverwachte ontknopingen ooit in de Formule 1.

Grote plassen regenwater bedekten het circuit toen de race werd gestart. Nigel Mansell nam in zijn Lotus in de eerste ronde de leiding over van Alain Prosts McLaren en hij zette ronde na ronde onverantwoord snelle tijden neer. De volgende ronden probeerde zijn team hem wanhopig te bedaren. Uiteindelijk zette Mansell in ronde 19 op weg naar het casino van Monaco een wiel op de witte wegmarkering en crashte hij hard in de vangrails.

Mansells ongeluk bracht Prost terug aan de leiding, maar hij werd snel bijgehaald door een nog onbekende coureur die pas aan zijn vijfde Grand Prix voor het achterhoedeteam Toleman bezig was. Het was Ayrton Senna. Opmerkelijk genoeg werd Senna zelf langzaam ingehaald door Stefan Bellof , een andere onbekende coureur die eveneens aan zijn vijfde Grand Prix voor een van de mindere teams bezig was.

Op het moment dat Senna op het punt stond de leiding te pakken, werd de race vanwege de slechte en gevaarlijke weersomstandigheden door de raceleiding afgevlagd, wat voor de fans van Senna reden was om aan de neutraliteit van de wedstrijdleiding te twijfelen. Het was de dag waarop Prost voor het eerst begreep wat hij de volgende jaren van Senna kon verwachten.

1987 Grand Prix van Engeland

Nigel Mansell was altijd al de grote held van het publiek van Silverstone. Tijdens de Grand Prix van Engeland in 1987 bevestigde hij deze status voor eens en altijd.

Slechts de krachtige Williams-Honda's van Mansell en Nelson Piquet konden uit de voeten met de snelle vloeiende bochten van dit circuit, en beide coureurs mochten de race al snel onder elkaar uitmaken. Piquet ging aan de leiding, maar Mansell volgde vlak achter hem. Totdat Nigel voelde hoe zijn stuur begon te trillen. Een voorwiel had een van zijn balansgewichten verloren, waardoor de voorwielen steeds verder uit balans raakten en meer en meer begonnen te lijden.

Mansell viel terug en voerde via zijn radio heftig overleg met het team. Uiteindelijk werd besloten hem in ronde 35 voor nieuwe banden binnen te brengen. Formule 1-wagens mochten in die dagen niet worden bijgetankt en een pitstop zou dan ook zeker het einde van Mansells kansen betekenen. Het publiek had de moed opgegeven toen Mansell met nog slechts 30 ronden te gaan met meer dan 30 seconden achterstand weer in de race kwam. Maar Mansell was niet iemand die snel opgaf. Met nieuwe banden en een opgevoerde turbo haalde hij ruim een seconde per ronde van Piquets voorsprong af.

Mansell zat twee ronden voor het einde boven op Piquets achtervleugel terwijl beide coureurs met ruim 300 km/u over de Hangar Straight vlogen. Bij de ingang van de bocht Stowe maakt Mansell een schijnbeweging naar binnen. Piquet wil hem blokken en bewoog ook naar binnen, wat Mansell de gelegenheid gaf hem buitenom te passeren. Het publiek explodeerde van vreugde. In zijn uitloopronde bleef zijn wagen zonder brandstof staan. Het gaf het publiek de gelegenheid hem van alle kanten te belagen.

1993 Grand Prix van Europa

Ayrton Senna werd door zijn fans als een god beschouwd. Tijdens deze race op het circuit van Donington in Engeland liep Senna over water.

Senna moest het in zijn zwakkere McLaren opnemen tegen de machtige Williams-Renault van Alain Prost. De race werd in de regen gestart en Prost nam direct vanaf de pole position de leiding in handen. Senna wilde vanaf zijn vijfde plek in de eerste bocht voorbij Michael Schumacher. Schumacher blokte hem aan de binnenzijde, maar Senna wist langs de buitenzijde alsnog langs de Duitser te komen. De twee kwamen nek aan nek bij de Craner Curves aan, een supersnelle duik naar beneden zonder zicht op de uitgang van de bocht.

Waar niemand vanwege het natte asfalt van de ideale lijn durfde af te wijken, passeerde de McLaren vervolgens de wagen van Karl Wendlinger langs de rechterzijde en schoof zo op naar de derde plek. Twee bochten later glipte Senna binnenlangs voorbij aan Damon Hill en lag tweede. Alleen Prost bleef nu nog over. Senna wees met een perfect staaltje op de limiet remmen aan het einde van de ronde ook Prost op zijn plek. Het is met zekerheid de beste eerste ronde die iemand ooit in de Formule 1 op het asfalt heeft gezet.

Vanaf dat moment controleerde Senna de race. Er was zelfs een moment waarop Senna op slicks in de stromende regen uit wist te lopen op Prost die regenbanden onder zijn wagen had. Het was een ongelofelijke demonstratie van Senna's genialiteit.

2000 Grand Prix van België

Soms is de strijd om de wereldtitel tussen twee mannen zo intens, dat alle andere coureurs eigenlijk alleen voor spek en bonen meedoen. Dit was bijvoorbeeld het geval tijdens de Grand Prix van België in 2000.

Michael Schumacher en Mika Häkkinen waren in deze race in een ware titanenstrijd verwikkeld.

Schumacher gokte op regen en had zijn wagen met veel vleugel afgesteld. Hij leidde een groot deel van de race, maar de regen liet op zich wachten. In de laatste ronden liep Häkkinen, die veel sneller op de heuvel naar Les Combes was, snel in op de wagen van Schumacher. Häkkinen kwam met 300 km/u uit de slipstream van de Ferrari maar merkte tot zijn schrik dat Schumacher hem richting het gras dwong. De twee wagens raakten elkaar zelfs licht en Häkkinen moest zijn inhaalactie opgeven. Häkkinen was nu boos. In de volgende ronde moesten beide coureurs in dezelfde bocht de BAR van Ricardo Zonta lappen. Schumacher koos voor de linkerzijde, terwijl Häkkinen direct rechts langs de verschrikte Zonta dook. Häkkinen nam in de volgende bocht de leiding en besliste de race in zijn voordeel. Na afloop was te zien hoe Häkkinen Schumacher rustig maar streng aansprak op wat in zijn ogen een gevaarlijke actie van zijn rivaal was.

Hoofdstuk 20

Tien dingen om tijdens het seizoen te doen

In dit hoofdstuk:
▶ De hoogtepunten van een Formule 1-seizoen ontdekken
▶ Een nog betere Formule 1-fan worden

*E*en echte Formule 1-fan kan je precies vertellen welke bocht op welk circuit zijn favoriet is. Voordat je zover bent zul je je echter lang en grondig in de Formule 1 moeten verdiepen.

Elke Grand Prix op de kalender heeft zijn eigen unieke aantrekkingspunten. Wil je er het meeste uithalen, dan ontkom je niet aan een goede voorbereiding. Dit hoofdstuk geeft je verschillende tips over alles wat je kunt doen om je gedurende het seizoen in de sport te verdiepen. Volg je al onze tips op, dan word je vanzelf een door de wol geverfde Formule 1-fan.

De start van een Grand Prix volgen; waar dan ook!

Er zijn maar weinig dingen opwindender, dan vlak voor de start langs een Formule 1-circuit te staan. Als één enkele wagen die op volle snelheid langs je scheurt al een enorme belevenis is, stel je dan eens voor hoe het klinkt en voelt als er in één keer twintig verschillende wagens langs komen denderen!

Bij de start van een Grand Prix staan ruim 17.000 pk's te trappelen om losgelaten te worden. Zit je op de tribune naast de startlijn, dan voel je de grond letterlijk onder je voeten trillen. Het is een adembenemend spektakel om die wagens in formatie op het startsignaal te zien wachten. Alleen de allerkoudste kikkers zullen hun hartslag laag en hun ademhaling rustig kunnen houden. Na het uitgaan van de lichten gebeurt er in één keer zo enorm veel, dat je de ervaring alleen nog maar verbluft kunt ondergaan. En je weet het: over twee weken is er opnieuw een race.

Luister naar het gehuil van een Formule 1-motor

Al na enkele minuten bij een Formule 1-race, snap je waarom oordopjes absoluut onmisbaar zijn. De 19.000 toeren waarmee een Formule 1-motor wordt opgezweept, maken deze wagens bijna net zo luid als een opstijgende straaljager. De coureurs gebruiken speciale oordopjes in hun helmen om zich tegen dit akoestische geweld te beschermen. Als fan doe je er goed aan hun voorbeeld te volgen, anders is koppijn gegarandeerd en loop je zelfs risico op een permanente beschadiging van je gehoor.

Desondanks gaat er helemaal niets boven het geluid van een echte Formule 1-wagen. In plaats van de oordopjes uit te doen, is het echter veel slimmer om eenvoudig een opnameapparaat, zoals een minidisk of een memorecorder, mee te nemen en van al je favoriete wagens het motorgeluid op te nemen. Zo kun je er later zonder enig gevaar thuis comfortabel van genieten. Je kunt de opnamen zelfs in je auto afspelen; denk eens aan die blikken van je collega-automobilisten als ze je horen! Ze zullen zich nog lang afvragen wat jij onder je motorkap hebt zitten.

Je in Monaco onder de sterren mengen

Bij de meeste Formule 1-evenementen is het vrij moeilijk om in de buurt van de beroemde coureurs en teambazen te komen. En zelfs als je de juiste toegangspassen hebt, zitten ze de meeste tijd in belangrijke besprekingen of proberen ze in hun hotel nog wat extra slaap te krijgen.

Monaco is echter heel anders. Monaco is het sociale hoogtepunt van de Formule 1-kalender en sponsors doen niets liever dan hun coureurs hier aan het publiek showen. Monaco is de woonplaats van menig Formule 1-coureur. Tijdens het grandprixweekend in Monaco gaat het leven dan ook tot diep in de nacht door.

Het is lang niet ongebruikelijk om bij een nachtelijke rondgang in Monaco een of twee sterren tegen het lijf te lopen. Bij welk restaurant of café je ook wacht, zelfs bij het beroemde casino, gegarandeerd dat je snel je eerste beroemdheid spot. Misschien dat filmster Michael Douglas ergens op zijn vrouw Catherine Zeta-Jones kan wachten, of David Beckham zou zomaar de nacht alleen moeten doorbrengen!

Arm in arm vieren met de fans

Net als bij bijna alle andere sportevenementen, draait Formule 1 vooral om de sfeer. Is de 'vibe' tussen de toeschouwers en de sportsterren goed, dan is een perfecte dag het resultaat. Heb je een favoriete coureur, zoek dan gelijkgezinde fans zodat jullie samen jullie held nog luider kunnen aanmoedigen. Je favoriet zal je als groep eerder opmerken en misschien zelfs nog wel speciaal komen groeten om jullie voor de belangrijke steun te bedanken.

Afhankelijk van de race die je bezoekt, kan het makkelijker of moeilijker zijn om medefans te vinden. Zo zul je in Brazilië niet lang naar de fans van Rubens Barrichello hoeven te zoeken, maar diezelfde fans zouden in Japan of Duitsland plotseling erg schaars kunnen zijn.

Een Formule 1-wagen op topsnelheid bekijken

Formule 1-wagens zijn ontworpen voor hoge snelheden. Ze voelen zich als een vis in het water als ze in de hoogste versnelling op rechte stukken en in snelle bochten tot hun grenzen worden voortgestuwd. Langzame haarspeldbochten die in de eerste versnelling moeten worden genomen, vinden ze maar niets.

Ook al is het beeld van een Formule 1-wagen op snelheid op de tv vrij spectaculair, het is helemaal niets vergeleken met live in de buurt zijn van diezelfde wagen, terwijl je de wind langs je voelt glijden en je totaal verbluft de voorbijschietende wagens nakijkt.

Zoek bij elk bezoek van een Grand Prix in elk geval een bocht op waarin je kunt zien hoe de wagens tot hun limiet worden gepusht. De Esses van Suzuka in Japan, het Becketts Complex van Silverstone in Engeland en de laatste bochten van het circuit van Barcelona in Spanje behoren tot de allerbeste kijkplekken.

Probeer een plek met zicht op de hele bocht te vinden, zodat je precies kunt volgen hoe elke coureur op zijn eigen manier zijn wagen over het asfalt stuurt. Niet elke wagen heeft evenveel grip, sommige coureurs remmen later of zijn sneller, en natuurlijk zie je ook af en toe een vette spin. Topsnelheid is topplezier.

Een Formule 1-wagen op een stratencircuit bekijken

Stratencircuits bieden dan wel niet de spanning van de hogesnelheidsbochten op sommige permanente circuits, in de praktijk zijn ze minstens even spectaculair. Het asfalt van de circuits van Melbourne, Montreal en Monaco is de meeste dagen van het jaar voor normale personenauto's bestemd. De wegen zijn dan ook smal en bochtig, en de muren staan dicht langs de baan.

Deze circuits vormen een enorme uitdaging voor de coureurs en zijn absoluut fantastisch voor de toeschouwers die zo dicht mogelijk met hun neus op de actie willen zitten. De toeschouwers op Monaco zitten bijvoorbeeld vaak maar een paar meter naast het circuit, slechts beschermd door een stevige muur en een paar hoge hekken.

De coureurs weten dat ze geen enkele fout mogen maken, maar ze beseffen ook dat ze exact op hun vingers worden gekeken. Op een stratencircuit is het veel makkelijker om te zien hoe goed een coureur nou eigenlijk is; hoe dicht hij bij de muren komt, hoe vaak het bijna misgaat en hoe soepel hij door de bochten stuurt.

Toch nog een kleine waarschuwing: sta je bij de uitgang van een bocht, zorg er dan altijd voor dat je een vluchtroute in gedachten houdt. Je weet maar nooit wanneer een coureur de fout in gaat en de stukken van zijn wagen jouw kant op komen vliegen.

Meng je in het feestgewoel van Melbourne en Montreal

Plezier beleven aan een Formule 1-race doe je niet alleen op het circuit zelf. Ook in de avonduren is er een hoop te beleven. Waar races als de Grand Prix van Oostenrijk of de Grand Prix van Groot-Brittannië relatief rustig zijn voor de coureurs en het team, zijn er ook raceweekenden waarin iedereen in de paddock zo snel mogelijk zijn werk wil hebben afgerond en zich in het feestgedruis wil storten.

De twee beste plekken om zowel op als naast te baan uit je dak te kunnen gaan, zijn waarschijnlijk Melbourne en Montreal. Beide circuits bevinden zich dicht tegen het centrum van de steden en de inwoners doen alles wat ze kunnen om de fans en alle andere bezoekers zich thuis te laten voelen. Crescent Street in Montreal en Fitzroy Street in Melbourne zijn tijdens een raceweekend dé plek voor eten, drinken en feesten. En denk niet dat de coureurs nooit zelf eens een kijkje komen nemen. Dat ze zich op een race moeten concentreren betekent nog lang niet dat ze geen plezier mogen hebben.

Een handtekening bemachtigen van je favoriete coureur

Wat is er nou een betere souvenir om van een raceweekend mee terug naar huis te nemen dan een handtekening van je favoriete ster op een foto, programmaboekje of kledingstuk? Al heb je natuurlijk wel eerst het geluk nodig om je favoriete ster ook daadwerkelijk te treffen.

Aangezien de paddock verboden gebied is voor normale fans, is het lang niet eenvoudig om overdag een coureur tegen te komen. Gelukkig is het leven van een fan in de avond of vroege ochtend een stuk beter.

De beste plek om je kans op een handtekening af te wachten, is bij de ingang van de paddock; vooral als je weet dat de coureurs deze route moeten nemen om op hun werk te komen. Je wordt daarbij waarschijnlijk vergezeld door honderden andere fans die allemaal op hetzelfde wachten, maar zolang je blijft opletten en je pen in de aanslag houdt, zijn je kansen niet verkeken. Wie weet ga je naar huis met iets om op de muur te hangen en waarmee je al je vrienden stinkend jaloers kunt maken.

Op Monza en Indianapolis van de Formule 1-geschiedenis genieten

Formule 1-coureurs en teambazen mogen dan wel alleen maar in de eerstvolgende race zijn geïnteresseerd, de sport heeft een rijke geschiedenis waarvan elke fan op zijn minst een stukje zou moeten kennen.

Deze geschiedenis is op nieuwe circuits als Sepang in Maleisië of de Hungaroring in Hongarije soms moeilijk terug te vinden, maar op de klassieke banen die al sinds mensenheugenis voor de motorsport worden gebruikt, is het onmogelijk alle verhalen en anekdotes uit lang vervlogen tijden te negeren.

Zo kun je op Monza in Italië in de avond over het moderne circuit naar de beroemde kombaan lopen die ooit deel uitmaakte van het circuit. Dit stuk asfalt is beroemd geworden door de film *Grand Prix*. Het was de plek waar tijdens de race de coureurs met het grootste hart zichzelf konden bewijzen. Sluit je je ogen en concentreer je je, dan kun je nog steeds de racegeluiden om je heen horen.

Ook het Indianapolis Motor Speedway-museum is een absoluut Mekka voor iedereen die in motorsporthistorie is geïnteresseerd. Hoewel het museum zich hoofdzakelijk op de beroemde Indy 500 concentreert, is er ook voor de Formule 1-fan genoeg moois te vinden. En dan hebben we het nog niet eens over de complete collectie trofeeën van de inmiddels overleden Tazio Nuvolari, voor de Tweede Wereldoorlog een van de grootste coureurs.

Eer betonen aan de groten uit het verleden

Meer nog dan in de sport zelf, zijn Formule 1-fans in de coureurs geïnteresseerd. De namen van Juan Manuel Fangio, Jim Clark, Gilles Villeneuve en Ayrton Senna duiken nog steeds regelmatig op in gesprekken tussen fans. Elk jaar brengen honderden fans een bezoek aan de standbeelden, gedenkstenen en graven van deze helden.

In Brazilië heeft Ayrton Senna zijn laatste rustplaats midden op de begraafplaats Morumbi gevonden, niet al te ver van het circuit van Interlagos. Bovendien zijn er aparte gedenkstenen voor hem geplaatst aan de binnenzijde van de Tamburello-bocht op het circuit van Imola in Italië, waar hij in 1994 om het leven kwam, en bij de ingang van de tunnel die naar de pits van Spa-Francorchamps leidt.

Door de aanpassingen aan het circuit van Hockenheim in Duitsland is de gedenksteen voor de grote coureur Jim Clark, in de buurt van de eerste chicane, helaas niet meer goed bereikbaar, al zijn er plannen om de gedenkplaats beter toegankelijk te maken.

En als het gaat om beroemde monumenten die nog steeds dagelijks worden gebruikt, dan gaat er niets boven een bezoek aan Maranello in Italië, de thuisbasis van Ferrari. Gilles Villeneuve is nog steeds een van de populairste coureurs die ooit voor dit team heeft geracet. Op de verbindingsweg tussen de fabriek en Fiorano, de testbaan van het team, vind je een zeer beroemd beeld van Villeneuve dat ook voor hedendaagse sterren als Michael Schumacher en Rubens Barrichello een baken is.

Hoofdstuk 21

Tien beroemde namen uit het verleden

In dit hoofdstuk:

▶ Beroemde coureurs uit de Formule 1-geschiedenis

▶ Andere grootheden die de sport hebben helpen vormen

In de hoofdstukken 6 en 18 vind je veel achtergrondinformatie over respectievelijk de beroemde teambazen en de beroemde coureurs uit de Formule 1. Maar er zijn nog veel meer mensen die een belangrijke rol in de ontwikkeling van de Formule 1 hebben gespeeld.

Jean-Marie Balestre

Jean-Marie Balestre was als voorzitter van de autosportfederatie in de jaren 1978 tot 1991 zeker geen onomstreden figuur. Desondanks wist hij voordat hij door Max Mosley werd opgevolgd, veel goede dingen voor de sport te bereiken.

In de eerste jaren na de oorlog zette hij een automagazine op poten, *Le Auto Journal*, wat uitgroeide tot een succesvol uitgeversconcern. Dankzij zijn interesse in de autosport besloot hij actief te worden in de nationale Franse autosportorganisatie. In de loop der tijd wist hij op te klimmen tot voorzitter van deze autosportfederatie.

De verschillende nationale autosportorganisaties vallen onder de FIA, de internationale autosportorganisatie, en in 1978 werd Balestre als president van de sporttak van deze organisatie gekozen. Hij verklaarde direct dat hij alles in het werk zou stellen om de sportieve en financiële controle over de Formule 1 weer bij de FIA terug te brengen. Deze controle lag op dat moment in handen van de FOCA, een organisatieverband waarin de verschillende teams onder leiding van Bernie Ecclestone waren vertegenwoordigd. De FOCA was hard op weg de Formule 1 onafhankelijk van de FIA verder te ontwikkelen. Deze verklaring was het eerste schot in een vierjarige oorlog tussen de twee organisaties. Een oorlog die op een zeer persoonlijk niveau tussen enerzijds Ecclestone en Max Mosley van de FOCA en anderzijds Balestre van de FIA werd gevoerd.

Het bracht de sport op de rand van een splitsing in twee kampioenschappen. Pas in 1981 bracht de Concorde-overeenkomst (zie hoofdstuk 4) een oplossing in dit conflict. Dit akkoord vormt nog steeds de
basis voor de organisatie van de sport. Balestre is onder meer verantwoordelijk voor de crashtests die sinds 1982 verplicht zijn en die de veiligheid van de sport enorm hebben verbeterd.

John Cooper

Samen met zijn vader Charles richtte hij Cooper Cars op, oorspronkelijk
met het doel wagens voor de Junior Formule 500 te produceren, maar
vanaf de jaren vijftig van de vorige eeuw werden de doelstellingen uitgebreid. John was zelf een begaafd coureur, maar besloot zich toch te
concentreren op de zakelijke kant van het bedrijf.

Cooper revolutionaliseerde het ontwerp van de Formule 1-wagens met
standaardonderdelen en de motor achterin in plaats van voorin wat tot
dan toe gebruikelijke was. Het team Cooper Racing wist op deze manier
de wereldkampioenschappen van 1959 en 1960 te winnen.

Cooper legde daarmee de basis voor de Britse Formule 1-teams die in
de jaren zestig, zeventig en tachtig de sport domineerden en nog steeds
een belangrijke rol in de Formule 1 spelen.

Aan Coopers succes kwam na het vertrek van kampioen Jack Brabham
een einde. John Cooper bleef echter enthousiast aan de Formule 1 deelnemen, totdat geldgebrek hem eind 1968 definitief tot opgave dwong.

John Cooper was niet alleen de man die Jack Brabham en Bruce McLaren in de Formule 1 hielp en zo later medeverantwoordelijk was voor
het ontstaan van de teams Brabham en McLaren. Ook Ron Dennis, de
huidige baas van McLaren begon zijn carrière als monteur bij Cooper.
John Cooper overleed in 2001. Je hebt zeker wel eens van de beroemde
Mini-Cooper gehoord; de kleine personenwagen die zijn naam aan John
Cooper ontleent.

Giuseppe Farina

Giuseppe Farina staat in de Formule 1-geschiedenisboeken als de allereerste wereldkampioen uit de sport geregistreerd. Als kind uit een rijke
Italiaanse familie besloot hij in de jaren dertig zich op de autosport te
storten. Hij was een snelle, maar soms ook gevaarlijk agressief rijdende
coureur. Zijn beste jaren verloor hij tijdens de Tweede Wereldoorlog,
maar toen de autosport na de oorlog weer op gang kwam, vroeg Alfa
Romeo opnieuw om zijn diensten.

Alfa Romeo had bij het begin van het officiële wereldkampioenschap met afstand de snelste wagen van het veld, maar Farina's opdracht om de titel te winnen was allesbehalve eenvoudig met de illustere Argentijn Juan Manuel Fangio als teamgenoot (zie hoofdstuk 18). Hoewel Fangio meestal de snellere was, was Farina de gelijkmatiger coureur en hij won uiteindelijk op 44-jarige leeftijd de titel. Hij nam in 1955 afscheid van de sport en kwam in 1966 bij een auto-ongeval om het leven.

Emerson Fittipaldi

Emerson Fittipaldi is nog steeds de jongste wereldkampioen ooit. Op 10 september 1972 won hij in Monza zijn eerste wereldtitel, slechts 25 jaar en 298 dagen oud. Daarmee was hij 16 dagen jonger dan Michael Schumacher toen die in 1994 in Australië de titel won. Fittipaldi was bovendien de eerste Braziliaanse coureur die succesvol was in de Formule 1. Hij baande daarmee de weg voor de volgende generatie Braziliaanse coureurs, met zowel Nelson Piquet als Ayrton Senna als wereldkampioenen.

Fittipaldi was de zoon van een radiosportcommentator. Zijn eerste race-ervaringen deed hij in de jaren zestig van de vorige eeuw in karts op. Hij zette zijn racecarrière in 1968 in Engeland voort. Slechts 18 maanden na zijn races in de juniorcategorie van Formule Ford, maakt hij tijdens de Grand Prix van Engeland van 1970 zijn Formule 1-debuut voor Lotus. Aan het einde van dat jaar won Fittipaldi in slechts zijn vijfde poging (!) zijn eerste Grand Prix. Zijn bliksemcarrière leidde in 1972 tot de wereldtitel voor Lotus. Hij verliet zijn team en kwam in het volgende jaar voor McLaren uit, om direct een tweede wereldtitel te winnen.

Fittipaldi besloot daarop zijn droom van een succesvol Braziliaans Formule 1-team na te streven, maar in vijf jaar als coureur en twee als teameigenaar, wist hij geen enkele race te winnen. Enkele jaren later maakte hij zijn comeback in de Amerikaanse Indy Racing League waar hij het kampioenschap won en bovendien tweemaal de Indianapolis 500 op zijn naam schreef. Hij nam in 1996 afscheid van de autosport.

Graham Hill

Graham Hill is nog steeds de enige man die zowel een Formule 1-kampioenschap, de Indianapolis 500 als de 24 uur van Le Mans won.

Zijn combinatie van charme en verbetenheid maakte hem in de jaren zestig tot een onvervalste Britse held. Zijn eerste wereldtitel behaalde hij in 1962 met BRM (British Racing Motors), zijn tweede met Lotus in 1968. Aan het einde van het volgende jaar liep Hill bij een zware crash tijdens de Grand Prix van de Verenigde Staten verwondingen aan beide benen op. Hij bleef het nog zes jaar proberen, maar zou nooit meer zijn oude niveau bereiken.

Hij zette zijn eigen Formule 1-team op en nam in 1975 op 46-jarige leeftijd definitief afscheid van de monocoque. In hetzelfde jaar verongelukte zijn vliegtuig tijdens het landen in dichte mist. Met hem kwamen nog vijf andere teamleden om het leven. Grahams zoon Damon bouwde later aan zijn eigen Formule 1-carrière en kon in 1996 zelf de wereldtitel winnen.

Phil Hill

Rijdend voor Ferrari was Phil Hill in 1961 de allereerste Amerikaanse kampioen in de Formule 1.

Ook al was er in de Verenigde Staten geen echte Formule 1-cultuur, Phil Hill wist alles over de sport en droomde over een succesvolle Formule 1-carrière. Hij bouwde als sportwagencoureur in Californië een goede naam op en werd uiteindelijk door de Amerikaanse Ferrari-importeur Luigi Chinetti opgemerkt die hem bij Enzo Ferrari introduceerde. Hill werd aangetrokken als coureur voor het beroemde Italiaanse team, ook al zou hij in de eerste jaren alleen sportwagens rijden. Met zijn beroemde koppigheid eiste hij een testrit in een Formule 1-wagen. Hij bewees zich vol flair in de laatste twee races van 1958, en hielp daarmee zijn teamgenoot Mike Hawthorn aan de wereldtitel.

Drie jaar later mocht Hill zelf om de titel strijden, al wierpen de gebeurtenissen op het circuit van Monza in dat jaar een zwarte schaduw over zijn titel. Vroeg in de race kwam zijn teamgenoot Wolfgang von Trips bij een ongeval om het leven. Een ongeval waarbij ook 14 toeschouwers het leven lieten. Hill ging eind 1966 met pensioen.

Bruce McLaren

De Nieuw-Zeelander Bruce McLaren is de oprichter van het gelijknamige team dat de afgelopen jaren met veel succes aan de Formule 1 heeft deelgenomen. Bovendien was hij tot Alonso's winst van de Grand Prix van Hongarije in 2003 de jongste grandprixwinnaar ooit. Hij was slechts 22 jaar en 80 dagen oud toen hij in 1958 voor het team Cooper de Grand Prix van de Verenigde Staten won.

McLaren werd naast Jack Brabham als coureur voor het team Cooper binnengehaald. Daar leerde hij alles over het afstellen van een Formule 1-wagen. Net als Brabham besloot McLaren dat hij zijn eigen team wilde vormen, wat in 1964 tot het team McLaren leidde. De eerste winst kwam in 1968 tijdens de Grand Prix van Spa-Francorchamps in België. Twee jaar later kwam hij tijdens een testrit met een sportwagen om het leven. Het team McLaren zou dankzij de vele goede medewerkers die hij om zich had verzameld, nog lang in de sport succesvol zijn.

Tazio Nuvolari

Strikt genomen hoort de naam van Tazio Nuvolari niet in een boek over de Formule 1 thuis, want zijn grote dagen in de sport liggen voor het eigenlijke ontstaan van deze raceklasse. Maar lang voordat de Formule 1 ontstond, werden er al Grand Prix verreden, en Nuvolari was de absolute grootmeester van deze autosport. Bij elk debat over de grootste coureur aller tijden zul je een aantal Formule 1-kenners tegenkomen die Nuvolari's naam op de eerste plek zetten.

Hij was al 37 toen hij in 1932 dankzij Enzo Ferrari met het fabrieksteam van Alfa Romeo zijn doorbraak beleefde in de autosport, en had al een lange carrière in races achter de rug. Zijn leeftijd had echter geen enkele negatieve invloed op zijn rijden, en hij won op een sensationele wijze race na race.

Nuvolari's mooiste overwinning behaalde hij waarschijnlijk in 1935, toen zijn Alfa slechts met moeite de nieuwe supersnelle wagens van Mercedes en Auto Union kon bijhouden. Tijdens de Grand Prix van Duitsland van dat jaar wist hij met zijn oude rode bak onder de neus van de Nazi-topstukken al die technologische wonderen achter zich te houden. De kroning op zijn succes kwam toen hij een plaat met het Italiaanse volkslied tevoorschijn kon toveren, als antwoord op de Duitse mededeling dat ze geen opname hadden om zijn overwinning te eren.

Het was zijn beroemdste overwinning. In de volgende jaren wist hij nog vele andere overwinningen op zijn naam te zetten. Uiteindelijk stapte deze levende legende in 1938 achter het stuur van de nieuwe generatie wagens van het team Auto Union. Zelfs op 45-jarige leeftijd was er nog geen sprankje van zijn talent verloren gegaan en bleef hij races winnen. Hij won de laatste Grand Prix voordat de Tweede Wereldoorlog het autoracen tijdelijk onmogelijk maakte. Nuvolari pakte na de oorlog de draad op en bleef wonderbaarlijke overwinningen boeken. Helaas liet zijn gezondheid steeds meer te wensen over en hij moest menig race bloedspugend opgeven. Hij stierf in 1953.

Jochen Rindt

In 1970 had Jochen Rindt tragischerwijze de eer om als enige coureur ooit postuum als wereldkampioen uitgeroepen te worden. Hij kwam tijdens een trainingsongeluk voor de Grand Prix van Italië om het leven, maar in de vier resterende races van het seizoen wist niemand de puntenvoorsprong goed te maken die hij had opgebouwd.

Rindt moet ook worden herinnerd als een van de snelste en spectaculairste coureurs ooit. Zijn beide ouders kwamen in de oorlog in Oostenrijk bij een bombardement om het leven. Zijn nalatenschap bestond uit een kleine fabriek die hij verkocht om aan zijn racecarrière te werken.

Als totale onbekende zorgde hij in 1964 tijdens de Formule 2-race op Crystal Place voor een sensatie door Formule 1-ster Graham Hill te verslaan.

Zijn spectaculaire rijstijl bracht hem echter pas in 1969 voor Lotus de eerste Formule 1-successen. In dat jaar was hij de enige die keer op keer de strijd met Jackie Stewart kon aangaan, en beide mannen werden goede vrienden. In deze jaren werd Rindt overigens gemanaged door Bernie Ecclestone. In 1970 was zijn Lotus 72 een van de beste wagens van het veld en hij behaalde vier opeenvolgende overwinningen. Deze overwinningen brachten hem ook de wereldtitel, al heeft hij dat zelf nooit mee mogen maken.

Tony Vandervell

Tony Vandervell was de oprichter van het team Vanwall dat in 1958 de eerste Formule 1-constructeurstitel won.

Als eigenaar van de firma die de gepatenteerde Vandervell-lagers produceerde waarmee de fabrikanten in de jaren vijftig van de vorige eeuw aanmerkelijk efficiëntere motoren konden ontwerpen, was Vandervell een erg rijk man. In eerste instantie wilde hij zijn team opbouwen met behulp van wagens die hij van Ferrari kocht. Maar de relatie tussen Vandervell en Enzo Ferrari, beide koppige en autocratische mannen, verliep alles behalve soepel. Na een bijzonder vijandige ontmoeting werd het Vandervell te veel. Hij stormde naar buiten, zwerend dat hij dan wel zelf een wagen zou bouwen om die 'bloody red cars' te verslaan.

De eerste Vanwall verscheen aan het einde van 1955. Vandervell putte uit een breed arsenaal aan contacten in de industrie. Zo was de body van de wagen ontworpen door Frank Costin van de vliegtuigbouwer Havilland en de motor was gebaseerd op de racemotoren van Norton. Zeker toen Colin Chapman van het team Lotus zich met het chassis ging bemoeien, kon succes niet uitblijven. De Vanwalls werden de snelste wagens in de Formule 1 en de eerste overwinning volgde in 1957. Overwinningen van Stirling Moss en Tony Brooks leverden het team in het volgende jaar de contructeurstitel op. Zijn slechte gezondheid bracht hem ertoe zich vlak voor de aanvang van het volgende seizoen uit de Formule 1 terug te trekken. Vandervell overleed in 1967.

Hoofdstuk 22

Tien toekomstige sterren van de Formule 1

In dit hoofdstuk:

▶ Een kijkje naar de nieuwe talenten in de Formule 1

▶ Ontdekken waar de sterren van morgen nu actief zijn

H oeveel Formule 1-fans ook de grote namen in de sport – zoals Michael Schumacher, David Coulthard en Juan Pablo Montoya – toejuichen, iedereen die de sport al wat langer volgt, weet dat in de Formule 1 niets voor eeuwig is.

Hoe goed een coureur ook is, vroeg of laat komt er een moment dat hij zijn helm definitief moet afzetten. En zet een coureur zelf geen punt achter zijn carrière, dan neemt het team die beslissing wel voor hem, wat voor sommige voormalig wereldkampioenen bijzonder pijnlijk kan zijn.

Maar voor elke grote naam die verdwijnt, zijn er talloze jonge talenten die hun plek willen innemen. Overal ter wereld proberen de beste jonge coureurs de aandacht van de teambazen te trekken om zich vervolgens langzaam in de motorsport omhoog te werken.

Hier vind je een korte beschrijving van enkele jonge coureurs die ooit misschien de grote namen van de toekomst worden. Sommigen hebben hun eerste stappen in de Formule 1 al gezet, anderen zijn pas begonnen aan hun racecarrière.

Justin Wilson

Formule 1-coureurs moeten net als jockeys in de paardensport zo klein en compact mogelijk zijn gebouwd. Alleen zo hoeft de wagen geen extra gewicht met zich te dragen en kan hij zo klein en snel mogelijk zijn.

Justin Wilson is de grote uitzondering op deze regel. Met zijn 1 meter 90 steekt hij met kop en schouders uit boven zijn collega's. Hij kreeg keer op keer te horen dat hij veel te lang was voor een carrière in de Formule 1. Desondanks hield hij voet bij stuk en wist hij het tot de koningsklasse van de autosport te schoppen.

Na zijn winst in 2001 van het internationale Formule 3000-kampioenschap, de laatste trede voor de top, kreeg hij in 2003 bij Minardi zijn eerste kans in de Formule 1. Ook al was zijn wagen geen partij voor de topteams, zijn starts en inhaalacties toonden zijn talent. Halverwege het seizoen werd hij dan ook door Jaguar als vervanger voor Antonio Pizzonia weggekaapt. In 2004 moest hij noodgewongen zijn heil weer elders zoeken.

Felipe Massa

De jonge Braziliaan Felipe Massa is een van de grootste kanshebbers op Michael Schumachers plek bij Ferrari, als deze een punt achter zijn carrière zet.

Massa's succesvol gescoorde punten in zijn debuutseizoen in 2002 voor Sauber werden af en toe door onnodige crashes en fouten overschaduwd. Desondanks was Ferrari zo overtuigd van zijn talent, dat ze hem de kans gaven bij te leren en hem een contract als testrijder aanboden. In 2004 rijdt hij weer races voor Sauber.

Heikki Kovalainen

Toen de oud-wereldkampioen Mika Häkkinen in 2001 zijn afscheid van de Formule 1 aankondigde, vroeg menige Finse fan zich af wie hun volgende superster zou zijn. Het antwoord was Kimi Räikkönen, die in 2003 in Maleisië zijn eerste Grand Prix won. Maar er staat al weer een volgende Finse coureur te wachten op de grote sprong naar de Formule 1. Zijn naam is Heikki Kovalainen, een goede vriend van Räikkönen.

Renault was zo onder de indruk van zijn juniorcarrière, dat ze hem opnamen in hun ontwikkelprogramma voor jonge coureurs. In 2003 kwam hij in de Formule Nissan-wereldserie uit en een eerste test in de Formule 1 kan niet lang op zich laten wachten.

Neel Jani

De beste manier om in de Formule 1 binnen te komen is als testrijder voor een van de teams. En dat is precies waarop de Zwitser Neel Jani hoopt, sinds hij in 2003 aan de slag ging als testrijder voor het team Sauber.

Jani staat pas aan het begin van zijn motorsportcarrière, maar hij wist al als tweede in de Europese Formule Renault-cup in 2002 te eindigen en maakte ook in de internationale Renault V6-series in 2003 geen slechte indruk. Zou het kunnen dat Peter Sauber, de ontdekker van Kimi Räikkönen en Felipe Massa, opnieuw een supertalent heeft gecontracteerd?

Lewis Hamilton

Er zijn genoeg Formule 1-coureurs te vinden die alles voor een contract met het topteam McLaren over zouden hebben. De jonge Britse ster Lewis Hamilton had dat contract eerder op zak dan zijn schooldiploma.

Hamilton wordt gezien als een van de beste karters van zijn generatie. McLaren was zo onder de indruk van zijn talent, dat ze besloten hem bij zijn racecarrière te ondersteunen. Zodra hij oud genoeg was stapte hij van de karts over op racewagens. Inmiddels heeft hij in 2003 het Britse Formule Renault-kampioenschap gewonnen, dezelfde raceklasse die Kimi Räikkönen direct in de Formule 1 heeft gebracht. In 2004 rijdt hij in de Europese Formule 3.

Mocht Hamilton de sprong naar de Formule 1 maken, dan zal hij als eerste zwarte Formule 1-coureur, net als bijvoorbeeld de golfer Tiger Woods, op meer dan voldoende aandacht van de sponsors mogen rekenen.

Nico Rosberg

Welke carrière je ook kiest, met een beroemde vader kom je altijd verder. In de autosport is het niet anders. Het jonge talent Nico Rosberg is toevallig de zoon van de voormalig Formule 1-wereldkampioen Keke Rosberg, en diezelfde vader Rosberg was ook nog eens de manager van de tweevoudig wereldkampioen Mika Häkkinen.

Rosberg Jr. mocht zich eind 2002 bij Williams al in een testrit bewijzen. Hij presteerde daar zo goed dat direct geruchten over een permanente aanstelling als testrijder opdoken. De geruchten bleken niet waar, maar na het winnen van het Duitse Formule BMW-kampioenschap en de overstap naar de Europese Formule 3-series in 2003, zal hij zeker in de nabije toekomst nog een tweede kans krijgen.

Nelson Piquet Jr.

Net als Nico Rosberg, heeft Nelson Angelo Piquet Jr. het geluk van een zeer beroemde vader (en een Nederlandse moeder, zodat hij ook over een Nederlands paspoort beschikt). Vader Nelson Piquet won maar liefst drie wereldkampioenschappen en hij stelt alles in het werk om zijn zoons carrière verder te helpen.

Maar denk niet dat er alleen maar vanwege zijn vader over Piquet Jr. wordt gesproken. Hij heeft meer dan genoeg talent om zichzelf als succesvol coureur te bewijzen. Piquet Jr. won in 2002 het Zuid-Amerikaanse Sudam Formule 3-kampioenschap en liet in het daarop volgende jaar op indrukwekkende wijze in het Britse Formule 3-kampioenschap van zich horen.

Björn Wirdheim

Alle recente Scandinavische succesverhalen in de Formule 1 zijn uit Finland afkomstig. Dit jonge Zweedse racetalent zou daar zomaar verandering in kunnen gaan brengen.

In 2003 wist Björn Wirdheim met overmacht het internationale Formule 3000-kampioenschap, een belangrijke opstap voor de Formule 1, te winnen. Zoals de meeste coureurs begon zijn carrière in de karts, maar hij kwam daar niet echt uit de verf. Pas na zijn overstap naar de krachtige Formule 3000-wagens bleek waartoe Wirdheim echt in staat is. In vrijwel elke race kon hij meestrijden om de winst. Het was dan ook geen verrassing dat verschillende Formule 1-teams in hem een potentiële testrijder zagen. In 2004 is hij actief als testrijder voor Jaguar.

Deel VII
Bijlagen

The 5th Wave · By Rich Tennant

RICHTENNANT

'Ik weet nooit wat ik nou het meeste waardeer aan de hotels in Monaco tijdens de Grand Prix: de zwart-wit-geblokte bedsprei, de badzeep met rubbergeur of de chocolade bougies die we elke avond op ons kussen vinden.'

In dit deel...

Zit je op hete kolen en moet je in een zo kort mogelijke tijd zo veel mogelijk informatie over Formule 1 in je hoofd stampen, dan is dit de perfecte plek voor jou. Je vindt hier een uitgebreide lijst met al die ingewikkelde en onbekende Formule 1-termen, en een overzicht van alle records van de succesvolste coureurs en teams. De volgende keer dat iemand je een ingewikkelde vraag stelt over de Formule 1, is er geen enkel excuus meer als je het antwoord niet direct weet.

Bijlage A
Formule 1-terminologie

Aërodynamica
De wetenschap die bestudeert hoe lucht over en om het oppervlak van een wagen stroomt. De resultaten worden gebruikt om de luchtweerstand te minimaliseren en de neerwaartse kracht van een wagen te vergroten.

Aërodynamische vleugels
Zie: *Vleugels*.

Afstelling (set-up)
De afstelling bepaalt hoe de wagen zich op de baan zal gedragen. De afstelling van een wagen is de optelsom van alle afzonderlijke onderdelen, inclusief banden, ophanging, motor, elektronica en remmen.

Baancommissarissen (marshals)
Het personeel dat tijdens een race helpt bij eventuele ongevallen en wagens van gevaarlijke plekken verwijdert. Baancommissarissen staan in directe verbinding met de raceleiding.

Ballast
Extra gewicht dat aan de wagen wordt toegevoegd. Veel teams bouwen hun wagens lichter dan het verplichte minimumgewicht van 600 kilo, zodat ze later met ballast voor de perfecte gewichtsverdeling kunnen zorgen.

Bandenstapels
Stapels samengebonden oude banden waarmee de impact van een racewagen in de vangrails wordt verzacht. Dit is een van de beste middelen om wagens die bij hoge snelheden van de baan spinnen op te vangen.

Barge boards
Lage aërodynamische toevoegingen aan de zijkant van de wagen, tussen de voorwielophanging en de cockpit, die zorgen voor een verbeterde luchtstroom langs de wagen.

Blokkeren
Een coureur verdedigt zijn positie door zijn wagen naar het deel van de baan te sturen waar de aanvaller hem wil passeren.

Brandstoftank (fuel cell)

De benzinetank van een hedendaagse Formule 1-wagen. De brandstof-cellen worden uit flexibel Kevlar gefabriceerd, een materiaal dat ook bij een ongeval meestal niet beschadigd raakt.

Briefings

De vergaderingen tussen de teams en hun coureurs waarbij de tele-metriegegevens van de verschillende sessies worden geëvalueerd. Brie-fings nemen een groot deel van de beschikbare tijd in beslag, zowel voor de race om de beste tactiek te bespreken als na de race om deze te evalueren.

Camber

De kleine hoek waaronder de wielen zijn gemonteerd. Door de wielen niet perfect verticaal op de wagen te zetten, is er ook bij het optreden van krachten in een bocht een maximaal contactoppervlak tussen de band en het asfalt.

Carbonvezel (carbon fibre)

Het hypermoderne materiaal, opgebouwd uit lagen koolstof, dat een belangrijke rol speelt in de constructie van een Formule 1-wagen. Het is tweemaal zo licht en twee maal zo sterk als aluminium.

CFD (Computational Flow Dynamics)

De studie van stromingen van vloeistoffen en gassen met behulp van de computer. CFD dient als hulpmiddel voor de aërodynamische ontwikke-ling van kleine onderdelen of bij kleine wijzigingen, zonder dat deze on-derdelen telkens daadwerkelijk gemaakt en getest moeten worden.

Chassis

De hoofdstructuur van de wagen, meestal inclusief de overlevingscel (monocoque) voor de coureur.

Chicane

Een korte opeenvolging van twee of drie bochten die de wagens dwin-gen hun snelheid te matigen. Veel lange rechte stukken en ingangen van snelle bochten zijn tegenwoordig ter vergroting van de veiligheid van chicanes voorzien.

Contactoppervlak (contact patch)

De grootte van het deel van de band dat direct het asfalt raakt. Het con-tactoppervlak wordt zowel door de bandenspanning als door de hoe-veelheid camber (zie aldaar) beïnvloed en is ongeveer zo groot als een hand.

Crashtest

De zeer strikte testen die elke Formule 1-wagen moet doorstaan om te bewijzen dat ze sterk, en daarmee veilig genoeg zijn om aan een race deel te nemen. De testen variëren van de eigenlijke crashtest tot testen met statische belastingen van specifieke onderdelen.

Data logging
Zie: *Gegevensregistratie.*

Demper
Zie: *Schokdemper.*

Diffuser
Een naar achteren uitwaaierende constructie aan de onderzijde van de wagen, achter de lijn van de achteras. De lucht die door de diffuser stroomt, versnelt en zorgt zo voor de neerwaartse kracht die de wagens op de grond houdt. De diffuser is verantwoordelijk voor soms wel zestig procent van de totale neerwaartse kracht.

Drag
Zie: *Luchtweerstand.*

Drive-through penalty
Een van de mogelijke straffen die de raceleiding kan opleggen, bijvoorbeeld voor het inhalen onder een gele vlag. De coureur moet met de voorgeschreven snelheidsbeperking eenmaal door de pitstraat rijden.

Eén lijnsverandering-regel
De regel die bepaalt wat een coureur mag doen om een rivaal te blokkeren die hem probeert in te halen. De voorliggende coureur mag maar één keer van lijn veranderen om zijn positie te verdedigen. Deze regel maakte een einde aan het gevaarlijke slingeren van coureurs waarmee ze soms op een recht stuk achterliggers achter zich probeerden te houden.

Endplates
De afsluitende platen aan de randen van de voorvleugel waarmee de lucht efficiënter naar de barge boards kan worden geleid.

Fabrieksteams
Teams die eigendom zijn van (of worden betaald door) de grote autofabrikanten die in de sport zijn vertegenwoordigd.

FIA (Federation Internationale de l'Automobile)
De internationale motorsportorganisatie. Een van de taken van de FIA is het organiseren, reguleren en controleren van de raceklasse Formule 1.

FOM (Formula One Management)
De holding die de commerciële belangen en activiteiten van de Formule 1 onder zijn hoede heeft. Wordt geleid door Bernie Ecclestone.

Fuel cell
Zie: *Brandstofcel.*

Fuel rig
Zie: *Tankinstallatie.*

Gegevensregistratie (data logging)

De elektronische optekening van de telemetriegegevens over de wagen, motor, ophanging enzovoorts. Deze gegevens spelen een belangrijke rol bij de ontwikkeling en afstelling van de wagen.

Gegroefde banden

Banden met vier groeven die parallel over de band lopen. Deze groeven zorgen ervoor dat de banden minder grip hebben dan de slicks die vroeger in de Formule 1 werden gebruikt. De FIA heeft het gebruik van gegroefde banden verplicht om de snelheid in de bochten van de wagens te beperken en daarmee de kans op ernstige ongevallen te verkleinen.

Grand Prix

Het Franse woord voor een 'grote prijs' dat tegenwoordig naar de individuele evenementen verwijst die samen het Formule 1-kampioenschap vormen. De eerste Grand Prix werd in 1906 op het circuit van Le Mans in Frankrijk gehouden.

Grid

Zie: *Startgrid*.

Grindbak (gravel trap)

Het uitloopgebied rond bochten en voor de bandenstapels dat met grind is gevuld. Een grindbak remt de wagen af en vermindert zo na een spin of defect de kans op ernstige ongevallen.

Grip

De kleefkracht van de banden op het asfalt. Olie op de baan, een slechte afstelling of versleten banden kunnen allemaal zorgen voor een afname van de grip die een wagen heeft.

Handling

Een term die coureurs en teams gebruiken om te beschrijven hoe een wagen voelt tijdens het rijden. Hoe beter de handling van een wagen, des te beter een coureur met deze wagen op het desbetreffende circuit zal presteren.

HANS (Head and Neck Support-device)

Een veiligheidssysteem dat rond de nek en helm van een coureur wordt bevestigd en beschermt tegen nekblessures na een crash. HANS is sinds het seizoen 2003 verplicht in de Formule 1.

Harde banden (hard compound tyres)

Harde banden zijn banden die gemaakt zijn uit een hardere rubbersamenstelling. Hoewel harde banden minder grip bieden dan zachte banden, gaan ze tijdens een race wel beduidend langer mee.

Hoofdsteun (headrest)

De steun die de helm van de coureur in de juiste positie houdt.

Hulpmiddelen (driver aids)

De algemene term voor alle elektronische systemen (zoals tractiecontrole en launch control) waarmee het leven van de coureur in de Formule 1 wat eenvoudiger wordt gemaakt.

Ideale lijn

De theoretisch optimale lijn die op een circuit de beste rondetijd oplevert. De optimale lijn is niet de kortste route rond het circuit, maar geeft aan hoe elke bocht zo vloeiend mogelijk en met de hoogste snelheid genomen kan worden.

Kerbstones

De roodwit gestreepte schuine 'stoepranden' die onder meer voor de in- en uitgangen van bochten worden gebruikt. Ze markeren de rand van de baan maar zorgen tegelijkertijd voor een klein beetje uitloopruimte, mocht de coureur de bocht iets te snel nemen.

Klantenmotor (works engine)

Een motor die een privé-team van een fabrieksteam betrekt. Klantenmotoren zijn vaak motoren van een vorige revisie of uit het voorgaande jaar.

Kleurschema

De kleuren waarin de wagen is gespoten. De sponsors hebben normaal gesproken het meeste te vertellen over deze kleuren.

Km/u

Kilometer per uur.

Lap chart

Zie: *Rondeschema.*

Launch control

Een elektronisch systeem dat de coureurs bij de start van een race helpt. Zodra de coureur de knop van deze elektronische hulp loslaat, zorgt de computer automatisch voor de perfecte balans tussen koppeling en versnellingen, zodat de coureur altijd perfect wegkomt.

Links remmen

De kunst waarmee de meeste coureurs met hun linkervoet het rempedaal bedienen, en niet zoals in een normale personenwagen met hun rechtervoet remmen. Hoewel sommige coureurs hun hele carrière moeite hebben met links remmen, zijn de meeste mensen het erover eens dat met links remmen sneller is. De rechtervoet blijft zo in staat de toeren van de motor en daarmee de snelheid te handhaven.

Lollipop

Het lollyvormige bord dat bij een pitstop wordt gebruikt. De lollipop vertelt de coureur dat hij stil moet blijven staan totdat de wagen is bijgetankt en van nieuwe banden is voorzien, en wanneer hij zich op het wegrijden moet gaan voorbereiden. Zodra de lollipop omhoog gaat, kan de coureur zijn race voortzetten.

Luchtweerstand (drag)

De weerstand die de wagen bij hogere snelheden door de lucht ondervindt. Alle onderdelen van een wagen dragen meer of minder bij aan deze luchtweerstand: de vleugels, de radiatoren, de banden en ook de coureur zelf. Een lagere luchtweerstand betekent een hogere topsnelheid op de rechte stukken van het circuit. Een maximale hoeveelheid vleugel en daarmee een grote neerwaartse kracht zorgt voor een hoge snelheid inn de bochten en veel tractie, maar levert ook meer luchtweerstand en daarmee een lagere topsnelheid op.

Marbles

Zie: *Rubber.*

Markeringen

Niet alleen op de startgrid, maar ook in de pit worden markeringen gebruikt voor het aangeven van de exacte stopplek van een wagen. Dankzij deze markeringen weten de verschillende teamleden precies waar ze met de nieuwe banden of met de tankinstallatie moeten wachten.

Marshals

Zie: *Baancommissarissen.*

Monocoque

De uit één stuk opgebouwde overlevingscel waarin de coureur zich bevindt die het centrale onderdeel van de wagen vormt.

Motorhome

De verplaatsbare thuisbasis van een team tijdens een Formule 1-weekend. Wat ooit eenvoudige campers waren, zijn inmiddels speciaal vervaardigde omvangrijke en erg dure constructies, compleet met binnenplaatsen en vergaderruimtes.

Mp/h

Mijlen per uur. Eén mijl is omgerekend 1,609 kilometer.

Neerwaartse kracht (downforce)

De neerwaartse kracht die door de aërodynamische vleugels en de diffuser wordt gegenereerd en die de wagen bij hogere snelheden op de grond drukt. De moderne Formule 1 draait voor een groot deel om het genereren van een zo efficiënt mogelijke neerwaartse kracht, aangezien deze verantwoordelijk is voor de hoge snelheden in de bochten en de verbeterde tractie.

Nomex

Speciaal brandbestendig materiaal dat voor de overalls en balaklaves van de coureurs wordt gebruikt. Biedt bij een ernstige brand rond de 12 seconden bescherming; genoeg voor de marshals en het medisch personeel om op de plaats van het ongeval te komen.

Onderstuur

Als de voorzijde van de wagen meer glijdt dan de achterzijde bij het nemen van een bocht, de wagen wil meer rechtdoor dan met de bocht mee, is er sprake van onderstuur.

Opwarmronde (formation lap)

De laatste ronde direct voor de start van de eigenlijke race, waarin de coureurs vanaf de startgrid één ronde rijden om hun banden en remmen op temperatuur te brengen.

Overstuur

Als de achterzijde van de wagen meer glijdt dan de voorzijde bij het nemen van een bocht, de wagen wil de bocht te sterk nemen en dreigt de spinnen, is er sprake van overstuur.

Paddock

Het gebied, meestal direct achter de pitstraat, waar de teams hun motorhomes, trucks en opslag hebben staan. De paddock is het centrum van alles wat niet op de baan zelf plaatsvindt, zoals de persconferenties, de evenementen van de sponsors en de geheime deals tussen teams en coureurs.

Paddockpas

Speciale pas die toegang geeft tot de paddock van het Formule 1-circuit. Deze toegangsbewijzen worden alleen aan personeel, coureurs, media en sponsors gegeven. Ze zijn niet vrij te koop.

Pitbord (pit board)

De borden die door de teams boven de pitmuur worden gehouden om informatie aan de coureurs door te geven. Hoewel de meeste communicatie tussen team en coureur via de radio verloopt, is het pitbord een van de zekerste en betrouwbaarste manieren om de coureur iets mede te delen.

Pitcrew

De mensen van het team die tijdens de pitstop in actie komen om de wagens bij te tanken en van nieuwe banden te voorzien.

Pits

Het deel van het circuit waar de teams tijdens het raceweekend aan hun wagens kunnen werken. De voorzijde van de pitboxen van de teams ligt normaal gesproken aan de pitstraat, terwijl de achterzijde overgaat in de paddock.

Pitstop

Als een wagen voor banden, benzine of reparaties een stop bij zijn team in de pitbox inlast.

Pitstraat (pit lane)

De afzonderlijke weg die langs de binnenzijde van de baan loopt, meestal ter hoogte van de start- en finishlijn, die de coureurs moeten nemen om voor banden, benzine of reparaties bij hun pitbox te komen.

Pk, Paardenkracht

Een eenheid waarin de kracht van de motor kan worden weergegeven.

Podium

De plaats waar direct na de race de drie snelste coureurs hun trofee, en natuurlijk de champagne, krijgen. Zoals gebruikelijk bestaat het podium uit drie treden met verschillende hoogtes.

Pole position

De pole position of gewoon pole is de eerste plek op de startgrid, bestemd voor de coureur met de beste kwalificatietijd.

Pushrod

Deel van de wielophanging tussen het wiel en de veer/demper in het chassis van de wagen. Beweegt het wiel (daarbij ondersteund door de wishbones) omhoog of omlaag, dan vertaalt de pushrod deze beweging naar een kracht op de veren en schokdempers. De pushrods zorgen ervoor dat de de veren en schokdempers op de juiste manier hun werk kunnen doen.

Privé-teams (customer teams)

Teams die eigendom zijn van onafhankelijke teambazen en die hun motoren van een van de fabrieksteams betrekken.

Racedirecteur

De persoon die verantwoordelijk is voor alles wat er op de baan gebeurd. Hij zorgt ervoor dat de juiste procedures worden gevolgd en dat er stappen worden ondernomen als coureurs of teams in overtreding zijn. De racedirecteur is bovendien verantwoordelijk voor de eigenlijke start van de race.

Regenbanden

Een speciaal type gegroefde banden voor gebruik op een natte baan. Regenbanden zijn ontworpen op het zo efficiënt mogelijk afvoeren van het water onder de band, zodat de kans op aquaplaning zo klein mogelijk is. Regenbanden worden van een zacht type rubber gemaakt, en gaan op een droge baan niet lang mee.

Reserverijder

De rijder die in actie moet komen als een van beide coureurs van een team door ziekte of door een blessure niet kan deelnemen aan de race. De reserverijder mag de coureurs echter alleen vervangen als hij ook aan de kwalificatie heeft deelgenomen. Veel reserverijders pakken daarom al op zaterdag het vliegtuig naar huis.

Rolbeugels (roll-over bars)

De delen van de wagen voor en achter de coureur die hem beschermen als de wagen na een ongeval op zijn kop belandt. Deze bijzonder sterke onderdelen worden voor het seizoen uitgebreid door de FIA getest.

Rondetabel (lap chart)

Een aparte tabel die fans en teams gebruiken om het verloop van de race bij te houden. De tabel geeft de verschillende posities weer en toont in welke ronden een wagen een pitstop inlaste of moest opgeven.

RPM

Het aantal toeren dat een motor per minuut maakt (revolutions per minute). Moderne Formule 1-motoren kunnen soms meer dan 19.000 toeren per minuut halen!

Rubber

Rubber is niet alleen het belangrijkste materiaal waaruit banden zijn gemaakt, maar is ook de aanduiding voor de kleine restjes die de banden in de vorm van 'marbles', 'knikkers', op het asfalt achterlaten en die buiten de ideale lijn voor minder grip kunnen zorgen.

Rumble strip

Een randmarkering van de baan bij de uitgang van bochten met profiel of ribbels die voor trilling in de wagen zorgen als de coureur erover rijdt. Rumble strips ontmoedigen de rijders de bocht te wijd te nemen.

Run-off area

Een brede strook asfalt tussen de rand van de baan en de bandenstapels. Het speciale asfalt heeft een extra grote weerstand en remt de wagens zo veel mogelijk voor de aanraking met de muur of de bandenstapels af.

Safety car

Een personenwagen die bij gevaarlijke omstandigheden op de baan de race tijdelijk neutraliseert. De safety car rijdt enkele ronden voor de wagens uit totdat de racedirecteur de baan weer vrijgeeft voor de race. Zodra de safety car in de pits is teruggekeerd, mag er weer zonder snelheidsbeperking worden geracet.

Schokdemper (demper)

Deel van de ophanging waarmee de vibratie van de veren wordt gedempt. Schokdempers bepalen hoe stabiel een wagen bij het remmen of het nemen van bochten is, en worden gebruikt bij de afstelling van de wagen.

Semi-automatische versnellingsbak

Een elektronisch aangestuurde versnellingsbak waarbij de coureur eenvoudig met kleine hendels aan het stuur de gewenste versnelling kan kiezen.

Set-up

Zie: *Afstelling*.

Showwagen

Een Formule 1-wagen die niet langer voor races wordt ingezet. Wordt meestal speciaal voor sponsors geprepareerd en dient alleen voor de show. Deze wagens hebben vaak alleen maar een dummymotor.

Shunt
Engelse slang voor een ongeluk of aanrijding.

Slicks
Banden met een compleet glad oppervlak, zonder de groeven van de banden voor normale personenwagens. Deze banden bieden het grootst mogelijk contactoppervlak tussen de band en het wegdek, en leveren daardoor de maximale grip en tractie, wat vooral in de bochten voordeel biedt. Slicks zijn niet meer toegestaan in de Formule 1, maar wel in andere raceklassen.

Slipstream
De lagere luchtdruk die zich bij hoge snelheid achter een racewagen vormt. Coureurs proberen hun wagen altijd in de slipstream van hun voorligger te brengen, zodat ze een extra zetje voor een inhaalpoging krijgen. De lagere luchtdruk levert ook een lagere luchtweerstand op, wat van voordeel is op het rechte stuk, maar in de bochten voor minder grip zorgt.

Sponsors
De algemene term voor bedrijven die op de een of andere manier voor promotiedoeleinden met het team betalen.

Startgrid
Het gebied voor de startlijn waarop de wagens hun startpositie innemen. De startposities zijn per twee plaatsen ingedeeld en met witte markeringen aangegeven.

Stewards
Bij elke Formule 1-race zijn er drie stewards (wedstrijdcommissarissen) aanwezig die erop toezien dat de teams alle regels van de FIA volgen. De stewards bepalen tevens de strafmaat bij een eventuele overtreding.

Stoeltje
Elke coureur krijgt van zijn team een speciaal op zijn lichaam afgestemde racestoel. Deze stoel kan na ernstig ongeval samen met de bestuurder in één keer uit de wagen worden gehaald.

Stop-and-go penalty
Een straf waarbij de coureur zijn wagen de pits in moet brengen en de wagen daar voor een vastgesteld aantal seconden moet stilzetten, voordat hij weer aan de race mag deelnemen. Het is niet toegestaan tijdens een stop-and-go penalty werkzaamheden aan de wagen te verrichten. Inhalen onder geel is een van de overtredingen die tot deze straf kan leiden.

T-car
De reservewagen die als back-up dient voor het geval er voor de race iets met een van de racewagens misgaat. Elk team heeft de beschikking over één T-car die door beide coureurs moet worden gedeeld.

Tankinstallatie *(fuel rig)*

De installatie en geautomatiseerde controlesystemen waarmee de wagens bij een pitstop worden bijgevuld. De tankinstallaties worden door de organisatie ter beschikking gesteld en mogen op geen enkele manier door het team worden aangepast. De gewenste hoeveelheid brandstof wordt voor de pitstop ingeprogrammeerd, en precies deze hoeveelheid wordt in de wagen gepompt.

Teamgenoot

Een coureur die voor hetzelfde team rijdt.

Technisch directeur

De man die verantwoordelijk is voor het ontwerp, de ontwikkeling en de constructie van een Formule 1-wagen. Gezien de complexiteit van moderne Formule 1-wagens, worden ze daarbij door een uitgebreid team specialisten ondersteund.

Telemetrie

De opslag en verwerking van alle gegevens die door de sensoren op de wagen worden verzameld en die naar het team worden gezonden. De sensoren meten alles wat relevant is voor de prestaties van de wagen. De resultaten helpen bij het vinden van de perfecte afstelling, waarschuwen voor mogelijke problemen en maken het mogelijk nieuwe instellingen te analyseren. Overigens is het sinds het seizoen 2003 verboden om naast de gegevens van de wagen naar het team, ook gegevens terug naar de wagen te zenden. Alleen telemetrie van de wagen naar het team is toegestaan.

Toeren per minuut

Zie: *RPM.*

Tractiecontrole

Het elektronische systeem dat ervoor zorgt dat de grenzen van de beschikbare tractie tussen wielen en wegdek niet worden overschreden. Merkt de computer dat de wielen beginnen door te slippen, dan wordt automatisch het motorvermogen wat ingeperkt, zodat de banden optimale grip blijven houden en de wagen maximaal kan versnellen.

Traffic

Zie: *Verkeer.*

Truckie

Een van de chauffeurs die de trucks van een team naar een Formule 1-race rijdt, en waar nodig het team bij andere activiteiten bijstaat.

Tub

Het centrale deel van de wagen dat de monocoque en de overlevingscel van de coureur omvat.

Uitloopgebied

Zie: *Run-off area.*

Uitremmen (out brake)

Een inhaalmanoeuvre waarbij de coureur net iets later probeert te remmen dan de wagen die hij probeert in te halen, zodat hij bij de ingang van de bocht naast zijn concurrent kan komen en hem in de bocht kan inhalen.

Vanes

Alle kleine aërodynamische vleugels en bladen die op verschillende plekken op de wagen voor de juiste luchtstroom zorgen.

Veer

Onderdeel van de wielophanging. In een Formule 1-wagen kom je zowel de gebruikelijke schroefveren, bekend van gewone personenwagens, als bladveren tegen.

Verkeer (traffic)

Wagens die door de raceleider zijn ingehaald en dus niet meer in dezelfde ronde als deze leider rijden.

Vlaggen

Dit zijn de verschillende vlaggen en hun betekenis:

Vlag	Betekenis
Geel	Waarschuwing voor gevaar op de baan, inhalen is verboden.
Geel gezwaaid	Ernstig gevaar op de baan, houd rekening met stoppen.
Blauw	Een snellere wagen wil je lappen (op een ronde achterstand zetten).
Wit	Een langzame wagen bevindt zich op de baan, zoals een ambulance of wagen met een defect
Zwart	Ga direct naar de pits.
Rood	De race of de sessie is gestopt.
Geel met rode strepen	Olie op de baan.
Geblokte vlag	Einde van de race, soms onder toezicht getoond door een beroemdheid.

Vleugel

De aërodynamische elementen voor en achter op de wagen waarmee deze op de grond wordt gedrukt. De vleugels op een Formule 1-wagen zijn feitelijk niets anders dan de omgekeerde vleugels van een vliegtuig. Dat wat het vliegtuig laat vliegen, zorgt er bij de Formule 1-wagen voor dat hij juist op de grond blijft.

Wielbasis

De afstand tussen de twee assen van een wagen. Een lange wielbasis zorgt voor een stabiele wegligging maar een tragere reactie op richtingswissels. Een korte wielbasis maakt snelle richtingswissels mogelijk, maar is minder stabiel qua wegligging.

Windtunnel

Een tunnel waarin aërodynamische onderdelen voor de wagen kunnen worden getest. De wagen wordt in de windtunnel in een sterke luchtstroom geplaatst, zodat de luchtstroom rond de wagen kan worden geanalyseerd. Zonder windtunnel heeft een team zo goed als geen kans om een succesvolle Formule 1-wagen te ontwerpen. De topteams hebben soms wel drie windtunnels in gebruik.

Wishbone

De ophangingsarmen, meestal gemaakt uit koolstofvezel, waarmee de belasting van de wielen naar de veren en schokdempers wordt geleid. Ze ontlenen hun naam aan de gelijkenis met het sleutelbeen ('wishbone' in het Engels) in een menselijk skelet.

Works engine

Zie: *Klantenmotor.*

Zachte banden

Banden die gemaakt zijn uit een zachte rubbersamenstelling, wat voor meer grip op een droge baan zorgt, maar minder lang meegaat als hardere banden.

Bijlage B
Formule 1-statistieken

•••

Dit zijn de winnaars van de Formule 1-rijderstitel van 1950 tot 2003:

Jaar	Coureur	Team	Poles	Gewonnen
1950	Giuseppe Farina	Alfa Romeo	2	3
1951	Juan Manuel Fangio	Alfa Romeo	4	3
1952	Alberto Ascari	Ferrari	5	6
1953	Alberto Ascari	Ferrari	6	5
1954	Juan Manuel Fangio	Mercedes/Maserati	5	6
1955	Juan Manuel Fangio	Mercedes	3	4
1956	Juan Manuel Fangio	Lancia/Ferrari	5	3
1957	Juan Manuel Fangio	Maserati	4	4
1958	Mike Hawthorn	Ferrari	4	1
1959	Jack Brabham	Cooper	1	2
1960	Jack Brabham	Cooper	3	5
1961	Phil Hill	Ferrari	5	2
1962	Graham Hill	BRM	1	4
1963	Jim Clark	Lotus	7	7
1964	John Surtees	Ferrari	2	2
1965	Jim Clark	Lotus	6	6
1966	Jack Brabham	Brabham	3	4
1967	Denny Hulme	Brabham	0	2
1968	Graham Hill	Lotus	2	3
1969	Jackie Stewart	Matra	2	6
1970	Jochen Rindt	Lotus	3	5
1971	Jackie Stewart	Tyrrell	6	6
1972	Emerson Fittipaldi	Lotus	3	5

Jaar	Coureur	Team	Poles	Gewonnen
1973	Jackie Stewart	Tyrrell	3	5
1974	Emerson Fittipaldi	McLaren	2	3
1975	Niki Lauda	Ferrari	9	5
1976	James Hunt	McLaren	8	6
1977	Niki Lauda	Ferrari	2	3
1978	Mario Andretti	Lotus	8	6
1979	Jody Scheckter	Ferrari	1	3
1980	Alan Jones	Williams	3	5
1981	Nelson Piquet	Brabham	4	3
1982	Keke Rosberg	Williams	1	1
1983	Nelson Piquet	Brabham	1	3
1984	Niki Lauda	McLaren	0	5
1985	Alain Prost	McLaren	2	5
1986	Alain Prost	McLaren	1	4
1987	Nelson Piquet	Williams	4	3
1988	Ayrton Senna	McLaren	13	8
1989	Alain Prost	McLaren	2	4
1990	Ayrton Senna	McLaren	10	6
1991	Ayrton Senna	McLaren	8	7
1992	Nigel Mansell	Williams	14	9
1993	Alain Prost	Williams	13	7
1994	Michael Schumacher	Benetton	6	8
1995	Michael Schumacher	Benetton	4	9
1996	Damon Hill	Williams	9	8
1997	Jacques Villeneuve	Williams	10	7
1998	Mika Häkkinen	McLaren	9	8
1999	Mika Häkkinen	McLaren	11	5
2000	Michael Schumacher	Ferrari	9	9
2001	Michael Schumacher	Ferrari	11	9
2002	Michael Schumacher	Ferrari	7	11
2003	Michael Schumacher	Ferrari	5	6

Dit zijn de winnaars van de Formule 1-constructeurstitel
van 1958 tot 2003:

Jaar	Team	Poles	Gewonnen
1958	Vanwall	5	6
1959	Cooper-Climax	5	5
1960	Cooper-Climax	4	6
1961	Ferrari	6	5
1962	BRM	1	4
1963	Lotus-Climax	7	7
1964	Ferrari	2	3
1965	Lotus-Climax	6	6
1966	Brabham-Repco	3	4
1967	Brabham-Repco	2	4
1968	Lotus-Ford	5	5
1969	Matra-Ford	2	6
1970	Lotus-Ford	3	6
1971	Tyrrell-Ford	6	7
1972	Lotus-Ford	3	5
1973	Lotus-Ford	10	7
1974	McLaren-Ford	2	4
1975	Ferrari	9	6
1976	Ferrari	4	6
1977	Ferrari	2	4
1978	Lotus-Ford	12	8
1979	Ferrari	2	6
1980	Williams-Ford	3	6
1981	Williams-Ford	2	4
1982	Ferrari	3	3
1983	Ferrari	8	4
1984	McLaren-TAG	3	12
1985	McLaren-TAG	2	6
1986	Williams-Honda	4	9
1987	Williams-Honda	12	9
1988	McLaren-Honda	15	15

Jaar	Team	Poles	Gewonnen
1989	McLaren-Honda	15	10
1990	McLaren-Honda	12	6
1991	McLaren-Honda	10	8
1992	Williams-Renault	15	10
1993	Williams-Renault	15	10
1994	Williams-Renault	6	7
1995	Benetton-Renault	4	11
1996	Williams-Renault	12	12
1997	Williams-Renault	11	8
1998	McLaren-Mercedes	12	9
1999	Ferrari	3	6
2000	Ferrari	10	10
2001	Ferrari	11	9
2002	Ferrari	10	15
2003	Ferrari	8	8

De volgende tabel geeft een overzicht van de 25 coureurs met de meeste gewonnen races van 1950 tot 2003:

Plaats	Coureur	Gewonnen
1	Michael Schumacher (actief in 2004)	70
2	Alain Prost	51
3	Ayrton Senna (overleden)	41
4	Nigel Mansell	31
5	Jackie Stewart	27
6	Jim Clark (overleden)	25
7	Niki Lauda	25
8	Juan Manuel Fangio (overleden)	24
9	Nelson Piquet	23
10	Damon Hill	22
11	Mika Häkkinen	20
12	Stirling Moss	16
13	Jack Brabham	14
14	Emerson Fittipaldi	14

Plaats	Coureur	Gewonnen
15	Graham Hill (overleden)	14
16	Alberto Ascari (overleden)	13
17	David Coulthard (actief in 2004)	13
18	Mario Andretti	12
19	Alan Jones	12
20	Carlos Reutemann	12
21	Jacques Villeneuve	11
22	James Hunt (overleden)	10
23	Ronnie Peterson (overleden)	10
24	Jody Scheckter	10
25	Gerhard Berger	10

Dit zijn de overige Formule 1-racewinnaars die ook in het kampioenschap van 2004 actief zijn:

	Rubens Barrichello	7
	Ralf Schumacher	6
	Juan Pablo Montoya	3
	Olivier Panis	1
	Kimi Räikkönen	1
	Fernando Alonso	1
	Giancarlo Fisichella	1

De volgende tabel geeft een overzicht van de 25 coureurs met de meeste pole positions van 1950 tot 2003:

Plaats	Coureur	Poles
1	Ayrton Senna (overleden)	65
2	Michael Schumacher (actief in 2004)	55
3	Jim Clark (overleden)	33
4	Alain Prost	33
5	Nigel Mansell	32
6	Juan Manuel Fangio (overleden)	28
7	Mika Häkkinen	26
8	Niki Lauda	24
9	Nelson Piquet	24

Plaats	Coureur	Poles
10	Damon Hill	20
11	Mario Andretti	18
12	Rene Arnoux	18
13	Jackie Stewart	17
14	Stirling Moss	16
15	Alberto Ascari (overleden)	14
16	James Hunt (overleden)	14
17	Ronnie Peterson (overleden)	14
18	Jack Brabham	13
19	Graham Hill (overleden)	13
20	Jacky Ickx	13
21	Jacques Villeneuve	13
22	Gerhard Berger	12
23	David Coulthard (actief in 2004)	12
24	Juan Pablo Montoya (actief in 2004)	11
25	Jochen Rindt (overleden)	10

Dit zijn de overige coureurs met pole positions die ook in het kampioenschap van 2004 actief zijn:

Rubens Barrichello	9
Ralf Schumacher	4
Fernando Alonso	2
Kimo Räikkönen	2
Giancarlo Fisichella	1

In de volgende tabel vind je de Nederlandse en Belgische coureurs die aan ten minste 10 races hebben deelgenomen:

Coureur	Gestart	Gewonnen	Poles
Thierry Boutsen (B)	163	3	1
Jacky Ickx (B)	114	8	13
Jos Verstappen (NL)	106	-	-
C.G. de Beaufort (NL)	28	-	-
Huub Rothengatter (NL)	25	-	-
Jan Lammers (NL)	23	-	-

Coureur	Gestart	Gewonnen	Poles
Johnny Claes (B)	23	-	-
Lucien Bianchi (B)	17	-	-
Olivier Gendebien (B)	14	-	-
Willy Mairesse (B)	12	-	-
Paul Frère (B)	11	-	-
Patrick Neve (B)	10	-	-

Let op de wagennummers om je favoriete coureurs in het seizoen 2004 te herkennen:

Nummer	Coureur	Team
1	Michael Schumacher	Ferrari
2	Rubens Barrichello	Ferrari
3	Juan Pablo Montoya	Williams
4	Ralf Schumacher	Williams
5	David Coulthard	McLaren
6	Kimi Räikkönen	McLaren
7	Jarno Trulli	Renault
8	Fernando Alonso	Renault
9	Jenson Button	BAR
10	Takumo Sato	BAR
11	Giancarlo Fisichella	Sauber
12	Felipe Massa	Sauber
14	Mark Webber	Jaguar
15	Christian Klien	Jaguar
16	Cristiano da Matta	Toyota
17	Olivier Panis	Toyota
18	Nick Heidfeld	Jordan
19	Giorgio Pantano	Jordan
20	Gianmaria Bruni	Minardi
21	Zsolt Baumgartner	Minardi

Dit zijn de testrijders voor de verschillende teams in 2004:

Team	*Coureur*
Ferrari	Luca Badoer
Williams	Marc Gené, Antonio Pizzonia
McLaren	Alexander Wurz, Pedro de la Rosa
Renault	Franck Montagny
BAR	Anthony Davidson
Sauber	Neel Jani
Jaguar	Björn Wirdheim
Toyota	Ricardo Zonta, Ryan Briscoe
Jordan	Timo Glock
Minardi	Bas Leinders

Index

■■

Maak kennis met Pearson Education Benelux

Wist u dat Pearson Education Benelux zowel Nederlands- als Engelstalige boeken uitgeeft op de volgende gebieden:

Informatica
Van boeken voor thuisgebruikers en hobbyisten tot en met standaardwerken voor professionals in de ICT-sector.

Management
Voor de beginnende manager tot en met de veelelsende professional die zijn/haar kennis en praktische vaardigheden op het gewenste niveau wil brengen of houden.

Algemene non-fictie
Titels over de meest uiteenlopende onderwerpen voor een breed publiek: geschiedenis, politiek, literatuurstudies, kunstboeken en populair-wetenschappelijke boeken.

Hoger Onderwijs
Boeken voor het hoger onderwijs onder de imprints Prentice Hall en Addison-Wesley, op allerlei gebied, waaronder: management, economie, marketing, informatica, techniek, psychologie, biologie en kunst.

English Language Teaching
Een uitgebreid aanbod aan Engelstalige boeken voor docenten Engels en voor iedereen die Engels wil leren. De *Longman Dictionaries* en de *Penguin Readers* zijn bekende boeken binnen dit fonds.

Partners
Onze publicaties onderscheiden zich door constante hoogwaardige kwaliteit en innovatie. Dat komt mede door onze nauwe samenwerking met gerenommeerde alliantiepartners, zoals onder andere Microsoft, Adobe, Sun Microsystems, Cisco Systems, Intel, Hewlett Packard, Macromedia, Financial Times, Wharton School en Reuters.

Website
Voor een compleet overzicht van ons assortiment verwijzen wij u graag naar www.pearsoneducation.nl. U kunt zich daar ook inschrijven voor de nieuwsbrief. Daarmee blijft u op de hoogte van nieuws en ontwikkelingen binnen ons fonds. Iedere 25e inschrijving bedanken we met een boek van Pearson Education naar keuze.

Uw mening
Wij streven altijd naar de hoogst mogelijke kwaliteit van onze boeken. We hopen dan ook dat u dit boek met plezier gelezen heeft.
Mocht u nog vragen en/of opmerkingen hebben over dit boek of over andere boeken van Pearson Education Benelux, dan kunt u altijd contact met ons opnemen via marketing.benelux@pearson.com of +31 (0)20 5755800.